北京古籍叢書

[清]周家楣 [清]繆荃孫 編纂

光緒順天府志

左笑鴻 點校

第四册

圖書在版編目（CIP）數據

光緒順天府志．第四册 /（清）周家楣，（清）繆荃孫編纂；左笑鴻點校．— 北京：北京出版社，2018. 2
（北京古籍叢書）
ISBN 978-7-200-13602-9

Ⅰ．①光… Ⅱ．①周… ②繆… ③左… Ⅲ．①北京—地方志—清代 Ⅳ．① K291

中國版本圖書館 CIP 數據核字（2017）第 282310 號

項目策劃：安　東　　項目統籌：許　可
責任編輯：喬天一　許　可　　責任印製：宋　超
裝幀設計：郭　宇

北京古籍叢書
光緒順天府志
第四册
［清］周家楣　［清］繆荃孫　編纂
左笑鴻　點校

出　版　北京出版集團公司
　　　　北京出版社
地　址　北京北三環中路六號
郵　編　一〇〇一二〇
網　址　www.bph.com.cn
總發行　北京出版集團公司
經　銷　新華書店
印　刷　北京京華虎彩印刷公司
開　本　八八〇毫米×一二三〇毫米　三十二
印　張　十點七五
字　數　一九四千字
版　次　二〇一八年二月第一版
印　次　二〇一八年二月第一次印刷

書號　ISBN 978-7-200-13602-9
定價　128.00 圓
如有印裝質量問題，由本社負責調换
質量監督電話　010-58572393

地理志九

德清蔡賡年纂　德清傅雲龍覆輯

邨鎮一

鎮，廣雅訓重。故鎮或統邨。邨俗作村。説文無村有邨，从邑，屯聲。增韵：邨，聚落也，从屯。一切經音義引字書，屯亦邨也。然則邨、屯聲諧誼通，順天人邨亦呼屯，猶存古誼，非僅如家、各一聲之轉，亦非因屯田之制，漢兵、唐民，取以名邨也。宋紹興間，采石不辨東西，楊林莫詳渡口，以諸州上萬年圖不載邨鎮故，顧可忽與？今以治爲主，以竟爲斷，方隅里數，自邇而遥，名必據今，蹟則徵古，水道之分合，戰績之平險，户口田賦之盈歉，胥于是稽。然如固安之陽鄉城，或言良鄉；順義之遼涼殿、五柳城，或言懷柔；密雲之匣陽城，或言薊州；緱城之緱謌英，漁陽之漁謌貍，此當正者也。故安之黄金臺，非今固安南河之故城；竇燕山、邵康節之故里，非今順義；海州之平曲故城，非今文安；通潞非亭，空城非城，此當削者也。志邨鎮。城屬無鎮。

其邮：府治東三里朝日壇，邮以壇名，下夕月壇同。六里牛房，明時有倉。明會典：永樂五年，設東直門外牛房倉。舊聞考：東直門外六里許，地名牛房。十里藍靛廠，金章宗鹿園也。長安客話：大通橋東有鹿園，方廣十餘里，地平如掌，古樹偃仰，傳是金章宗時故址。帝京景物畧：鹿園今曰藍靛廠。舊聞考：藍靛廠凡二，一在西直門外，今西頂廣仁宮卽其地；一在東直門外，卽鹿園。十一里槐邮，有濯纓亭。帝京景物畧：三忠祠後有濯纓亭。大興舊志：祠在大通橋東里許，地名槐邮。南半里許燕墩，舊聞考引五城册：燕墩在永定門外半里許。墩南六里有奇，舊有元郊壇。元祭祀志：中統十二年，于麗正門東南七里建祭臺。舊聞考：元郊壇當在今永定門外。遼之永平館，一名碣石館。金之葆臺，當近南苑。方輿紀要：永平館府南十里，一名碣石館。析津志：葆臺在南城之南，去城三十里，相傳明昌時李妃避暑之臺，乃故京藥師院之支院。魏邮社，舊有金井。天府廣記：井在府南魏邮社，永樂間嘗駐蹕，飲而甘之，命甃焉。舊聞考：井今湮。馬家邮。舊聞考：在左安門外迤西。西三里夕月壇，八里門頭邮，西山門徑也。燕都遊覽志：門頭邮去郊西八里許，以其地爲西山門徑，故名。舊聞考：門頭邮有二，一在靜宜園西南，一在門頭溝，距都城西六十餘里。十里水東莊，十五里小井，有釣魚臺、駐蹕臺，皆在治西。一統志：釣魚臺在宛平縣西花園邮，臺下有泉湧出，匯爲池，冬不竭，相傳金人王鬱隱此。駐蹕臺在宛平縣西。元文宗紀：至順二年，發軍士築駐蹕臺於承天護聖寺東。北八里西小園。東北八里龍稻邮。東南二里神木廠，一統志：神木廠在廣渠門外二里，有大木，明初搆宮殿遺材也。暖姝由筆：北京神木廠大木，刻字爲紀，有王二姐、張點頭、嫌河窄、混江龍之名，皮爛心存，對面猶不相見。六里六里屯，或曰唐謊糧臺近此。方輿紀要：謊糧臺，府西南六里，相傳唐太宗征高麗，虛設囷倉于此，以疑敵人。屯東四里舊有瓠瓜亭。析津志：瓠瓜亭在燕之陽春門外，去城十里。趙禹卿名鼎，員外郎，陸斷事府參謀，于城東邮有別墅，構亭曰瓠瓜。風庭埽葉録：元大都園亭多在城西南，惟趙參謀瓠瓜亭在城東，故曰東皋種瓠，致飲具，當時目曰趙瓠瓜。明一統志謂在城南十里，循元志之舊。舊聞考：亭莫詳其址。八里晾馬橋，十一里湖渠邮，十六里高碑店，燕黃金臺近此，臺北里許舊有小黃金臺。任昉述異記：燕昭王爲郭隗築臺，在幽州燕王故城中，土人呼爲賢士臺，亦謂招賢臺。迺賢集：黃金臺在大悲閣東南，隗臺坊內。明一統志：臺在府東南十六里。又一曰小黃金臺，在府東南十五里。長安客話：都城黃金臺，出朝陽門外，循壕而南，至東南角，巍然一土阜，是也。方輿紀要：黃金臺，府東南十六里，又北里許爲小黃金臺，燕昭王嘗於易水東南築臺，延天下士，後人慕之，因築焉。一統志：史記，昭王爲郭隗改築宫而師事之，不言築臺。後漢孔融論盛憲書，始云昭王築臺以事郭隗，然亦無所謂黄金臺。酈道元水經注、文選李善注引王隱晉書、隋上谷圖經，始有黄金臺之名，然皆在今易州。惟述異記謂臺在幽州，後人緣此以築耳。西南四里羊坊邨，八里豐臺，析津日記：豐臺之名，不知所始。春明夢餘録：右安門外西南，泉源湧出，爲草橋河，接連豐臺，爲京師養花之所。元人園亭，皆在于此。舊聞考：豐臺在右安門外八里，居民有以藝花爲業。朱彝尊疑卽金拜郊臺，因門曰豐宜，故目爲豐臺。據日下舊聞。金地理志：金因遼俗以重五、中元、重九日行拜天禮。重五於鞠場，中元於内殿，重九於都城外。明一統志：拜郊臺在府西南七里，金大定間拜天於此。乾隆三十九年，御製豐臺詩注云：其解未確，豐蓋取蕃廡之義。朱昆田又疑卽遠風臺遺址，舊聞考已辨其傅會矣。秋澗集：豐宜門外西南行四五里，有鄉曰宜遷。架屋臺上，隸其榜曰遠風者，韓氏昆仲總管通甫、判府君美也。析津志：韓御史城南遠風臺爲别墅。舊有柳邨、俞家邨、樊家邨、劉邨近此。京城古蹟考：豐臺在宛平縣西，自柳邨、俞家邨、樂吉橋一帶，有水田。橋東有園，其南有荷花池，牆外俱水田種稻。至蔣家街，爲故大學士王熙别業。其季家廟、張家路口、樊家邨之西北地畝，半種花卉，半種瓜蔬。劉邨西南爲禮部官地。泉脉從水頭莊來。十里草橋，舊有萬柳堂，爲元廉希憲别墅。玩芳亭爲元栗院使别墅，遂初堂爲元張九思别墅，並與此近。帝京景物略：右安門外南十里草橋，唐時有萬福寺，寺廢而橋存。橋去豐臺十里，元廉右丞之萬柳堂、趙參謀之瓠瓜亭、栗院使之玩芳亭，要在彌望間，莫詳其處。紀纂淵海：萬柳堂在府南。明一統志：萬柳堂，元廉希憲别墅；玩芳亭在府南，元栗院使别墅。長安客話：野雲廉公城南别墅，時稱廉園，花園邨之名起此，内有清露堂。舊聞考：張九思遂初堂，孫承澤天府廣記亦系之草橋河各條下，然其蹟已無可考。又有祖氏園。天府廣記：祖氏園中有古池臺，云是元人舊蹟。舊有所謂十里邨者，當在彰義門外。據何中宿知非堂集。又數里，有唐愍忠閣。方輿紀要：愍忠閣，府西南十五里，唐太宗征遼陽，憫忠義陣亡士建此閣，後爲愍忠寺，明改觀音閣。西北四里羊坊店，六里白祥庵，七里斜子湖邨，廣通寺邨，舊有土城近此。昌平山水記：出德勝門八里爲土城，元之舊也。方輿紀要：土城在府西北八里，唐時戍軍頓舍處，或曰元置。正統十四年，也先奉上皇車駕登土城，卽此。一統志：土城在宛平縣西北，德勝門外八里，卽元大都路故城，或謂之土城。長安客話：土城關相傳是古薊州遺趾，亦曰薊邱，舊有樓館，並廢。十里藍靛廠，十二里海淀，舊有明米萬鍾勺園，一名米家園，又曰風煙里。一統志：米家園在宛平縣西北海淀，明米萬鍾建，曰勺園，又曰風煙里，都人稱米家園。十三里娘娘廟，黃莊。

大興縣

鎮：治南一百里有奇，禮賢鎮巡檢駐焉，管田家營等邨九十有五。按：册於鎮外又列禮賢邨，故數異。東北三十三里孫侯屯鎮，一名孫侯屯，亦曰孫河邨。榆河合清河逕此，曰孫侯河，管北店等邨二十有二。舊有遼望京館，故亦呼望京邨，又有墩臺，明景泰初築。方輿紀要：望京館在府東北三十里，遼時建，爲南北使餞息之所。宋王曾上契丹事，出燕京北門至望京館卽此。沈括曰：幽州東北二十里有望京館，東行少北十餘里，出古長城，又二十里至中頓，又踰孫侯河二十里至順州，又東北行七十里卽檀州。春明夢餘録：望京館在城東北五十里孫侯邨。舊聞考：孫河屯或孫侯邨之轉音，爲古北口孔道。明景帝實録：景泰元年七月，築東直門外望京邨墩臺。東南六十里青雲店鎮，把總駐焉，管大迴城等邨四十有七。按：大興縣典史管邨七十一，卽青雲店鎮，合所管邨四十八。又孫侯屯合邨二十二爲二十三。七十里采育鎮，巡檢及都司、把總駐焉，管石州營等邨三十有四。按：鎮爲古安次縣采魏里，明初爲上林苑，改爲蕃育署，合而名之曰采育，舊有鵝鴨城、義犬庵。春明夢餘録：采育乃古安次縣采魏里，明初爲上林苑，改名蕃育署，而人仍呼采育，合新舊名之也。去都城七十里。耳譚：蕃育署首良牧、林衡、嘉蔬，所謂外光禄也，統于上林苑署，卽皇莊，不隸京府，乃勝國時沙漠地。永樂二年，移山東西民填之，有恆產，無恆賦，但以三畜爲賦。計營五十八，舊有鵝鴨城、義犬庵，在蕃育署。一統志：蕃育署在大興縣東南七十里。舊聞考：采育在左安門外五十五里，居民數千家，爲畿輔首鎮。鵝鴨城、義犬庵今無考。八十三里鳳河營鎮，把總駐焉，管沙窩店等邨十有六，亦隸采育鎮。西南五十里黃邨鎮，巡檢及司獄駐焉，管三間房等邨三十有八。

其邨：治南六十二里侯家邨，六十五里盧家垈，羊坊屯，薄家邨，韓家邨，孫家邨，泥鰍營，六十七里狼各莊，六十八里前大營，後大營，六十九里西莊，七十里鮑都新莊，小吴家莊，于家莊，查家馬房，七十四里東棗林莊，西棗林莊，七十五里北李家渠，康家莊，北研垡，七十七里南李家渠，賈家邨，七十八里陳各莊，沙子營，八十里跕上邨，高家店，李家巷，岳家務，四各莊，南田各莊，北田各莊，潘家馬房，崔家莊，小趙家莊，鄭遠侯莊，王各莊，魏善莊，劉各莊，八十二里杜各莊，八十三里驢房屯，河南新房，河北新房，八十四里小營邨，魏家莊，半壁店，八十五里湯家營，沙台子，盧各莊，南研垡，苑上邨，八十六里霍大營，東沙窩，西沙窩，八十八里前野廠，後野廠，犬狼垡，九十里小劉各莊，東白塔，西白塔，通州馬房，南頓垡，北頓垡，紅石莊，九十一里小馬房，後佟家務，九十二里于家務，徐白屯，前佟家務，鬲各莊，後新房，九十三里加禄垡，亦曰喇嘛垡，龍頭邨，九十五里王家莊，九十六里北河頭，東大渠，西大渠，柴各莊，東白家疃，西白家疃，平家邨，前新房，九十七里羊各莊，後羊各莊，一百里内管邨，佃子邨，孫家營，西里河，石柱子，一百三里田家營，王化莊，趙家莊，祁各莊，一百四里荆家務，一百五里李各莊，一百六里辛教庵。已上九十五邨，隸禮賢鎮巡檢。

東北二十里孫家坡，西營，二十一里東湖營，二十三里新店，閃各莊，崔各莊，來廣營，代管太平橋邨。燕丹邨，白坊邨，二十五里劉各莊，二十八里馬全營，河各莊，清河營，奶子房，三十里雷家橋，三十一里上新堡，下新堡，黃港邨，三十三里康家營，三十六里北店，三十八里海青廟，三十九里白廟邨。已上二十二邨，隸孫侯屯鎮。東南二十三里駒子房，北皋邨，二十五里石各莊，康各莊，北馬房，三岔河，雷家莊，東營邨，二十六里定福莊，二十八里黃渠邨，葦溝邨，二十九里長店邨，三十里小店，三十三里金盞邨，三十八里岡山邨，管頭邨，薛大人邨，白辛邨，四十里蘆臺邨，四十一里馬連店，花梨坎，坿鮑家墳。四十三里半壁店，坿小葛頭邨。天竺邨，喇蘇營，二十里鋪，四十六里窪子裏，四十八里龍山邨，鐵匠營，坿羊耳營。五十里石州營，亦曰閻家營，垡上營，五十一里秀才營，桃山邨，馮家營，回子營，枯柳樹，五十三里莊子營，五十五里孝義營，沙堆營，大迴城邨，舊有迴城，一統志：迴城在大興縣東南。舊唐志：沃州濱海縣，本寄治營州城内，州陷契丹，乃遷于薊州東南迴城。舊志：在縣東南五十里。五十六里霍州營，亦曰梁家營，又曰高家營，解州營，亦曰亥水營，留民營，趙縣營，亦曰董家營，竇家營，小迴城邨，五十七里靳七營，五十八里鄭爾營，亦曰白廟，六十里中長子營，下長子營，小楊各莊，魏各莊，大谷家莊，小谷家莊，六十一里上長子營，尚莊，六十二里沁水營，亦曰觀音寺，又曰小馬房，上黎城營，亦曰大窨上，六十三里潞城營，北山東營，南蒲州營，北蒲州營，堡林莊，太平莊，顧家莊，六十四里河津營，亦曰小窨上，六十五里沙河邨，六十七里周家營，車固營，六十八里前定安邨，後定安邨，七十里大興北營，大興東營，大興西營，屯留營，七十一里下黎城營，亦曰巷子營，七十二里南山東營，七十三里北沙窩營，七十四里東北台營，西北台營，亦曰賈口台，七十五里大興南營，南沙窩營，在城營，亦曰李家營，高平營，廣佛寺營，七十六里辛莊營，俗呼蔡辛莊，烏雲寺營，李家鋪，韓家營，七十七里皮匠營，包頭營，七十八里東潞州營，亦曰胡家營，又曰立市營，枯樹營，山西營，八十里廟窪營，康家營，亦曰延壽營，沙窩店營，已上九十七邨，分隸采育鎮、鳳河營鎮、青雲店鎮。舊有聚燕臺，雙清亭，東郭草亭，並在東南。帝京景物略：采育東南二十里有聚燕臺。一統志：聚燕臺在大興縣東九十里，高一丈，廣三四十尺，歲秋社燕辭巢日，必將其雛數千百羣聚此臺，呢喃一二日，然後分翔而去。雙清亭在大興縣東南通惠河上，元都水經歷園也，宋褧有詩。東郭草亭在大興縣東南，明興濟伯楊善别業。按里數，聚燕臺當在東南。西南三十八里大莊，四十二里高米店，四十五里西黃邨，小營邨，四十七里洪家邨，新立邨，五十八里紀百户莊，王力莊，劉家邨，霍家邨，六十里李家營，祁各莊，李家邨，桂家邨，六十三里孫家邨，六十五里西磁各莊，六十六里東磁各莊，六十八里三間房，趙家邨，郭家上坡，大張本莊，六十九里小張本莊，七十里野廠，寺兒上，閘子口，七十二里小鋪頭邨，大鋪頭邨，七十三里棗林邨，南紅門，辛屯，七十五里北店邨，七十六里垡上邨，七十九里曹邨，八十里高莊，八十一里河套邨，八十四里大屯，八十七里李瓜李。已上三十八邨，隸黃邨鎮巡檢。舊有漢征北小城，一統志：征北小城在大興縣境，後漢末公孫瓚築。晉置征北將軍，嘗治此，因名。建興三年，劉琨自太原奔投匹磾時，匹磾别屯征北小城是也。今堙。隋臨朔宮。隋煬帝紀：大業七年四月至涿郡臨朔宮。唐地理志：薊縣有故隋臨朔宮。一統志：臨朔宮在大興縣界。

宛平縣

鎮：治西六十里門頭溝，縣丞駐焉，管黃石港等邨五十有二。一百里王平口，外委駐焉。西南三十八里盧溝橋鎮，管八角等邨七十有奇，舊傳河畔有雅集亭。一統志：在宛平縣西南盧溝河畔，相傳元符氏建。辛齋詩話：河畔元有符氏雅集亭，又有野亭。見貢仲章雲林詩集。五十里趙邨店，亦曰趙新店，把總駐焉。七十里龐各莊，巡檢駐焉，管裏河等邨九十有四。九十五里榆垡，把總駐焉。西北典史駐城管魯古等邨五十三。三十五里磨石口鎮，千總駐焉。五十里五里坨，把總駐焉。一百三十五里青白石鎮，石港司巡檢移此，管傳家臺等邨二十有五。一百七十里東齋堂，齊家莊，巡檢移此，管西護駕林等邨六十有四，平羅把總駐焉。一百八十里沿河口，都司各官駐此。

其邨：治西二十里大屯，東接城屬界。二十五里上莊，田各莊，三十里魏家邨，邨一曰莊。黃莊，小屯，明宣德九年，決渾河至小屯，即此。據宣宗實録。大井邨有義井，邨一曰鋪。長安客話：義井庵在天甯寺西十里，義井或曰密井，相傳文皇駐蹕，甘其泉，故名。舊聞考：井在廟門外，今其地名井邨。明天啟元年，築墩堡，宿兵十。據熹宗實録。吳家莊，莊一曰邨。下莊，西黃邨，龔邨，廖公莊，舊有撇山邨近此。寰宇通志：城西三十里撇山邨。三十二里八角邨，看丹邨，五里店，明天啟元年築墩堡，大井邨，據實録。衙門口邨，舊有碣石宮近此。一統志：碣石宮在宛平縣西。史記：鄒衍如燕，昭王築碣石宮在幽州薊縣西三十里，甯臺之東。三十五里古城邨，亦呼城子邨，或曰方輿紀要所謂玉河廢縣，在府西四十里者，當即近此。按紀要云：玉河廢縣在府西四十里，本薊縣地，五代時劉仁恭置。遼志：仁恭於大安山創宮觀，師方士王若訥，分薊縣置此縣以供給之。遼亦爲玉河縣，今廢。國門近游録：過長店岡而西，有縣邨，疑即古玉河縣故址。然唐時幽州管內當有廣平縣，亦分薊縣置，所謂縣邨，究未定何縣。舊聞考：宛平西四十里有城子邨，舊爲玉河鄉地，當即玉河廢縣。三十六里瓦窰邨，水屯，魯古邨，張儀邨，三十七里北瓦窰，四十里山底邨，亦曰旁邨，北辛安，已上邨在永定河東，舊有甯臺、元英宮、磨室宮近此。史記樂毅傳：齊器設于甯臺，大吕設于元英，故鼎反乎磨室。括地志：元英、磨室二宫皆燕宫，在幽州薊縣西四十里甯臺之下。四十二里西安佐，四十三里新城邨，張家莊，家一作各。四十四里栗園，遼置栗園司，遼百官志：南京栗園司置南京栗園。舊聞考、方輿紀要：栗園在固安界。周篔析津日記謂白雲觀西南有栗園。又今宛平縣西四十五里卧龍岡西南，亦有栗園邨。蓋栗爲都城土産，固在在有之。卧龍岡，四十五里小園邨，上岸邨，四十七里石門營邨，亦曰石營，楊公莊，丁邨，太子峪，五十二里何家莊，家一作各。五十四里苛羅坨，桑峪邨，平園邨，五十五里劉家峪，馮邨，六十里魯家灘，茨頭邨，六十四里南新房，亦曰新房邨，鎮岡塔，七十二里草店水，亦曰草店子，七十五里峯口菴，八十里黄石港，九十里十字道邨，安家灘，小店子，九十五里白道子，南青山嶺，北青山嶺，一百十里潘家澗邨，窄口臺邨，一百十二里東板橋邨，西板橋邨，一百二十五里莊窠，按：莊窠有二，其一在西南二百九里。一百三十里千軍臺邨，禪房邨，黑龍潭，黑龍關，一百四十里有奇大寒嶺邨，一百五十一里元陽邨，甲魚口，柳林水邨，一百七十八里青土澗，一百八十里史家營邨，一百八十五里蓮花菴邨，一百九十里秋林鋪邨，松樹嶺，已上邨在永定河西，舊有廣平廢縣在治西，一統志：廣平廢縣在宛平縣西，唐天寶元年析薊縣置，三載，省。至德後復置，後又省。國門近游録：盧溝河南過長岡店而西，有縣邨，疑是。又有君子城，或曰疑即西山君子口。一統志：君子城在宛平縣西。寰宇記、郡國志云：石勒每破一州，必簡別衣冠，號君子城。洎平幽州，擢荀綽、裴憲等還襄國經此，俗訛爲箕子城。舊志：今西山有君子口，疑卽君子城。西南三十一里三岔口，按：府西南二十五里漢陰鄉縣遺址，舊呼籠火城，當在三岔口東北數里，方輿紀要：府西南二十五里，漢置陰鄉縣，屬廣陽國。後漢省。其遺址謂之籠火城。唐武德三年，竇建德遺將高士興擊羅藝於幽州，不克，退軍籠火城。舊有金水邨，當近此。薊邱集：金水邨去京西南三十里。舊聞考：邨無考。三十五里狼垡，方輿紀要所謂閭城，亦曰關城，當卽近此。方輿紀要：在府西南三十五里，亦曰關城。又有納降城，赫連城，未詳何邨。一統志：納降城在宛平縣西南。唐地理志：幽州城内有經畧軍，又有納降軍，本納降守捉城，故丁零川也。西南又有安塞軍、赫連城。四十里栗垡，西二里永定河。龐邨，四十四里高店邨，四十五里長新店，明實録長店築墩堡，卽此。明熹宗實録：天啟元年，長店築墩垡宿兵十名。舊聞考：長店當卽長新店。稻田邨，有倉。東三里永定河。魯城邨，亦曰盧城邨，宋安禮砦近此。宋史宋琪傳言，安禮寨東及幽州四十餘里。方輿紀要：砦在西南。按：南北監本，禮作祖。四十八里呂邨，四十九里楊家峪，胡家莊，五十里鵝房邨，北獨義邨，五十一里李家峪，南營邨，五十四里北新立莊，念灘邨，五十五里董公庵，接房山縣界。五十六里朱家岡，閣仙垡，葫蘆垡，馬邨，八家莊，前新莊，後新莊，桑垡，亦曰桑馬房，天宮院，五十七里羅奇營，西大營，五十九里軍流莊，六十里佛家邨，滿洲邨，下塲，公議莊，六十一里臧邨，磚樓邨，王家莊，朱家營，接良鄉界。六十二里中堡，皮各莊，留民莊，六十三里宋各莊，高各莊，小高各莊，趙邨，六十四里東義堂，西義堂，南茨榆，梁家務，定甫莊，六十五里薛家營，窰自頭，七十里曹各莊，北茨榆，河兒南，七十里小營邨，石垡，東南邨，七十一里張公垡，七十二里常各莊，賀北邨，七十五里東黑垡，西黑垡，流石莊，裏河邨，七十七里東黄垡，西黄垡，小黄垡，苑南邨，八十里西郟河邨，黄各莊，魏各莊，八十一里賀南邨，八十五里東郟河邨，梁各莊，董各莊，八十六里孫各莊，大辛莊，有倉。東麻各莊，太平莊，八十七里西麻各莊，小練邨，南新立莊，九十里南各莊，東瓮各莊，西瓮各莊，東莊營，長安城，九十二里張家務，九十五里大馬坊，南公各莊，朱家務，太子務，小辛莊，大練莊，榆垡東莊，九十六里東胡林，西胡林，求賢邨。西北十五里八里莊，按：此距西直門八里，距宛平縣治則十五里。十九里田邨，二十里小黄邨，二十二里小底邨，邨東北數里舊有看花臺，金章宗建，一統志：臺在宛平縣西玉泉山隆教寺西，長嶺之半，爲金章宗故迹。按：此臺在宛平縣西北。又有望湖亭，飛泉亭，一統志：望湖亭在宛平縣玉泉山裂帛湖上，睨瞰西湖，明如半月。飛泉亭在宛平縣五華山西北，有泉自山畔湧出，建亭翼之，泉水東南流，逾尋丈許，伏而不見，至玉泉山趾湧出，蓋玉泉之源也。二十三里高霄邨，已上五邨在玉河南。永順莊，亦曰上地，沙子邨，后營邨，二十五里安凝莊，二奇邨，有倉，在清河北。二十八里永泰莊，三十里迴龍觀，潘家莊，黄土邨，東北旺，三十五里西北旺，北接昌平界。后廠，狼山，高井，四十里唐家嶺，崔邨，四十五里廣凝墳，四十八里麻峪邨，五里坨，四十九里張家墳，二老莊，五十里軍莊，朱家墳，五十二里灰峪邨，郝家房，喬户營，西辛莊，石廠邨，五十三里寨口，周家港，五十五里王家店，老店邨，北岡窪邨，五十八里高陵邨，保合莊，梨園邨，六十里大峪邨，成子邨，東張各莊，六十餘里婁子新莊，北接昌平界。北安河，徐各莊，余家莊，琉璃局，龍泉務，東新房邨，西新房邨，陳各莊，冷各莊，旦立邨，牛家務，石佛邨，六十五里蝎虎澗，六十六里店子邨，七十里十八盤邨，水泉邨，下葦甸，南澗邨，落坡邨，南港邨，西港邨，天橋邨，七十二里新房邨，賈家溝，七十三里黄土臺邨，七十五里橋兒澗邨，色樹墳邨，丁家灘，七十六里搶風坡，圭石邨，陽陂園，八十餘里西埠頭，刮地草邨，東王平邨，西王平邨，吕家坡，平地邨，西岡邨，澗東邨，上葦甸，灰廠，八十二里沙峪邨，此邨包於房山縣境。八十六里三間房邨，八十七里墳山邨，此邨包於房山縣境。九十里桃園，有倉。櫻桃溝，南莊，清水澗邨，大窰邨，彭家坡邨，柴廠邨，此邨包於房山縣境。九十五里東桃園，寺底下邨，九十六里趙家臺邨，百里西桃園，大台邨，三叉澗，亦曰三岔澗，又曰澗溝，偏坡邨，焦家嶺邨，王家嶺邨，一百一十里安家莊，一百十五里河南臺，雁翅邨，葦子水邨，一百十七里田家莊，一百十八里高家臺，一百二十里下馬嶺邨，淤泥坑邨，一百二十五里芹峪邨，太平幕邨，一百三十里立石臺邨，太子末，寶地窪邨，煤窩邨，一百三十五里傅家臺邨，一百四十里常峪邨，一百五十里猪窩邨，一百五十五里軍餉臺下邨，軍餉臺上邨，塔兒嶺，一百五十八里東護駕林邨，一百六十里西護駕林邨，按：護駕林亦呼胡家林，一聲之轉也，一名西河邨。長安可游記：石廟涉澗則西河邨也。舊聞考：西河邨今名胡家林。火攢邨，碣石邨，房梁邨，一百六十四里前桑峪邨，後桑峪邨，一百六十五里靈水邨，一百七十一里西齋堂，有倉，舊有守禦城。（長安可游記：龍王廟相近有守禦城。舊聞考：守禦城舊地，在齋堂邨旁。）馬蘭邨，一百七十五里莊頭邨，一百七十八里金雞臺邨，青龍澗，一百八十里高窩鋪邨，白虎頭邨，雙石頭邨，旛桿嶺邨，林子臺，水峪邨，橫嶺邨，（嶺一作頂。）東北山邨，西北山邨，一百八十五里王門子，靈岳寺邨，蔡家嶺邨，一百八十八里大三里邨，一百九十里牛戰邨，下清水邨，上清水邨，白羊石邨，爨底下邨，黃嶺西邨，王家山邨，一百九十五里達摩莊，二百里柏峪邨，杜家莊，馬家套邨，瓦窰邨，梁家莊，二百五里天仙觀，一名天星觀，張家莊，向陽口邨，台上邨，（按：此邨隸梁家莊。）二百九里莊窠邨，二百十里雙塘澗邨，梁家鋪，田寺邨，二百十五里齊家莊，先是巡檢治此，今移齋堂。塔兒邨，燕家臺，二百二十里幽州邨，龍窩邨，二百二十五里紅石口，二百三十里安家漩，黃庵邨，城廠，艾峪邨，黃塔邨。

良鄉縣

鎮：治東北八里長陽店鎮，南北要道也，有鋪，在廣陽河北。西南二十五里竇店鎮，有鋪。（北接七里店，南接黃土坡。）二十八里趙邨鎮，管河縣丞駐焉，有渡。四十里琉璃河鎮，亦曰劉李鎮，又曰燕谷店，把總駐焉，有鋪。方輿紀要云：元延祐四年，於琉璃河置巡簡司。卽此。河陽有明離宮。（范守己肅皇外史：嘉靖十八年四月己亥，良鄉離宮成。初，帝命于良鄉琉璃河陽建立離宮，至是成。庚戌，帝次良鄉，御離宮。）

其邨：東三里塔灣邨，舊有料石岡，古城凡五。料一作燎，亦作遼。又有佛塔，城廢塔猶存。金史：貞元元年，獵于良鄉，封燎石岡。方輿紀要：遼石岡在縣治東三里。志云：岡有古城五座，方圓棊布，岡頂有多寶佛塔，隋建。金志作料石岡。長安客話：石岡石赤色，可以取火，因名燎石岡。舊聞考：古城址已廢，佛塔尚在。梅家莊，後店，西北關，五里魚兒溝，六里魯邨，八里水淰屯，魚管營。南一里紙房邨，東楊家莊，三里徐家莊，常家莊，前家岡邨，五里黑狗臺邨，二十里興隆莊，二十五里務子邨，莊頭邨，劉平莊，袁家莊，北召邨，三十里立教邨，有元梁斗南墓，其故居未詳。按：中州集載張本梁斗南新居落成詩，則其故居當在縣境。南召邨，太平莊，常舍邨，東南呂，西南呂，南白邨，石邨，章邨，路邨，三十二里保興莊，官莊，三十五里琉璃店，在琉璃河鎮北五里許。北白邨，興禮邨，薛家莊，四十里祖邨，四十二里平各莊，四十三里北洛邨，四十五里南洛邨，福興邨，羊合莊，小務邨。西二里楊家莊，西太平莊，蘇家莊，蕭家莊，六里閻邨，八里大紫草務，務一作塢。十二里小紫草務。北五里黃新莊，有行宮。占家莊，大馬莊，安家莊，楊家井，五里店，六里小馬邨，八里鐵匠營，雅河邨，籬笆房，劉家莊，苑邨，賀照雲，十二里黃管屯，亦曰黃管營，盧尚書墳，王家莊，廟兒岡，米良屯，十五里莊窠邨，崇各莊，十八里小苑上，南坊邨，二十里官地邨。東北五里塔窪邨，八里廣陽城，水經酈注：廣陽水出小廣陽西山，東流逕廣陽故城北。即此。唐總章中，於此置歸義州歸義縣，金置廣陽鎮。太平寰宇記：廣陽故城在今縣東北三十七里。方輿紀要：廣陽城縣東八里，漢縣。後漢建武初，封劉良爲侯邑。北齊省入薊縣。唐總章中，以新羅降户置歸義州於此，後廢。開元二十年，復置，以處降奚。唐書：時信安王禕破奚，契丹奚酋李詩降，賜爵歸義王，歸義州都督，徙部落於幽州境內。即此。上元三年，史朝義自歸義東奔廣陽。此廣陽謂密雲郡之廢燕樂縣，後魏置廣陽郡於燕樂，故云，所謂歸義，即此城也。州尋廢。或曰，金廣陽鎮蓋置於此。一統志：廣陽故城在良鄉縣東北，漢置，以其屬廣陽國，亦謂之小廣陽。後漢初，耿弇追賊至小廣陽，即此。括地志：廣陽故城在良鄉東北三十七里。舊唐書地理志：歸義州歸義縣，總章中置在良鄉縣之古廣陽城。又夷賓州領來蘇縣，瑞州領來遠縣，神龍初皆寄治故廣陽城。舊志：廣陽城在今良鄉縣東北十里。按：漢置良鄉縣，在涿州北四十里。五代唐長興三年，移治於此。括地志、寰宇記所謂廣陽城，在縣東北三十七里，指良鄉舊治言也，在今治東北八里。紀要云東，微有未合。東南八里欒邨，十里劉家莊，十二里葫蘆垡，後石羊，西石羊，十三里東石羊，十五里侯家莊，張謝邨，下禪坊，十六里趙家莊，十八里陳家柳子，二十里任家營，二十五里老君堂，三十里窰上邨，陶邨，賈河邨，鮑家莊，曹家莊，北章客，南章客，三十五里保安莊，韓家營，錢管營，四十里丁邨。西南五里富家莊，元武屯，固邨，八里炒米店，南梨園，邢家塢，劉丈邨，分水嶺，十里大十三里，十五里小十三里，小董邨，江邨，小高舍，大高舍，十八里交道邨，六股道，二十里七里店，望楚邨，馬家莊，普家屯，二十五里丁各莊，二十七里白草窪。西北八里南上岡，十二里果各莊，十五里怪坨邨，十六里豆各莊。

固安縣

鎮：治南四十里牛坨鎮，把總駐焉。先分路凡七，牛坨鎮，其東南路也，坨一作塢。管金家營等六十三邨。又南路馬莊鎮，管辛家莊等三十八邨。又南路曲溝鎮，管琉璃等四十七邨。又東南路彭邨鎮，管後營等六十三邨。又西南路駱駝灣鎮，管柳斌屯等六十邨。又西北路官邨鎮，管朱各莊等四十七邨。又東路知子營鎮，管鳳鳴莊等七十九邨。今惟牛坨以鎮名，不管郵。餘皆爲郵。

其郵：治東四里西湖，八里東李郵，西李郵，十五里河津，十八里丁郵。南二里祖家場，三里龍堂，四里吕家營，五里南五里鋪，公主務，按：務、府一聲之轉。固安陳志曰：明萬曆間公主釐降荆垡營郵，因於邑西南數里建府，名郵曰公主府。十里劉郵，南十里鋪，十八里柳泉，二十里北義厚，二十一里南義厚，二十五里淮安，三十里半邊店，三十二里大沙垡，三十三里小沙垡，三十六里田家馬房，四十一里玉龍，五十里臨城，臨城鋪。寰宇記曰：臨鄉故城在縣南五十里。然則臨城卽臨鄉故城矣。臨或作林，音同而譌。水經注：濩澱水上承濩陂於臨鄉縣故城西。地里風俗記：方城南十里，有臨鄉故縣。卽此。方輿紀要：臨鄉城在故方城縣南十里。劉昫曰：趙孝成王十九年，以臨樂與燕，卽此城。一統志：臨鄉故城，漢置，初元五年侯國。後漢省入方城縣。新斠注漢志：臨鄉莊在今固安縣南五十里。西六里相各莊，八里大王郵，十二里馬公莊，十五里馬郵，宋各莊，南馬郵，公由，二十四里南趙，二十五里宫郵。北四里白郵，五里五里鋪，十里北十里鋪。東北四里小孫郭，五里大孫郭，八里辛安莊，舊有張華郵，爲晉張華故里，亦曰張賢里，八角井乃其故居。固安陳志：晉張華故里在縣東北。天府廣記：張華宅在固安縣東北八里，猶有八角井，乃其故宅。郵中今多張姓，是其後人。萬曆中，知縣胡其俊審編之次，重其姓諱，更唱曰賢，今編張賢里。帝京景物畧：固安縣有張華郵，郵人指石井欄八角曰故宅處。舊聞考：宛平亦有東張華郵。西張華郵在西直門外八里莊相近。蔣仲舒謂華宅在盧溝橋東，而晉書本傳云方城人，當以在固安者爲是。十里石家垡，十二里南張，十四里馬家屯，十五里曹辛莊，紀各莊，十八里梁各莊，香營，聚福屯，二十里柴辛莊，賈家屯，南小店，二十五里陸指揮營，三十里北紀各莊。東南八里孝城，撓兒營，十二里東洋屯，十五里知子營，板材，二十里小中内，西内，李和務，老虎營，辛閣邨，劉閣邨，滕閣邨，二十五里賀家營，宋邨，韓寨，或曰詩之韓城，魏地形志之韓侯城，方輿紀要之韓寨營，即此。韓侯城亦謂寒號城，非也。魏地形志：范陽郡方城縣有韓侯城。水經注：聖水逕方城縣故城北，又東南逕韓城東。詩：溥彼韓城。王肅曰：今涿郡方城縣有韓侯城，世謂寒號城，非也。方輿紀要：古韓城今爲韓寨營。畿輔唐志：金韓常駐軍于此。前白垡，後白垡，南解家務，北解家務，辛務，張東内，李東内，劉東内，鄭東内，杲小營，二十六里紅寺，隋辛莊，二十七里王家寺，二十八里北房上，三十里南房上，翟邨，商家營，北小營，龐家務，三十五里王林莊，吴家營，三十八里淮家營，四十里黄官營，李官營，金家營，四十一里北趙各莊，娘子新莊，四十八里紀家營，五十里南趙各莊。西南八里金捕拉，唐洋邨，劉邨，十二里吉城，十五里四里鋪，方城邨，水經注：聖水東逕方城縣故城，李牧伐燕取方城，即此。漢舊縣，魏侯國，齊廢，隋開皇九年，移固安縣治此，唐徙章信堡。周夢棠輯元和郡縣志逸文：方城故城在縣南十七里，南燕舊邑。寰宇記：故方城在今縣南十五里。方輿紀要：方城，舊城。括地志：在今縣東南十七里。趙悼襄王初，李牧伐齊取方城。韓非子：燕以河爲境，襲涿方城。是也。漢因置固安縣。劉昫曰：漢固安縣今易州。隋開皇元年，置於故方城縣，改故曰固。唐武德四年，徙治章信城。貞觀二年，又移今治。日知録：今固安縣方城邨，即漢方城縣。一統志：方城故城在固安縣南，隋移固安縣於此，唐移理歸義縣界章信堡。舊聞考：方城舊址不可考，今有方城邨。章信堡今無考。三國疆域志：方城，漢舊縣，魏侯國。新斠注漢志：方城在固安縣西南。按：寰宇記方城之北城，宋時尚存。諸説方隅里數各異，今按圖册，實在今治西南十五里。太子務，十六里團亭，十八里柳泉屯，北陳邨，郝家務，馬大人莊，按：李牧將臺近此數邨，一名雀臺。方輿紀要：縣西南十八里有李牧將臺，一名雀臺，音譌也。舊聞考：雀臺高丈餘，其上廣平數百步，有雀臺寺。二十里杜家莊，蘇家橋，楊先務，大辛莊，二十二里前石家務，後石家務，大彭邨，二十四里小彭邨，孫家莊，小集，張邨，二十五里駱駝灣，石各莊，果家莊，鄭家莊，二十八里太義上，三十里白家邨，頓城，碑落垡，四姓莊，曹家莊，白馬莊，柳斌屯，范家莊，大營，固城，三十一里陳固城，三十二里外河，南柏，三十三里化家營，褚家營，三十五里曲溝，西小寺，北相，中相，三十六里南流杓，北流杓，白的碾，東戴家屯，朱家莊，中戴家莊，西戴家屯，四十里琉璃邨，孟江，南辛邨，北辛邨，王玉石莊，李户莊，荆垡，四辛莊，王馬莊，四十二里小王馬，四十五里荆垡營，尚各莊，四十七里康家務，閨閣店，四十八里岳家務，屈家營，後屯，賈各莊，五十里郭邨，楊各莊，南陳邨，韓家莊，周家務，大市莊，齊家邨，閻家莊，禮讓店，初爲堡，三百六十有五丈，明嘉靖時建，據固安陳志。今廢。舊聞考：堡遺址尚存。胡家莊，五十二里魏家邨，五十四里獨流邨，按：金人疆域圖涿州管下，固安縣有獨流邨，即此。相公莊，沙河口，五十五里南宋邨，五十八里桃園，河套，五十九里谷家邨，六十里辛家邨，六十二里姚家邨，六十六里南小寺，六十八里楊家莊，七十里蒲落垡，林子裏，桑葉口，鑾莊，大柏林莊，小柏林莊，朱鋪頭，薛鋪頭，高鋪頭，王鋪頭，按：四鋪頭等處，爲雍正二年御史顧如華試行井田處，固安陳志：試行井田處，在城南七十里四鋪頭邨、小營子邨之間。雍正二年，御史顧如華奏請復井田制，因於此畫井田二百頃，遺區尚存。舊有督亢亭，方輿紀要：史記正義，方城縣有督亢亭。方城，今固安。按：紀要所引非正義文。史記刺客傳注：徐廣曰，方城縣有督亢亭。司馬彪郡國志：方城有督亢亭。劉向別録：督亢膏腴之地。程恩澤國策地名考：督亢是沃土之名，並非一處。一統志：督亢亭在固安縣西南。固安陳志云：在縣及涿州界。圈頭，固安户，七十三里三公莊，七十二里李洪莊。西北五里官莊，八里東它頭，西它頭，十里前西玉，後西玉，十二里北邨，東徐，西徐，十八里北趙，門邨，二十里米各莊，二十五里岡頭，二十六里州縣莊。或曰州當作舊，音近而譌，然則水經注聖水逕陽鄉城西，其卽此與？寰宇記：陽鄉故城在今縣西北二十七里，亦謂之長鄉城。一統志：陽鄉故城在固安西北，漢侯國，廢。晉復置長鄉縣。後魏曰萇鄉。魏地形志：范陽郡萇鄉縣有長鄉城。水經注、地理風俗記：涿縣東五十里有陽鄉亭，卽長鄉縣。新斠注漢志：陽鄉今固安縣西北二十五里。後漢書注：故城在固安縣西北。應劭曰：以涿縣東五十里陽亭置。日下舊聞：固安縣北有陽鄉，在永定河南岸，屬宛平縣界。乾隆十六年，改名長安城，當是陽鄉地。按：長安城隸宛平，非固安境，朱説恐非。良鄉舊志亦有陽鄉故城，云在縣南二十五里舊店西一里，舊傳竇建德築。舊聞考云，夏五鳳元年，建德取深、冀、易、定等州，又嘗攻李藝于幽州，此城或其時所建。據此，則良鄉縣境之陽鄉故城，非漢置矣。然方輿紀要，陽鄉鎮列之良鄉，云漢縣。既爲漢置，當依今境，屬固安。舊有武陽故城，在治西北，方輿紀要引城邑考，縣西北有武陽城，相傳燕昭王築。固安陳志：久廢。又縣境舊有栗園、水寨。方輿紀要：栗園在縣界。括地志：固安之栗，天下稱之，爲御栗，因有栗園。北魏孝昌三年，上谷賊杜洛周遣曹純真掠薊南，幽州刺史常景遣將于榮破之於栗園，是也。固安舊志：水寨，元舒穆嚕拜達勒鎮守處。舊聞考：並無考。

永清縣

鎮：治東三十里別古莊。南三十里李家口。北三里南關鎮，十五里北大王莊，舊有義學、義倉。東北三十里韓邨鎮，埝上。東南二十五里后奕鎮，有義倉。大劉家莊。五十里信安鎮，亦曰信安城，與霸州分轄，北爲縣境，南爲霸州境，霸永巡檢駐焉，唐之淤口關，周之淤口寨，宋之破虜軍、信安軍，金之信安縣，鎮安府卽此，方輿紀要：信安城唐置。淤口關後没於契丹，周世宗收復，置淤口寨。宋太平興國六年，置破虜軍。景德二年，改信安軍。金大定七年，降爲信安縣。元光初，升鎮安府，元廢。名勝志：信安城，宋信安軍也。舊有劉越石壇，永清周志：舊志稱在拒馬河之陰。晉太尉劉琨欲圖燕薊，築壇與段匹磾同盟翼戴，信安遺址尚在。按：晉書，幽州刺史段匹磾，要劉琨同奬王室，琨由是率衆從飛狐入薊，共討石勒。匹磾推琨爲大都督，歃血載書，檄諸方守，俱集襄國，進屯固安，以俟衆軍。固安，晉時有永清地，意亦近之，但遺址不可考。周世宗駐蹕處，按：舊聞考引縣志，周顯德六年，世宗自乾甯軍抵信安，捨舟陸行，至益津關，仍至永清，駐蹕三日，然後南還。永清周志：今遺址無存。文丞相館，徐釚詞苑叢談：文信國被執北行，次信安鎮，達旦不寐，題詞于壁，寄南樓令。詞曰：雨過水明霞，潮回岸帶沙。葉聲寒，飛透窗紗。懊恨西風吹世換，又吹我，落天涯。寂寞古豪華，烏紗日又斜。説興亡，燕入誰家？只有南來無數雁，和明月，宿蘆花。或曰，此鄧光薦詞。永清周志：今無其故蹟。雁月樓。一統志：在信安鎮。永清周志：故址廢，事未詳。按：雁月云者，似取文信國詞句名樓。西南半里六郎城，爲宋楊延昭築砦處，永清周志：六郎城遺址約四五里，土基隱然。李志：信安鎮西南半里許，有六郎城，楊延昭築砦處。又有鹿角砦。按：宋史地理志：景祐二年，廢永清入文安縣，有劉家渦、刀魚、莫金口、阿翕、雁頭、黎陽、喜渦、鹿角八砦。神宗元豐四年，割鹿角砦隸信安軍。

其郵：治東坿郭東關廂，一里西塔巷，三里東塔兒巷，有唐三塔寺石幢。武家營，五里東北麻，西北麻，塔兒營，胡家莊，六里東莊，八里大麻子莊，小麻子莊，十里劉總旗營，十三里東城廠，西城廠，張遷務，十五里東鎮，西鎮，南小黃郵，十八里沈家莊，二十里雙家小營，二十四里辛屯，二十五里楊家營，馬家鋪，三十里南柳坨，辛務，三十二里南人營，東張家莊，三十四里官道，三十五里緱家莊，廖家郵。南坿郭南關廂，五里右奕營，八里粉王莊，十里南八里莊，十二里西南小營，二十里西義和，前店，三十里李通莊，三十五里南小范家莊。西坿郭西關廂，四里老君堂，姜家屯，五里通澤邨，隋通澤廢縣卽此。寰宇記：隋大業五年，於縣西五里置通澤縣，隋末廢。清類天文分野之書：隋大業七年，開渠通遼，于縣西五里置通澤縣。按：一統志云，今有北通澤邨，在縣西，今邨名無北字。六里趙各莊，于林屯，時家營，八里樊莊，十里龍鳳莊，十二里東新立莊，十五里草廠，十六里陳家營，太平莊，十八里北許家莊，王家莊，二十里大焦垡，二十三里西南小劉家莊，三十六里北孟。北坿郭北關廂，五里賈八里莊，七里台子莊，陶八里莊，袁八里莊，八里北小朱家莊，十里沈仲和，桑園，西桑園，東桑園，西百內官營，十六里西戈奕，十八里孟各莊，二十五里北戈奕，西營，二十二里仁和鋪，何麻子，二十五里翟吴家莊，王居西營，張野雞莊，大盧家莊，小盧家莊，宋家莊，二十七里姚馬房，三十里東營，倉上邨，三十五里查馬房，南石邨，王居。東北八里韓家莊，陳仲和，十里菜園，胡其營，十二里雙營，賈家務，小曹家莊，東董家務，十三里李黄莊，十五里惠元莊，趙百户營，劉家務，大良邨，小良邨，尚家莊，十六里談其營，十七里賀堯營，十八里大苑家莊，郭家務，二十里半截河，泥安，李家場，北張家莊，二十二里王于今，二十四里徐家莊，柴家莊，李家莊，北趙家莊，二十五里小荆垡，王希，修家場，河西營，前劉武營，後劉武營，萬全莊，南釗，北釗，王虎莊，支各莊，泥塘，于于今，北王于今，張于今，韓台，二十六里南朝王，北朝王，常于今，二十七里靳于今，沈于今，沙于今，二十八里徐于今，三十里陳家莊，陳各莊，北柳坨，婁台，三十一里焦家莊，東留邨，西留邨，大站邨，小站邨，東横亭，西横亭，北池口，三十二里大站邨，三十三里東解口，西解口，三十五里東趙劉家莊，東新立邨，老幼屯，苑家務，姜志營。東南八里東莊，王佃莊，十里魯邨，十二里北辛六，姚官營，佃莊，北黄邨，十五里南辛六，東辛六，十八里起邨，趙家莊，戴家小營，安仁福彙莊，二十里團聚莊，東義和，後鄧家務，韓各莊，二十三里董相莊，二十五里南門邨，有武毅漢軍臺，宋楊延朗築，俗呼六郎臺，按：一統志云，臺在永清縣南二十五里，今考臺在縣東南。永清周志云：東南鄉南門邨有武毅漢軍臺，近后奕邨，相傳宋時楊業所築，土人亦稱六郎臺。又有武毅番軍臺，相傳亦宋時築。按：此見一統志，又永清周志云，近南邨。西門邨，劉靳各莊，王靳各莊，喬靳各莊，窰窩，小惠家莊，甄家莊，二十六里南新立莊，二十七里南土婁，北土婁，二十八里白雁口，新小劉莊，三十里五間房，陳佃莊，石甄各莊，第七，後第六，龐各莊，南五道口，前鄧家務，李奉先，尹家場，三十二里新立張家場，三十三里徐靳各莊，陳靳各莊，三十四里前第六，三十五里冰窖，西武家莊，東武家莊，商人莊，新安莊，三聖口，四聖口，三十七里莊窠，第五邨，三十八里西務，興仁邨，武家窰，四十里大惠家莊，李家窰，南大王莊，大朱家莊，小朱家莊，趙家場，劉家場，四道横，四十五里太平巷，北五道口，安瀾城，閘口，南二鋪，五十里渠頭，頭屯，郝家場。西南三里小西關，許家莊，四里達子營，八里白廟，大營，韓城，亦曰韓侯鄉，舊聞考：通鑑，漢高祖三年，韓信用李左車策，發使使燕，燕從風而靡，遣使報漢，且請以張耳王燕。未幾，楚擊趙，張耳、韓信往來救趙。據此，則信當日未嘗至燕。舊志：漢淮陰城似屬後人坿會。永清周志：舊志稱，縣西八里，韓信平燕，築城於此，又稱韓侯鄉。按：固安縣東南十八里，有韓侯城，適在永清之西。唐置永清以前，永清即固安東境，得毋因韓侯城，坿會爲韓淮陰城與？十里邵家營，十二里小曹家營，十五里前李遷務，後李遷務，白垡，東羊馬莊，西羊馬莊，國太營，楊官營，大辛告，小辛告，十七里徐官營，十八里汪家營，張家營，喬家營，二十里大强邨，小强邨，南台子，北台子，黄家營，景家營，李家營，義井，石九垡，大青垡，小青垡，劉官營，劉官營後莊，相亭，二十三里瓦古辛莊，二十五里龍虎莊東街，龍虎莊西街，二十六里棃行邨，三十里小方莊，三十二里楊遷務。西北五里遷民屯，八里仙仁橋，魯家窑，十里褚仲和前後街，西小仲和，唐家營，十二里北岔口，中岔口，南岔口，按：三岔口爲遼時高七邨，開泰三年建塔，明改曰叉口邨。永清周志：高七邨有興隆寺，明萬曆間，雲南道御史傅好禮碑記云：遼開泰三年，建塔於此，明改爲叉口邨，今塔無存，惟有白石香爐一，篆文漶漫。馮各莊，十三里北大王莊，北新立邨，十五里雷家營，崇禮邨，蘇家務，張家務，北小營，東城鋪，西城鋪，十八里南曹家務，北曹家務，東下七，西下七，二十里孫家務，楊家莊，二十二里潘家莊，紀家莊，二十五里邱家務，眼罩屯。

東安縣

鎮：治東十八里落垡鎮。西北四十里舊州鎮，一曰舊州營，守備駐焉，亦曰舊州頭，又曰常道鄉，即魏常道城也。魏地形志常作萇。水經注又曰：故鄉亭元置東安州，故名舊州，魏地形志：安次縣有故萇道城。方輿紀要：常道城在舊州頭西五里。酈道元曰：故鄉亭也。三國魏燕王宇之子璜，封常道鄉公。甘露五年，司馬昭迎立之。又晉司空劉琨嘗守此以拒石勒。北魏主宏封宇文英爲常道鄉公，皆此城。名勝志：舊東安州在縣西北四十里安次舊縣之西，渾河水次，居民湊集，名舊州頭。按：東安李志，常道城在耿就橋，縣城西北五十里常道鄉，即其故址。今考采訪圖册，在西北四十里。黃帝時安墟，卽此。長安客話：東安，古安墟，黃帝制天下以立萬國，始經安墟，合符釜山，即此。一統志：安墟莊在常道城。鎮在今耿就橋行市南，舊有二士樓，爲宋楊存勗、周伯蓋讀書處。周炎詠二士樓詩序，二人宋遺民也。元集大統，逃去不知所終。今其樓已燬。相傳在行市南。其郋：東六里屯東莊，孟東莊，八里民東莊，孫東莊，十里東窩莊，十二里東莊，南閣東栗莊，按：已上七東莊，合之東新莊，俗呼八東莊者是。東張家務，西馬閲，有鋪。二十五里東新莊，南十二里小益留屯，三十里黃家隄。西五里南史家務，宗史家務，三十里西曹莊，次平，次俗作茨。有金長慶宮，先是宮在廣平淀，金天會三年移此。一統志：長慶宮在東安縣西南，宮舊在廣平淀，金天會三年移安次南五十里，有大石橋以受諸國之禮。今次平屯，乃其舊址。按：次平在治西少北，謂之西北猶可，謂之西南，則非。北十五里永豐，二十五里李家莊，有鋪。四十五里伊馬房。東北二里韓家莊，三里小劉各莊，大劉各莊，小韓家莊，東小營，六里潘家場，十里熊家營，焦莊，石各莊，十二里祝馬房，大王家務，田家莊，路家營，皮家務，小王家務，前齊官屯，後齊官屯，張單營，高家圈，十五里普照營，蘇家莊，把什營，岳家莊，連家莊，十八里西孟各莊，蕭新莊，吳家莊，小孟各莊，亭子頭，二十里陳各莊，中所營，律家莊，黃道務，東孟各莊，傅家莊，二十五里董常甫，許各莊，許孟各莊，黃家場，麥窪，三十里小官莊，大官莊，麥窪新莊，蔡豆莊，郭桑園，郎房，前王各莊，陳桑園，三十五里碾子營，周各莊，西務，麻家營，駱新莊，後王各莊，王家寨，東尖塔，南尖塔，翟各莊，北尖塔，四十五里北甸子，東西甸子，白家馬房，劉馬房，哲垡，鮑馬房，五十里簸蘿莊，龍門莊，半壁店，辛店，張各莊，蕭家務，化家營，黑垡新莊，隄上營，五十五里大黑垡，小黑垡，東化家營，大力莊，邵各莊，倪家邨，六十里前後甫裏，泗兒上，牛房，六十五里尚莊頭，七十里李家務。東南二里陳家務，三里東尤莊，西尤莊，仇莊，三間房，五里北崔莊，五里邨，有待清樓。東安李志：樓在五里邨，渾河東岸，元皇慶元年建，常駐此修築河隄，行勞工禮。六里南崔莊，八里小紀莊，大紀莊，麻子屯，南新莊，馬神廟，谷家莊，北麻莊，十里南府莊，孔家窪，十二里楊官屯，丈房河，小趙莊，太平莊，大趙莊，前所營，南沙窩，北沙窩，邢官營，劉七字隄，十五里盧七字隄，范家莊，金官屯，前羅官屯，十六里田家莊，十八里後羅官屯，濟南屯，馬頭，二十里懷家莊，南齊家營，史家莊，王家莊，東張莊，高家莊，二十二里西安莊，司家莊，李家莊，二十四里東曹莊，二十五里甄家莊，艾萬莊，小鄭莊，孫皮莊，白草窪，豐盛店，東安莊，響口，二十八里惠家鋪，三十里張家場，四十里閻家莊，宋六口，葛漁城，舊名葛城，宋建屯守于此。一統志：葛城在東安縣南二十五里，相近有小河，源自永清縣界，流來入小溝河，宋建屯守于此。舊聞考：在縣南四十里，今名葛漁城。按：葛漁城在治東南四十里。穆家口，四十五里霍家場，余家隄，五十里東沽港，有印臺，一名砥柱臺。畿輔唐志：在縣南，一名砥柱臺。東安李志：印臺在東沽港半截河之西，北接九河，南連大海。余家鋪，鄭家樓，淘河，六十里褚河港，舊有土樓，宋土兒衛臺也，未詳何邨。一統志：土樓在東安縣東六十里，宋時爲土兒衛，臺高一丈六尺，周一百六十步，舊建樓其上，以爲四時歡樂之所。按：東安縣正東無六十里。西南三里賈榆木屯，蔡家營，扈史家務，六里大北尹，小北尹，八里達王莊，桃園，馬杓留，十二里左奕，有奕臺，宋左奕衛也，臺高一丈六尺，周一百二十步，元人點軍于此。一統志：在東安縣西八里左奕邨，宋爲左奕衛，臺高一丈六尺，周一百二十步，制如土樓，元時點軍于此。名勝志：奕臺西有倉。按：圖册，在今治西南十二里。西張家務，邵家莊，朱官屯，朱邨，灰城，或曰卽石梁城也，南北朝置戍。方輿紀要：石梁城在舊州東南五十里，或曰南北朝時所置，戍守城也。舊聞考：石梁城在古縣東南五十里。按：其道里，卽今灰城。十五里張洛圖莊，蘇洛圖莊，梁洛圖莊，李洛圖莊，大益留屯，十八里三家邨，南郭莊，北馬子莊，二十里南馬子莊，第十里，張家坨，南户子壕，北户子壕，二十二里北郭莊，石橋，二十八里岔河，小沈莊，三十里老隄頭，大鄭莊，胡家莊，西張莊，佟家莊，小惠莊，哈喇港，青楊樹，下官屯，大沈莊，孫家坨，三十五里河西邵家務，齊家坨，隄根邨，郭家場，九家鋪，鄧家場，藺家場，段家場，四十里趙家鋪，五十里得勝口，裏安瀾城，外安瀾城，按：二城相距五里，卽宋信安軍之狼城也。一統志：狼城在東安縣四十五里，接霸州界，卽宋信安軍之狼城寨也。有裏外二狼城，相距五里。舊有河流經其間，自渾河來者經北岸，其流濁；自邊家河來者，行南岸，其流清。舊聞考：狼城卽信安軍之狼城寨，爲永定河經由之地，今名安瀾城。東安李志：宋太宗時建。馬家口，六十里磨叉港，王家圈，王家鋪，六十五里調河頭。西北二里社學莊，東儲，宋王務，三里西東儲，東麻各莊，西麻各莊，孫家莊，高家務，八里西儲，禪房，十二里西得勝，十三里民盧邨，軍盧邨，或曰二邨卽盧王屯地。方輿紀要：盧王屯在常道鄉東南二十五里，漢初盧綰屯軍，與劉賈夾攻燕，綰尋封燕王，因名盧王屯。舊聞考：縣西北二十五里有民盧邨、軍盧邨，當卽盧王屯。按：畿輔唐志，盧丑宅當卽盧王屯之譌。東得勝，西小韓邨，前景邨，後景邨，十五里西莊窠，東孟邨，西孟邨，十八里楊稅務，鑾兒營，二十里辛其營，北史家務，于常甫，王常甫，常甫小營，二十五里南固城，東固城，西固城，小祖各莊，有鋪。固城太平莊，三十里芒店，前南莊，後南莊，茨鄉，北石，安樂，北常，南常，大麻邨，小麻邨，艾各莊，三十五里古縣劉各莊，盧家莊，坎莊，東大垡，西大垡，大東京，小東京，霍家店，順民屯，柳園，琥珀營，王馬，前僧垡頭，後僧垡頭，趙各莊，四十里穆馬房，靳各莊，興隆莊，北常道，南常道，按：已上二邨，在舊州南、北故名。馬家務，石莊窠，劉官營，安玉，南北陳，管家務，剛其營，胡其營，大五龍，韓各掌，柴孫窪，草廠，東馮家務，西馮家務，艾家務，赤魯紅寺，古縣，舊爲漢安次縣，城在舊州頭東五里，光武初追破尤來、大搶諸賊於安次，卽此。方輿紀要：安次廢縣在今縣西北，漢舊縣也。光武初追破尤來，大搶諸賊於安次，卽此。城冢記：唐武德四年，移治石梁城。貞觀八年，又徙常道城。開元二十三年，又移耿就橋行市南。明洪武三年，避渾河水患，又移今治。志云：今縣西北去舊治二十六里，在渾河水次，名舊州頭。一統志：安次故城在東安縣西北，漢置。後魏改置安次縣。魏地形志：安城縣有安次城，蓋已非故治。後漢書注：安次故城在今縣東。寰宇記：縣在幽州東南一百里，東枕永濟渠。唐武德四年，移于城東南五十里石梁城。貞觀八年，又移理今縣西五里魏常道城。開元二十三年，又自常道城移耿就橋行市南。元升爲東安州。明洪武初，降州爲縣。三年，避渾河水患，又移治常伯鄉張李店，卽今治。按：石梁城在今治東南舊州頭東南五十里。舊州頭在古縣西五里。漢安次故城，在今治西北四十里，其址猶有存者。俗呼古縣。而新斠注漢志云：安次在今東安縣西，非也。倘户營，柴家務，渾酒營，奶子房，四十五里更生新莊，張更生，簸箕營，周留犢，曹留犢，垈上，太凝侯莊，北皋，一名天邨，柳林馬房，李紀營，西化家營，李孫窪，侯孫窪，高家營，南小五龍，四南務，田古營，南漢，舊白家務，南寺垈，邢家營，隄口，回回營，武家營，殷家營，墨其營，萬家莊，北齊營，莽牛莊，石槽，佟指揮營，皋家營，稽察王邨，或曰遼崧州城即此。方輿紀要：崧州城相傳遼古喇王所置。一統志：崧州城在東安縣西北七十里。東安李志：崧州城今稽察王邨。按：邨在今治西北五十里，與一統志微異。八家務，豐其小營，郝留犢，東火頭營，洪辛莊，化各莊，苗小寨，王小寨，沈小寨，高小寨，東更生，高更生，王各掌，野雞劉各莊，石河營，陳亮營，蔡家務，楊更生，五十五里寺垈新莊，馬家場，吳家莊，臧古營，杜各掌，屯民潘邨，夏家營，西火頭營，新白家務，北寺垈，六十里王里，西北張家務，毛家營，楊馬房，孤莊，團城新莊，西北太平莊，崔指揮營，卜家營，南新莊，一名大新莊，畢各莊，翟各莊，團城。

香河縣

鎮：治東二十五里渠口鎮，縣冊。舊有土堡，今圮。據一統志。北二十里梁家務鎮，有倉。東南十八里安頭屯鎮，三十里劉宋鎮，縣冊。亦曰劉宋屯，舊有土堡，今圮。據一統志。五十里河北屯，有倉。

其邨：治東一里周元莊，二里段喬各莊，安撫寨，三里胡莊，白廟，四里計莊，紩口，五里前套，池套，六里許台，後套，孟莊，杜屯，郎莊，七里打古莊，八里義井，有石磧二，一曰天磧，一曰地磧。香河劉志：義井在縣東五里，世傳本莊苦無水，取之數里外。唐太宗征高麗至此，軍馬渴甚，突然見井及二石磧，磧水清且甘，足一軍之用，至今賴之。其磧一名天磧，一名地磧。按：香河光緒十一年采訪册云，義井距城八里，今從之。東西焦莊，西康莊，十二里平旺莊，西馬家窩，十三里馬房，高坨子，十五里成子務，六王莊，于辛莊，傅各莊，東馬家窩，大河各莊，孫莊子，十六里魏灘，小河各莊，十八里宣教寺，袁官莊，二十里温莊，孫各莊，康莊，店子務，郤莊，二十五里劉酈，二十五里王酈，牛際河，喻家園，許莊，小酈，黎園，北渠口，廟兒上，二十六里金莊，三十里七里莊，花園，戴家閣，漁陽院，魯家口，張家莊，張家坡，西河頭，葦子房，唐兒屯，青寺，青百户，三十二里仙人院，三十五里魏各莊。南一里南台，三里大雀林院，小雀林院，八里延寺，九里前延寺，李辛莊，黄家院，十里孫小營，十百户，賈莊，十三里後馬房，頭百户，八百户，十五里于口頭，蘇口頭，何口頭，七百户，九百户，六百户，馬各莊，十六里前馬房，小五百户，十七里小張莊，十八里五百户，二十里高辛莊，黄小營，倉上，于辛莊，董家灣，二十五里田各莊，香椿營，香城屯，周莊，興隆莊，張辛莊，曹辛莊，仉邨，三十里北務屯，小張莊，小劉莊，霍辛莊，小趙莊，新立莊，劉皮莊，荒莊，段莊，三十一里神機馬房，三十四里紫莊，三十五里馬神廟，丁莊，王莊，小陳莊，李胡莊，凌莊，辛莊，朱莊，褚莊，三十六里劉懷莊，三十八里劉慶莊，四十里李大人莊，高辛莊，桐城，小高辛莊，中營，四十五里楊家場，張辛莊，亢莊，艾莊，五十里裴莊，馮莊，薄莊，石莊，五十三里馬莊，蕭莊，趕莊，李各莊，韭菜園，黄莊，小楊莊，洞上，五十五里韓家口，李辛莊。西一里西店，三里後小屯，四里前小屯，煙止務，後道，五里王止務，孫止務，宋止務，姬止務，小莊，六里石灰廠，十里曹店，孫家務，十一里譚莊，十二里王家板，周莊，十三里魯家務，十四里高莊，三間房，十五里太平莊，賈莊，成辛莊，趕古莊，喬莊，枳根城，十六里鋪上謝屯，十七里扁城，十八里小屯。北一里北岡，二里朱莊，劉莊，四里大王莊，後營，古城近此，相傳唐屯兵處。香河劉志：古城在縣北五里，傳云唐太宗東征所築以屯兵者，今存遺址，猶高五尺。百家灣，按：長安客話云，百家灣有居人百家，淪没于此。然則灣爲昔日之郵，今郵在灣側。六里王莊，元莊，劉莊，馬房頂，八里陳辛莊，十里前建各莊，大小荒莊，十一里後建各莊，十二里楊百辛莊，前駱港，小尹莊，十四里小祁莊，十五里文莊，頭百户，四百户，窑上，小窑上，辛屯，舊有晉王莊近此。香河劉志：晉王莊在縣北十五里，世傳原李晉王之裔，率衆歸明，給間地一區，贍其家口。十六里大祁莊，五百户，十七里小馬房，十八里六百户，後場，三百户，李莊，二十里梁莊，倉頭，領子上，二十四里定福莊，二十五里馮欒莊，西馬各莊，東馬各莊，二十七里楊辛莊，三十里北彭務，北元莊，鳥兒窪。東北四里萬福莊，五里田莊，賈莊，八里土堡子，十里雙營，十三里匠役莊，後駱港，十四里大馬房，十五里撓子莊，姬莊，打百户，十七里楊店，二十五里艾台，閻套，胡套，躲各莊，邱莊，辛莊，固莊，韋各莊，三十里黄沙務，高辛莊，三十二里炭户莊。東南三里劉喬各莊，閻喬各莊，孫喬各莊，四里前店子，五里金辛莊，後井亭，六里前井亭，十二里龐營，北石辛莊，後彭家務，王莊，劉莊，前彭家務，店子上，十五里鐵佛堂，十六里楊營莊，韓營莊，十八里孫營莊，趙營莊，二十里後青莊務，前青莊務，二十里興隆莊，二十三里獨立莊，北邨，二十四里尹莊，二十五里吴莊，幞頭屯，黄屯，顧家屯，石辛莊，二十六里太平莊，二十七里德辛莊，馬莊，三十里王家務，張莊，大灘，三十一里荆莊，劉莊，三十二里把户，孫莊，三十五里倪莊，程官屯。西南四里趙莊，五里小羅莊，趙屯，六里草寺，池屯，葉屯，大羅屯，八里鉗屯，張屯，尚店，興隆莊，九里劉宋莊，十里坨子莊，窩頭，十二里二百户，起河屯，甘露寺，靳莊，王家場，十三里沙河，十四里友垡，十五里延福屯，十六里紅廟，後家灣，十八里土山，麥子街，東莊，老後莊，二十二里蔡莊，騾子王，二十四里四百户，二十五里三百户，土門樓，王家務，李莊，邢營，三十里太平莊，東雙街，西雙街，羅莊，打魚莊，吴辛莊。西北五里姚止務，八里甘水壩，郭辛莊，十二里牛牧屯，十五里橋上，南吴邨，十七里大小沙務，北吴邨，趙莊，十八里黄東儀，侯東儀，二十里寺上，侯各莊，王店子，二十五里王必屯，二十八里半壁店。

通州

鎮：治東十二里燕郊，燕一作煙。東南十二里張家灣，亦曰張灣營，通判、都司、把總駐焉。三十里漷縣故城，管河州判駐焉。初爲漢泉州縣之霍邨鎮。遼爲漷陰鎮，升爲漷陰縣，舊治在城南隅。元升爲州，遷于河西務，至正間復舊地，改治于城東北隅。明洪武五年爲漷縣治，其學在治西北隅，亦遷自河西務。國朝順治十六年，省縣，入通州爲鎮，遼地理志：漷陰縣，本漢泉州之霍州鎮，遼每季春弋獵於延芳淀，居民成邑，就城故漷陰鎮，後改爲縣，在京東南九十里。金地理志：漷陰縣，遼太平中以漷陰邨置。方輿紀要：漷縣，州南四十五里，南至武清縣七十里，漢泉州縣也。遼初，漷陰鎮升縣，以在漷河南也。元至元十三年，漷州。明初復爲縣，編户十五里。明漷縣志：舊無城，正德初，始築土城。嘉靖間增修。畿輔唐志：漷陰故城在州南四十里。一統志：漷縣，順治十六年入通州。舊聞考：舊治在城南隅，元升州，遷河西務，至正間，復移舊地，改于城東北隅。洪武五年，復爲縣，仍舊治。儒學舊在縣東南河西務。洪武四年，遷于縣治西北隅。今皆廢。舊有駐蹕井。通州高志：舊駐蹕井，舊稱在漷縣城外祐國寺前，今廢。四十里兩儀集，馬頭汛，千總、把總駐焉。永樂店，把總駐焉，舊有明景命殿。明神宗製景命殿碑：聖母皇太后，順天府通州漷縣永樂店乃誕育之地，創慈聖景命殿，前門後閣，繚以周垣，樹三坊于門外，左爲保國慈孝華嚴寺，右爲護國崇寧正德真君廟，萬曆三十六年十月。舊聞考：久圮。西南三十里牛堡屯，四十里馬駒橋汛，把總駐焉，橋卽洪仁橋，跨涼水河。

其邨：治東三里橋上坡，楊坨，楊莊，魏莊，五里楊家莊，龍望莊，六里後屯，火焇屯，辛安屯，郝家府，八里古城，漢路縣故城卽此，後漢郡國志作潞。一統志：潞縣故城在通州東，漢縣，以潞水爲名。水經注：鮑邱水逕潞縣故城西，漢光武遣吳漢、耿弇等破銅馬、五幡於潞東，謂是縣也。世祖拜彭寵爲漁陽太守，治此。舊唐書地理志：崇州昌黎縣、鮮州賓從縣，神龍初皆寄治潞縣之古潞城。寰宇記：潞縣在幽州東六十里，本漢舊縣。通鑑：契丹既强，寇抄諸州皆徧，幽州東十里外，人不敢樵牧。趙德鈞爲節度使，於州東五十里城潞縣而戍之。按：水經注引魏氏土地記，潞水在潞縣城西三十里。寰宇記亦據其說。是潞縣唐以前雖嘗遷改，而水在城西，則不異也。今潞水在州東，自遼、金至明，不聞有遷改事，惟通鑑載五代時趙德鈞城潞縣，去州道里較寰宇記少十里，遷治蓋在是時。通州高志：舊志載有古城，稱在城東八里甘棠鄉，周圍四里，爲前朝駐兵處遺址，又似邑墟，或曰即路縣。按：城東八里，土人呼古城莊。據水經注及目前水道考之，其爲潞縣故城無疑。詳劉錫信潞縣故城考。按：通潞亭，非亭臺之亭，亦非漢志十里一亭及後漢封爵亭侯之亭，明萬曆順天府志、州舊志載之爲古蹟，非也。召里，邊防考：州境有煙墩五，曰召里店、煙郊、東留邨、大黃莊、高麗莊。小高莊，孫各莊，鋪上，召里辛莊，十里胡各莊，姜莊，隄子，有虚糧臺。一統志：通州城東有臺十餘，相傳趙德鈞屯兵于此，乏糧，築臺以誑敵。通州高志：城東甘棠鄉隄子里有臺十餘，趙德鈞拒契丹築臺。今考其地，有土壠七，旁有小土壠一，俗呼七𩊠鞳、八𩊠鞳，謂此臺即遺址。又疑爲金、元王公貴人墓，俱不可考。十一里夏園，十二里夏公莊，黎辛莊，廟兒上，大台，十四里七級，大營，丁各莊，知福莊，十五里邢各莊，大鄧各莊，十六里小營，任家莊，白家墳，十八里白廟，摇不動，施古莊，沙務，興都，二十里北劉各莊，北蔡各莊，二十二里南蔡各莊，半壁店，二十五里王各莊，二十六里趙仙莊，二十八里焦家莊，三十里小莊，劉賓莊，張仙營，岡子屯，三十二里鑾子營。南一里王恕園，有粥廠一。老營房，有沙墩、南臺坡、牧羊臺。通州高志：沙墩在州城南，沙如土阜。南臺坡在舊城南關，土阜寬平如臺，遺址尚存，元潞陽郡公李廷葬于此。牧羊臺舊稱在城南飲羊河上，河涸，臺址如舊。寶通寺，晒米廠，葱市口，二里協辛莊，八蜡廟，三里包家莊，梨園，九十九棵樹，東總屯，四里楊家窪，劉老公莊，五里西總屯，宮家莊，六里小街，七里曹家園，車劉墳，公莊，八里行宮廟，九里磚廠，妻子莊，十里金莊，土橋，小高力莊，十一里花家莊，皇木廠，十二里張辛莊，大高力莊，蔡家莊，十三里白家莊，青龍庵，施家園，寬街，小唐莊，大唐莊，馬營，小辛莊，長頭，舊有元柳林行宮近此。方輿紀要：柳林在縣西，元至元十八年如漷州，又如柳林，自後以柳林爲游畋地，建行宮。通州高志：漷縣有柳林，距州城十三里。行宮遺址無考。一統志：柳林在通州南，漷縣西。十四里瓜廠，十五里牌樓營，西北涼水河。齊家場，下營，何各莊，十六里姚家園，十八里城廠，大辛莊，單莊，二十里十里莊，二十二里棗林莊，元順帝紀：至正十五年三月，毛貴犯漷州，至棗林。方輿紀要：漷縣棗林在縣西北，元至和元年，上都兵破通州，燕帖木兒與戰于檀子山之棗林，敗之。至正十八年，山東賊田貴攻漷州至棗林，敗元兵，遂略柳林，逼畿檀子山，或曰縣境小阜。一統志：棗林在通州南，故漷縣西北，元時爲畿甸要路。按：方輿紀要所言棗林，非通州故漷縣棗林。舊聞考：遼東軍破通州，雅克特穆爾擊之，皆渡潞水走。元史明言，戰薊州之檀子山。又云，戰薊州之檀子山。又云，戰于檀子山之棗林。蓋薊爲遼東孔道，遼軍敗，故追戰于此。若漷縣在通州之南，棗林在縣西北，遼東軍未嘗經其地。且今漷縣亦無所謂檀子山者，是以薊之棗林爲漷之棗林，方輿紀要之誤當辨。劉錫信潞城考古録，以遼東軍爲上都兵，已屬方輿紀要之誤，以薊之棗林爲漷之棗林，益誤。朱、劉之言是也。又治南五十二里，亦有棗林，而西北則無。二十三里三間房，二十五里路觀，垈頭，王家樓，二十六里北大化，二十八里小北關，大北關，小王各莊，小辛莊，郭家莊，舊有遼司徒郭世珍獨秀園亭。遼史拾遺十四引張祥漷縣志：園亭在縣北二里，遼司徒郭世珍建。通州高志：遺址無考。唐頭，三十里柳家營，小馬務，青山，大馬務，翟各莊，三十二里西永和屯，東永和屯，南關，倉兒上，三十三里西魯邨，東魯邨，三十四里丁家莊，小田邨，小荆垡，三十五里草廠，三十六里大荆垡，北辛店，黄廠鋪，三十七里窰上，三十八里于家務，北儀閣，四十里南儀閣，神仙宮，舊有遼神潛宮，仙、潛音轉。一統志：在故漷縣西南二十里，前代后妃從獵行宮。舊聞考：縣西南二十里，俗呼神仙邨，或即是宮故址，相傳字音訛也。通州高志：舊稱在漷縣南二十里爲遼后妃從獵行宮，今無考。西張各莊，鄧莊，後甫，陳家辛莊，東張各莊，四十二里西莊，小王各莊，果邨，四十三里北隄寺，四十四里滿莊，南德，大洋，四十五里孔家莊，大王各莊，四十六里崔各莊，傅各莊，四十八里渠頭，東栲栳垡，老槐莊，五十里尖邨，小安，舊有金崔禮園亭。寰宇通志：崔氏園亭在漷縣南小安邨。邑人崔禮仕金爲四鄉學諭，金亡，隱居于此，作園亭。通州高志：今無考。小海子，五十二里吴給寺，棗林，南三間房，西小槐莊，五十三里德仁務，舊有德仁務洞，通州高志：今無考。又有呼鷹臺，亦名晾鷹臺，元至大元年建，元史：至大元年七月，築呼鷹臺于漷州澤中，發軍千五百人助役。于慎行穀城山房筆塵：呼鷹臺，元至大間築。元人以鷹房爲仁虞苑，秩正二品，使首相領之，可笑如此。方輿紀要：晾鷹臺在縣西南二十五里，高數丈，周一頃，元時游獵多駐于此。一統志：呼鷹臺元築，亦名晾鷹臺。舊聞考：今漷舊縣西南十五里有晾鷹臺。通州高志：舊志稱晾鷹臺在得仁務，相傳遼主游獵駐蹕之所。今考州南六十里得仁務，遺址尚存。呼鷹臺，舊志不載，今相傳州南三十五里倉上邨，舊有鷹臺，未知即此臺否？遺址莫考。按：京城南海子有晾鷹臺，通州呼鷹臺亦名晾鷹臺。通州舊志不載呼鷹臺，足證一統志之言爲足據，高志增之，非。又有放鷹臺，在漷縣故城西四里。按：通州舊志稱，放鷹臺爲遼築，在州南漷縣西四里。高志云，今莫考。舊聞考云，漷縣西四里放鷹臺故址，高一丈，周二丈，或即呼鷹臺之舊蹟。然以道里核之，非即呼鷹臺矣。五十四里何各莊，東何各莊，六十五里小務，后營，魯城，仇家莊，五十六里胡家邨，五十八里柴廠屯，東馬房，六十里大務，應寺，六十二里嗷硝營，六十五里林溝屯，三垡，半截河，興隆莊，六十六里小甸莊，七十五里回回營。西四里取橙莊，五里楊富店，太平寺，紅果園，六里楊莊，李老公莊，七里窮寺，八里黃果園，竹子廠，九里塔千户營，十里郎家墳，楊家閘，汪家墳，十二里咸甯侯莊，東柳巷，管家屯，十三里普濟閘，西柳巷，十五里三間房，十七里雙橋。北一里篩子莊，北王恕園，二里前窰，迎福寺，三里黃木廠，馬廠，四里後窰，范莊，五里馬莊，八里富河，十里雙埠頭，紀各莊，十二里沙窩，王家莊，溝子，十三里尹各莊，大龐邨，小龐邨，黎各莊，鄧各莊，十五里皮邨，十八里徐辛莊，草寺，二十里葛渠，寨裏，王辛莊，岡子上，窑子，內軍莊，小營，舊有平谷故城、慕容將臺，並在治北。後漢書：建武元年，遣吳漢率耿弇十二將，追破大搶、五旛于平谷。注：在今潞縣北。方輿紀要：平谷故城在州北，漢置縣。北魏太平真君七年廢，入潞縣。名勝志：州城北通京師東直門中路，舊傳慕容時拜將臺也。通州高志：城莫考，臺址存。東北四里耿家莊，王家場，五里劉莊，焦家莊，六里小潞邑，李莊，蘇坨，八里疃裏，王家辛莊，九里唐家坨，十里小堡，十二里宋莊，大興莊，十三里喇嘛莊，十五里菜園，十八里北寺莊，小楊莊，二十里中辛莊，葡萄灣，二十二里小莊，馮家甫，高各莊，翟裏，二十三里翟家莊，二十四里西趙邨，二十五里郝各莊，東馬莊，平家灘，辛莊，東趙邨，冀莊，小莊營，小張各莊，二十六里朱家店，二十八里西牛家甫，三十里東南各莊，姜家莊，法蓋莊，東牛家甫，港北，南莊頭，北莊頭，三十二里朱堡屯，馬家莊，西南各莊，楊家莊，北巷口，南巷口，三十四里翟各莊，北楊莊，三十五里關家莊，北馬莊，小民集，倉頭，三十五里孤山小營，三十六里盛家屯，三十八里山西馬前街，高樓辛莊，四十里大府莊，小馬家莊，高廟。東南二里喬家莊，六里小聖廟，十里上馬頭，十二里許家場，十三里張辛莊，十五里劉各莊，十八里梁各莊，賈各莊，定福莊，後碑殿，八各莊，燒酒巷，十九里西堡，上店，二十里東堡，里二泗，二十二里吴家營，海家窪，大甘棠，後榆林莊，二十三里前碑殿，二十四里小甘棠，前榆林莊，劉莊，姚辛莊，二十五里沙古堆，靛莊，二十六里儒林，武家窑，大豆各莊，李辛莊，卜落垡，二十八里供給店，小辛莊，蘇家莊，夏店，西莊，元通寺，岔道，于家坨，賈家疃，賈家中疃，三十里前營，譚台，大柳店，凌家廟，程家坨，崔家樓，蕭家莊，謝家樓，大東各莊，侉子店，馬坊，王家場，任辛莊，太平莊，三十二里許各莊，南陽，小東各莊，李家疃，窩坨，大辛莊，吴各莊，三十三里西黄莊，沈家莊，長凌營，楊家隄，三十四里黄莊，東黄莊，大香儀，小香儀，望君疃，武家疃，燕山衛營，窄坡，三十五里小辛莊，八百户，張辛莊，興各莊，康各莊，高莊，三十六里施家莊，西黄垡，東黄垡，小張辛莊，花園，太子府，協各莊，三十八里馬隄，柏家莊，軍屯，毛家莊，西定安，東定安，三十九里北胡莊，四十里車屯，武辛莊，張各莊，杜家柳棵，小屯，郎家府，老莊户，凌莊，四十一里林家屯，四十二里岳家上郚，吕家東儀，金各莊，小王各莊，兩家店，四十三里金家坨，王家上郚，侯家東儀，八間房，四十四里史家東儀，大灰店，後寨家府，曹劉各莊，小馮各莊，石槽，徐官屯，李辛莊，四十五里羊圈，陳柳巷，何各莊，小莊，前寨家府，小灰店，四十六里蕭家林，安辛莊，戚家辛莊，隆家莊，四十七里吕家灣，四十八里杜家店，尹家河，上坡，四十九里王家莊，五十里橋兒上，新集，楊家窪，和合站，馮各莊，張家莊，大柳樹，南屯，上武集，軍莊，五十二里東元化，五十三里東寺莊，五十四里後營，五十五里白浮圈，曹家店，曹家莊，王灰店，魯家務，覓子店，尖平莊，邊槐莊，東小槐莊，南元化，羅莊，五十七里紀各莊，五十八里扁城，粱家務，小屯，六十里陳辛莊，安平小街。西南六里孫莊，小馬家莊，七里皮家莊，八里大馬家莊，稿邨，十里曹家園，鋪頭，半壁店，么鋪，十一里蘇家墳，十二里雙樹，定辛莊，朱家垡，前營，田家府，十三里四合莊，十四里鑾子營，石槽，十五里于家園，口子莊，台户，玉府，上營，十八里大馬家莊，黑莊户，胡家垡，蔣辛莊，北火垡，興武林，尖垡，十九里外廊營，小魯家店，二十里周家莊，小馬各莊，豆各莊，郎辛莊，大魯家店，沈家莊，南火垡，倉頭，二十二里郎各莊，小民屯，徐家屯，二十三里朵子，二十四里麥莊，二十五里荒廠，水牛房，桂家墳，太平莊，新河，樣田，陸辛莊，有將臺二近此。按：萬曆沈志云，通州城西二十五里將臺，中山武寧王徐達建。名勝志：將臺有三，其二在城西，徐達建，或曰唐薛仁貴征遼所築，壘土爲之，其一在州北。通州高志：徐達將臺，址存。二十六里高各莊，二十八里南大化，晏上，桑園，茨渠，二十九里後邢街，三十里高家營，隄上，小營，東市，神樹，小社家莊，三十一里丁莊，三十二里董邨，鄭莊，坨隄，三十三里康邨，白莊，三十四里馬莊，小杜市，六郎莊，三十五里大馬各莊，孟莊，姚辛莊，三十六里小羊坊，駙馬莊，團瓢莊，大杜市，小馬各莊，三十七里陳各莊，三十八里達子小營，後銀子，水南，騷子營，大羊坊，三十九里海户屯，四十里南雙橋，東店，王家莊，前銀子，小松垡，馮家府，四十二里大松垡，大周易，大白邨，馬家邨，四十四里小周易，史家邨，西田陽，東田陽，四十五里白垡，張各莊，小張家灣，小白邨，四十六里果家邨，杜家店，四十八里神樹，西栲栳垡，姚家邨，五十里皮家莊，柴家務，周家營，後伏，前伏，五十二里南辛店，五十五里羊秀店，南古莊，張家邨，六十里房辛店，郭家邨。西北二里賈家莊，三里岳家莊，小辛莊，莊西四里許有古長城遺址，俗呼長城岡，齊天保中築，或曰秦蒙恬築，非也。通州高志：長城岡在城北二三里許，舊傳秦蒙恬所築長城，恐非。按：劉錫信考古録：州城西北四里有古長城遺址，迤北接順義，南近通惠河北岸而止，逾河而南，間存一段，其址又變而東西横亘，再南爲州西門外，通京師大路掘斷者，詢之土人，亦云。又唐李丕墓志石得諸城南，其銘曰：屹然孤墳，長城之東。可知長城自北綿亘而南。唐時城西南遺址尚存，其曰蒙恬築，非也。昌平山水記：順義縣西南三十里有葦溝邨，邨東臨涇餘河渡，渡南有長城遺蹟。遼史：順州南有齊長城，齊天保中築。沈括曰：幽州東北三十里有望京館，東北稍北十里餘，出古城北，卽此。今通州長城，迤北接順義境，卽北齊天保中所築長城矣。㶟縣、武清二志俱載境内有古長城，疑昔亦與此相連云。五里栅欄店，六里大辛莊，七里馬莊，八里盧家莊，十里五里橋，十二里公主墳，草房，高安屯，十三里北馬各莊，後店，十五里曹各莊，婁子莊，長營，十里鋪，十八里小井，二十里鄭邨壩，亦曰壩上，通州人稱北壩，都人則呼東壩，明御馬苑城置此，或曰此安德鄉也，當卽安樂故城。後漢書：吴漢拜安樂令。注云：安樂故城，在今幽州潞縣西北。水經注：㶟餘水逕安樂故城西。舊聞考：安樂故城遺址雖不存，然方輿紀要既云北魏廢入潞縣，則在今通州境可知。太子賢後漢書注：安樂故城在今幽州潞縣西北。則唐人言之矣。樂史太平寰宇記：安樂故城在今潞縣西北。則宋人言之矣。馬端臨文獻通考載，安樂故城於潞縣下，則元人言之矣。朱彝尊原書獨載此安樂故城於順義卷内，則因顧炎武昌平山水記後魏安樂郡故城一條牽連，書以致誤耳。安樂本非因縣爲郡，郡自在今順義縣境内，縣自在今通州境，不得以名之相同而混郡縣爲一。

一統志：御馬苑在鄭邨壩，明牧御馬大小二十所，各三四里，繚以周垣，垣中有廐。實録：景泰三年，造駝店於鄭邨壩。天順四年，駕幸鄭邨壩閲仗馬。皆此地也。劉錫信潞城考古録：通州西北二十里，有安德鄉，地名壩上，通人稱曰北壩，都人稱曰東壩，卽鄭邨壩也。明設御馬苑于此，其故城尚存。疑安德鄉卽安樂故城。安德或安樂之訛，以音相近而訛耳。第明御馬苑城，未知卽因安樂城遺址增築與否。

又有倒馬坡，通州高志：舊稱在安德鄉，相傳明初都司平安，倒馬于此被執。明史：洪武間，安官密雲都指揮使，成祖時授北平都指揮使。都司之稱似誤。

舊有寶源、吉慶二店，遺址無考。明世宗實録：正德十六年八月，户部左侍郎秦金上言：寶源、吉慶二店課程，弘治以前，係順天府批驗茶引所官收受，按季解部後，太監于經奏爲皇后料取擾害，乞將二店依弘治年例。舊聞考：二店遺址無考。

江陰繆荃孫校

德清蔡賡年纂德清傅雲龍覆輯

地理志十

邨鎮二

三河縣

鎮：治南二十里黄莊鎮。西四十里高樓鎮。西南三十里夏店鎮，有五槐鋪，沿舊五槐公館而名。三河陳志：五槐公館在夏店，舊有驛，今廢。大廠鎮，五十里燕郊鎮，燕一作煙，有鋪。西北二十里馬房鎮，把總駐焉。五十里泃口鎮，張各莊鎮。

其邨：治東二里東套，臨泃故城近此，石趙所置也，臨泃水，故名，亦曰臨渠城，舊有臨渠府。按：三河陳志云，古城在縣東三里，泃邑之舊城也。而方輿紀要云，在縣南，又云，石趙所置，以臨泃水而名，亦曰臨渠城。晉永和六年，燕慕容霸伐趙出徒河，收樂安、北平兵糧，與其主儁會于臨渠，即此城也。後魏廢。一統志曰，新唐志，薊州有臨渠府，府兵所居，蓋亦置于臨泃故城内。五里二百户，六里沿兒口，亦名沿口莊，八里小營莊，黄土莊，十五里山下莊。南一里南關，三里高各莊，四里中門莊，五里鮑各莊，六里沶洘淀，中門新莊，七里小李各莊，八里大李各莊，十五里毛家墳，十六里齊莊窠，十七里趙家莊，後曹家莊，東定福莊，韶道菴，十八里白塔寺，二十一里後莊，二十五里大薄家莊，小薄家莊，二十八里大堡莊，二十九里朱家莊，三十里聶家莊，後格莊，三十一里窪子莊，三十二里前格莊，三十五里大朱莊，小朱莊，四十里大石莊，小石莊，後小屯，謝莊。西三里馮莊子，五里李秉全莊，六里六道曹莊，七里劉家棗林，李家棗林，徐家棗林，石佛寺棗林，雷家棗林，八里盧家棗林，十三里鞏家莊，四十里田各莊。北一里北關，郭套，北套，有鋪。五里艾李郈，劉李郈，王李郈，小閻各莊，六里雙塔莊，八里溝北莊，王家莊，駱莊，孟各莊，十五里舊有唐會莊，方輿紀要：莊在縣境。屯政考：縣有唐會莊，爲昔時墾植之址。三河陳志：唐會莊在靈山北。三十里青陽屯，三十七里田莊窠，三十八里高樓莊窠，萬家莊，城廠莊，喬官屯，四十里西雙營，周家莊，四十二里三福莊，四十四里大辛莊，四十五里西柏店，東柏店，中橋莊，埝頭莊，五十里許家務，五十五里翟各莊。東北七里小石莊，八里大石莊，頭百户，胡橋莊，白莊子，西小汪，中小汪，東小汪，劉新莊，鑾子營，上莊子，十四里馬連口，十五里城子莊，小塘迴，大塘迴，十六里摩頭莊，雙郈莊，二十里栲栳山，小栲栳山，掘山頭，紙房曹莊，二十二里門樓莊，鮑莊子，二十五里趙家府，二十六里前蔣福山，二十七里後蔣福山，四十五里唐莊子，亦名唐家莊，六十五里前北宮，六十六里後北宮。東南三里三里莊，五里錯橋，八里辛莊，大王各莊，小王各莊，侯各莊，十里大窩頭，窩頭辛莊，楊莊，石碑莊，十一里武公莊，十二里韓屯，南沿郈，律莊子，辛莊窠，蕭莊子，泗河莊，十四里石駙馬莊，十五里閔莊子，渠頭莊，馮家白塔，張家白塔，劉家白塔，十九里小趙莊，二十里大趙莊，大崔莊，小崔莊，龐莊子，段家嶺，滎邨，薄家大宙，馬家大宙，二十五里蔣家衕衕，小掠馬，大掠馬，捻頭，粟家屯，蘆莊，田家莊，二十六里小李莊，杏仁莊，有鋪。三十里孫安屯，三十一里大胡莊，南莊，三十三里格莊馬坊，三十五里達子屯。西南四里藍各莊，五里大道棗林，小曹莊，六里陳各莊，七里魏各莊，小定福莊，小南莊，馬各莊，十里小楊各莊，王駙馬莊，小康莊，楊相公莊，十二里大曹莊，野汪莊，化家屯，百浮圖，有鋪。十三里閔各莊，十五里丁家莊，郝家府，喬家莊，范家港，郭莊，十六里何家屯，趙各莊，辛軍屯，十七里小霍各莊，十八里翟各莊，辛莊，東辛店，西辛店，韓各莊，伏集，任官莊，下莊，十九里泥窪鋪，二十里東營莊，劉家莊，王家莊，楊家莊，後丞相莊，商莊子，小莊子，田邨莊，安家莊，南辛店，西定福莊，辛房莊，白莊子，二十一里寨裏莊，二十二里東廠莊，韓家府，金莊子，閔莊子，葦子莊，公家莊，周家莊，司莊，劉各莊，二十四里大傅家莊，二十五里大定福莊，小景莊，大景莊，褚各莊，辛房里，二十七里曹家莊，二十八里侯駙馬莊，毛家場，鄭辛莊，乾坤莊，三十里田辛莊，永樂莊，興隆莊，太平莊，郝家莊，南泗頭，趙家溝，芮家屯，尚各莊，陳辛莊，馬房莊，莊北有古馬房，遼、金、元、明牧圉所也。三河陳志：古馬房在馬房莊北，爲遼、金、元、明牧圉之所，基址猶存。土營莊，于各莊，小廠莊，盧家莊，小務莊，何廠莊，李辛莊，馬家莊，霍各莊，周家馬坊，許官屯，小坨頭，大坨頭，三十二里黄辛莊，齊家屯，三十四里漫三營，三十五里賈各莊，南王莊，太平莊，河西營，吴家辛莊，蔣家店，馬家廟，藍家莊，楊辛莊，榮家馬坊，長辛莊，南孫各莊，侯官屯，南楊各莊，威武屯，小王莊，東柳河屯，王莊，于辛莊，三十六里西柳河屯，雙舊莊，牛灣屯，後屯莊，馬莊，亮甲臺，東于辛莊，四十里毛莊，大莊子，齊各莊，邵府莊，謝家疃，皆辛屯，王指揮屯，四十二里馬起乏，或曰馬已乏譌也，有鋪。四十五里陳家府，四十六里代家莊，半壁店，五十里孫家窪，大東關，小東關，大柳店，小柳店，五十五里田辛莊，蔡各莊，樊邨，五十七里城子莊，田各莊，興都，六十里西關，宋各莊。西北八里辛莊窠，小丁家果溝，大丁家果溝，十里查馬房，十二里陳鑾莊，良莊子，義合莊，臺子莊，石頭莊，小邢莊，曹莊子，十四里大邢莊，周四莊，十五里田莊，小田莊，羅家莊，方屯，北務邨，十六里馬家果溝，李家果溝，李民莊，倪家果溝，趙家果溝，劉校尉莊，十七里李辛莊，安家莊，李木耳莊，趙屠莊，十八里劉辛莊，曹家莊，小聶莊，大屯莊，十九里趙各莊，二十里大府莊，狗兒府，中壇莊，中壇辛莊，蔡官營，下辛莊，窰兒上，南宅莊，普現屯，二十一里佛辛莊，知府莊，黎兒揚，二十二里塔兒寺，小屯莊，東莊，崔家莊，二十三里胡家莊，宣家營，馬家莊，西馬房，二十四里李家莊，范家莊，北石渠，南張岱，二十五里北張岱，許各莊，三福莊，小東莊，侯莊子，辛莊窠，二十六里永太辛莊，二十七里棋盤莊，二十八里北石渠，榮家堡，二十九里大康莊，小康莊，石官營，榮家莊，楊家莊，王家莊，三十里緱城莊，水經鮑邱水注所謂緱城即此，緱或作英，謂爲元耶律英公城，蓋出坿會云。三河陳志：英公城在縣西北三十里，相傳云耶律英公城。按：三河、平谷皆古潞縣地。水經注所謂平谷之緱城，在今三河境。縣志英公城之説，顯出坿會。餘詳河渠志。又按：采訪册，英城莊在縣西北二十四里。佟家莊，小定福莊，立家莊，賈官營，康家灣，天辛莊，賈各莊，劉家河，渠頭莊，霸窪莊，老公莊，韓家莊，小塘莊，高廟，王各莊，三十一里小崔各莊，無平寺，辛莊，窪里莊，三十二里程官營，白家莊，王家辛莊，龐各莊，蔣家莊，董莊，聶家莊，三十三里梁家務，回回務，李家務，西辛莊，宗家店，固家莊，疙疸頭，三十四里小屯莊，柴家林，焦園莊，有無梁閣，疊石而成，故名。三河陳志：無梁閣在焦園東山之麓，不施梁木，疊石而成。小高樓，果各莊，馬昌營，三十五里兔耳山莊，山有石城。三河陳志：石城在兔耳山周圍，砌石爲城，不知始于何年。按：三河舊志引水經注，石城川水出西南石城山，東流逕石城縣故城。復撮通鑑晉紀：慕容寶宿廣都，清河郡王會勒兵攻寶，寶帥輕騎馳至龍城。會追至石城事以坿會之，不知酈注所言者遼水石城。漢志作石成縣，右北平郡。錢坫新斠注漢志：石成今奉天府西北地。水經注：白狼水所逕者也。地理韵編：石城，北魏縣，營州建德郡。今奉天府承德縣西北地，而廣都城在廣城縣，亦今承德縣西北地，龍城又今盛京錦州府地，均與三河之石城無涉。前芮家營，後芮家營，海子莊，小賈各莊，三十六里河套，毛官營，天井莊，三十七里陳各莊，雞卧莊，陳良屯，三十八里良家莊，魏辛莊，王官屯，三十九里雁户莊，雲峯寺，四十里大孫各莊，湘子王各莊，官莊，石橋莊，定福莊，管家莊，西雙營，小固現，賈家莊，四十一里薄各莊，楊家橋，四十二里四福莊，吕布屯，大固現，港西莊，四十三里牛馬莊，四十四里客莊，四十五里劉辛莊，李窪子，四十六里趙家峪，蔡家坨，四十七里蓮花潭，賈家窪子，五十里韓家屯，興隆莊，小段邨，麻林山，前王會，後王會，五十一里王莊，五十二里簍子營，大辛莊，牛莊，聶莊，五十三里西營莊，梁山莊，五十四里趙各莊，五十五里樊各莊，小三渠，大三渠，龐里莊，龐里莊窠，後蘇家橋，白塔辛莊，六十里于莊，柏樹莊，馬莊窠，沙嶺莊，梁莊，劉各莊，大曹莊，小曹莊，曾家莊，六十五里東莊窠，周莊，六十六里沙子營，齊家府，七十里山里辛莊，柳莊窠，西笸籮口，東笸籮口，齊連莊，北二郎廟，大楊各莊。

武清縣

鎮：治東三十五里大良鎮，五十里崔黄口汛，把總駐焉。南八十五里王慶坨鎮，把總駐此，亦曰汛。北三十里安平鎮，把總駐此，亦曰汛。東北三十里河西務鎮，在北運河西，京東第一鎮也，爲管河同知、主簿、巡檢治，又參將、守備、千總駐焉，亦曰務關路城。城築自明隆慶四年，明穆宗實録：隆慶四年八月，築通州河西務城。輿程記：楊村而東二十里爲桃花口，又二十里爲丁字沽。由楊村而西北四十里爲黄家務，又三十里爲河西務，皆運道所經。卽元中衛屯田處，置漕運司及永備等倉，凡十有四，明户部、工部分司所各一。國朝康熙六年，移户部分司於天津，工部分司所，廢，有鋪。元兵志：中衛屯田，世祖至元四年于武清、香河等縣置立。十一年，以各屯相去百餘里，往來耕作不便，遷於河西務、荒莊、楊家口、青臺等處。元食貨志：至元二十五年，內外分置漕運司二，其在外者于河西務置司。元百官志：河西務十四倉，曰永備南倉、永備北倉、廣盈南倉、廣盈北倉、充溢倉、崇墉倉、大盈倉、大京倉、大稔倉、足用倉、豐儲倉、豐積倉、恆足倉、既備倉。長安客話：河西務，漕集咽喉也，爲京東第一鎮，户部分司于此榷税。武清吴志：明户部分司一所，在河西務城，康熙六年，移駐天津。明工部分司一所，在河西務城，今廢。有清泠亭，在其西南，明萬曆十四年建。武清吴志：清泠亭在河西務城西南隅。萬曆丁亥權河西地官袁表建。東南二十里南蔡邨汛，把總駐焉，有鋪。三十里三里淺汛，千總駐焉。四十里筐兒港汛，亦千總駐焉。五十里楊邨務鎮，在北運河西，爲管河通判、縣丞、驛丞、巡檢治，又千總駐此，有鋪。方輿紀要：楊村驛在縣南五十里。建文三年，平安敗燕兵于楊村，進攻通州，不克。宣德初，駕征高煦，駐于楊村，即此。舊有巡司，今設管河通判駐焉。西南十二里北旺鎮，三十五里黃花店汛，外委駐焉。西北二十里桐柏鎮，外委駐焉。三十里安平汛，把總駐焉，有鋪。

其邨：治東三里東馬房，七里邱各莊，八里狗塚邨，後屯，楊家疙疸，十二里舊縣，以漢雍奴故城名。方輿紀要：雍奴故城在縣東，漢縣也。後漢建武二年，遣朱浮等討彭寵，浮軍雍奴。又光武封寇恂爲侯邑。魏志：張郃從擊袁譚于勃海，圍雍奴，大破之。城邑考：唐改雍奴爲武清。其舊城距白河十七里，在今邱家莊南。明初因水患，移今治，去舊城八里。舊聞考：舊城在邱家莊南，距縣東十二里，今地名舊縣。今之縣城自明洪武初始遷。按：舊唐書，至德二載正月，李忠臣以步卒三千自雍奴爲葦筏過海，所謂雍奴，即此舊縣地。耿莊，徐莊，十五里張剛莊，亭上，田家鋪，劉莊，十六里小幼莊，十八里大孟莊，小孟莊，絲各莊，昭陽寺邨，三間房，水火鋪，大押虎寨，小押虎寨，齊莊，程曹莊，楊家店，二十里程校尉莊，大王莊，東白廟，西白廟，齊相公莊，富官屯，二十二里蒙邨店，二十五里北蔡邨，大王甫，小王甫，韓家莊，張家場，八間房，下四百户，蒙邨新莊，小河邨，下七百户，定福莊，雙樹，六百户，甎廠，三十里大龍莊，郭家莊，雙樹趙莊，丁家園，前耀米鋪，後耀米鋪，西崔莊，前龍莊，後龍莊，下九百户，下七百户，東西營，傅羊房，翁羊房，韓羊房，三十五里大良閻莊，陳莊，前奄寺，後奄寺，蕭羊房，北小良，東小良，西小良，劉李莊，尖嘴窩，楊家場，蘇莊，蓮花池梁莊，劉五莊，中豐莊，前沙坨，後沙坨，黄官屯，奄寺趙莊，孫林莊，韓小莊，東陳家樓，西陳家樓，田水鋪，藍家巷，上九百户，中二百户，暗家樓，孫小屯，上四百户，佟家街，炒米莊，霍寺，四十里小周莊，胡新莊，堿土莊，懷莊，后巷，海子窪，侯莊，東吕邨，西吕邨，楊駙馬莊，西狼兒窩，劉五莊，（又一劉五莊。）安家鋪，忠義邨，韓莊，曹莊，郭莊，小藍莊，南綫窩莊，北綫窩莊，柳莊，小龐各莊，徐官屯，卞官屯，小劉莊，陳家園，狗皁屯，下豐莊，蔡羊房，蕭店，大三莊，大城廠，小營，羊新莊，四十五里恩家莊，周官務，八間房，小姚莊，四十七里大良，東小莊，沈曹莊，上蘇莊，李千户莊，大曹莊，小曹莊，東場，西場，前上蘇莊，後上蘇莊，三百户營，赶莊，大空城，小空城，崔黄前營，小趙莊，小杜莊，小劉莊，東高坑，西高坑，蔣家街，甄家營，邢家窨，邢新莊，大趙莊，萬窩，小洪莊，小白莊，小齊莊，于街，龔家營，黄家窪，龔小莊，東崔莊，甄家萬窩，南東新莊，北東新莊，大高官店，小高官店，沈莊，二王公莊，三里屯，西城角，七百户，打鐵蘇莊，陳相莊，趙家園，草坨，周新莊，小營閻莊，洞上康新莊，塔園，五十二里修家莊，五十五里周家莊，六十里曹家岡，恍劉莊，棗南營，五南營，東鄭莊，楊鳳莊，六十五里康劉莊，白家樓，七十里大趙莊，小趙莊，黄家堡，王八里莊，田家河，艾近莊，蘇婁子莊，馬家營，小石莊，拕泥寺郉，西狼窩，崔靳莊，高靳莊，劉靳莊，丁靳莊，西靳莊，東狼窩，樹兒窩，十字港，九十里中心臺。

南一里南園，有始皇陵，在其南二里許。武清吴志：始皇陵在縣南三里，未詳所始。五里大桃園，五里店，六里袁辛莊，小桃園，八里無梁廟，楊仲河，南桃園，十里後所，十一里南馬房，十二里張標垡，窑上，田家鋪，十五里大蘑菇屯，小蘑菇屯，太子務，倉上，西馬房，十八里前屯，齊東營，二十里弓莊，豆角張莊，二十五里南北雙廟，周六營，三十里宋台，繩昝南宮，大南宮，崔胡營，眷子郉，索張莊，楊家營，李家樓，三十五里解口，包營，鑾子營，甄家營，黄花劉莊，三十六里七字隄，東蒲窪，西蒲窪，三十八里西周郉，四十里東柳行，西柳行，馬家營，柳行新莊，小營，晏莊，八里橋，魚市莊，茨州，黄花新莊，三田莊，四十五里小楊莊，大王郉，前梁各莊，後梁各莊，五十里石各莊，李各莊，城上郉，西南莊，定子務，小王郉，東莊，北章廟，泗上郉，敖子嘴，東洲，五十五里艾蒲莊，六十里龐家莊，陳家嘴，六十五里叉光，七十里魚壩口，漢口新莊，王家堡，二光，東蕭莊，西蕭莊，七十五里六道口，九十里三河晉，傅興莊，道溝子，東沽港，王二店，苑家堡，張家堡，尤家堡，大苑甕口，小苑甕口。西一里沙莊邨，尹窰，三里張桐營，四里田古屯，六里草茨，聶營，八里吴家隄，小屯，十二里小海子，大營，大南旺，北旺，廣善，西邨，十五里潘莊，常莊，河嘴，相士屯，十八里大棗林莊，小葛莊，小李莊，大長亭，小長亭，小棗林莊，小彭莊，董標垈，桑園新莊，二十五里梨園邨，韓勝營，董家邨，薛家營，舊有霍堡在治西。方輿紀要：霍堡在縣西，唐武德初，竇建德攻幽州，掠霍堡。堡蓋居人霍氏所築，以自固處也。北一里城後李莊，二里城後劉莊，四里傅邨，五里白屯，八里騷子營，屈劉莊，十里大趙莊，韓邨，十二里駱駝圈，巨城鋪，小天邨，桐林，十五里董家莊，十八里牛鎮，奶子房，二十里小董莊，前侯上，後侯上，二十三里小周邨，小任莊，藍城，三十里田户邨，中漢，大周邨，城廠，高邨，永興莊，抬頭，四十里里羅，四十五里馬合店。東北十里大魏莊，十八里孝里，石橋新莊，前扶頭，後扶頭，北安子上，小王莊，四間房，二十里白莊，小官莊，二十四里岳莊，二十五里奶母莊，蔡各莊，索莊，前窰，後窰，河西韓莊，唐莊，大張莊，高莊，二十七里西陳莊，二十八里齊白段，邵莊，三十里果園，三倉上，新莊，羊房，大沙河，小新莊，龔莊，三里屯，小龍莊，八百户，蘇莊，上馬頭，羊房，大新莊，金莊，東白廟，西白廟，小王莊，何莊，大十百户，小十百户，仙莊，香莊，三十五里木廠，小後新莊，鄭莊，四百户，良莊，蓮花池，九百户，三十七里黄官屯，小沙河，三十八里何各莊，四十里金新莊，孟新莊，良官屯，土門樓，三百户，紅廟，四十五里後家灣，四十八里下五旗，梁官屯，田新莊，高新莊，孟新莊，紅寺，五十里韓家口，二百户。東南一里楊莊，五里後槽子裏，八里八里莊，明正德中，流賊劉六等作亂，官軍擊之于八里莊，即此。據方輿紀要。二十里榮家營，泗郝店，二十五里火燒屯，南陳莊，達子郝，韓家營，馬莊，三十里陳二灣，盧二灣，談莊，西馬莊，南四新莊，朱莊，南商郝，三角毛店，郭莊，三十五里前河淤，後河淤，韓家營，聶官屯，頓邱劉莊，畦疃，甘橋，郭官屯，四十里小白廠，孔官屯，小藍莊，大白駒廠，小白駒廠，小頓邱，陳官屯，筐港新莊，長屯，東蘄莊，北蘄莊，南蘄莊，泉州故城遺址近此。一統志：泉州故城在縣東南，漢置，北魏廢入邕奴。武清吴志：在今東南四十里，遺址尚存。四十五里大頓邱，五十里大張莊，小張莊，新王莊，舊王莊，褚莊，柴關郝，沙古堆，夾道，小新莊，費莊，竇稼營，吴場，曹家園，段莊，西梁莊，夾道楊莊，上朱莊，前槽子裏，西掘河，六掘河，馬莊，楊城廠，東掘河，北掘河，東柳店，西柳店，小東莊，東楊郝，西楊郝，大吴家場，小吴家場，劉山莊，上園，下園，劉牌莊，蔡楊莊，掘河店，北章廟，王老莊，楊郝，北鄭莊，五十二里下朱莊，五十五里朱家馬頭，簸箕劉莊，五十七里三里屯，五十八里柳河新莊，六十里南掘河，薛莊，小孫莊，韋莊，張大官莊，劉靳莊，黄莊，陶莊，白家疙疸，大石橋，董何陳莊，蕭莊，柳河，大白馬港，小白馬港，汪莊，何莊，侯王高三院，小高莊，六十五里老米店，東梁莊，七十里郭羅台，陳莊，楊恆莊，董莊，馬家口，陳標莊，六合莊，田莊，下蘇莊，魏家堡，押徐莊，唐房，小洪莊，薛莊，大康子莊，小康子莊，任莊，六指墊，九河印子，楊家河，梅廠，郝莊，方吴新莊，掖指莊，灰堝口，小馬家莊，雷莊，王唐莊，雙廟，郎莊，馬家營，李鳳莊，蓋末，五間房，杜莊，前蘇莊，後蘇莊，雙莊，沈莊，代莊，大吴莊，小吴莊，大楊莊，小楊莊，拾錦花莊，小杜莊，九河新莊，侯莊，東汪莊，單家墊，果子王莊，東絲窩，西絲窩，杌子洵，小千户莊，王瘸莊，韓莊，漢兒莊，六百户李莊，四高莊，七十二里六大莊，六小莊，七十五里藕店，小于莊，周莊，北王平，甘莊，八十里四蒲棒，柳莊，張八莊，大米莊，蔣家莊，聶莊，孫家台，瓦房郡，大興莊，小潘莊，吴家莊窩，侉子營，張四莊，南王平，楊寬莊，上馬臺，張四安莊，八十五里小盧莊，九十里安子上，賈林店，前朱槽，後朱槽，高家樓，苦鹽坨，大吕莊，殷莊，尤莊，張海莊，高啞叭莊，蕭劉莊，沈莊，董逢莊，王三官莊，陳趙莊，喜逢臺。西南一里韓莊，薄莊，三里柳林屯，沙胡屯，七里臧莊，十二里半城郵，十五里小南旺，十八里安標垡，東馬圈，二十二里青坨郵，郵之西南八里許有長城。方輿紀要引舊志，長城在縣西南三十里，延袤數百里，相傳戰國時燕所築。舊聞考：故址今廢。三十五里羅古判，胡家營，六十里穆家口。西北一里許家莊，六里小棗林，八里小王古莊，十二里丁新莊，大王古莊，十五里大官地，十八里利尚屯，二十五里東婁莊，西婁莊，下莊頭，三十里西柏郵，大屯，三十五里護衛屯。按：雍正八年分武清縣之東南一百四十餘郵隸天津縣，是以日下舊聞所載，如直沽、楊青等郵，皆非今武清屬。

寶坻縣

鎮：治東四十里新安鎮。南三十里黑狼口鎮，七十里黄莊鎮。東南四十里林亭口鎮。西南三十五里大口屯鎮，亦曰新開口鎮。西北四十里新集鎮。按：畿輔輿圖止載新安、林亭口、新開口、新集四鎮，今據光緒九年采訪册。又按：寶坻洪志，縣分四鄉，東爲海濱鄉，其鄉之里凡五：慈恩里，三保，九十五莊；孝行里，二保，二十五莊；興保里，五保，百二莊；居仁里，四保，八十六莊；承化里，三保，九十莊。南爲廣川鄉，其鄉之里凡五：和樂里，二保，四十莊；好禮里，二保，十四莊；尚節里，二保，三十五莊；甯海里，一保，三十八莊；嘉善里，一保，二十二莊。西爲望都鄉，其鄉之里凡五：安成里，一保，十四莊；務本里，一保，二十二莊；廣孝里，二保，十九莊；進賢里，一保，二十五莊；新得里，三保，三十九莊。北爲渠陽鄉，其鄉之里凡五：善教里，四保，六十一莊；厚俗里，三保，六十八莊；新安里，一保，二十六莊；崇智里，二保，三十五莊；得義里，三保，四十五莊。一說，明弘治時知縣莊襗修城，以此命名；一說，金大定中設縣，已有此名。國初，于四鄉圈給旗地，嗣是莊法漸異。今據縣册，仍按方隅分列，以歸畫一。

其郵：治東一里東苑家莊，高家莊，二里吴家新莊，三里芮家樓兒底下莊，五里前五里鋪莊，後五里鋪莊，八里高八莊，十里高八垈莊，王家莊，馬家莊，杜家莊，十二里王家莊，前趙家莊，後趙家莊，十五里張舉人莊，郝家莊，楊家口莊，小杜家莊，減場莊，老牙台，十六里牛家莊，三間房莊，十八里劉黄莊，龐家莊，昌家莊，郭家莊，陳家莊，西高家莊，二十里張會莊，芮家莊，郝家莊，馮家莊，苑家莊，方家莊，何家莊，新莊，馬營莊，大角泀莊，小角泀莊，二十二里南劉莊，田四莊，二十三里楊喜莊，二十四里紅帽莊，小苑家莊，塔兒莊，張鳳莊，二十五里田家莊，胡寬莊，駱家莊，二十六里前鄭家莊，後鄭家莊，二十七里苗家莊，劉舉人莊，褚亮莊，芮家莊，西北沽莊，二十八里張蘭兒莊，大趙家莊，小趙家莊，小陳家莊，四里港莊，三十里佟家莊，趙家鋪莊，老張家莊，富家莊，靳家莊，北潭莊，郭家莊，乾八里莊，三十二里高家矻砠莊，南家莊，大吴家莊，小吴家莊，三十三里梁家莊，許李莊，杜家新莊，陳家莊，三十四里張松家莊，李清莊，三十五里窰兒上莊，艾家口莊，李秀莊，三十六里申家莊，老艾家莊，高家莊，左家鋪莊，張家莊，李家莊，南高家莊，東高家莊，新張家莊，車網港莊，三十七里劉廠莊，八間房莊，邊家莊，沈家莊，三十八里五麻莊，陳山莊，馬營莊，田家莊，何掌莊，工部莊，四十里埝北莊，達子莊，南葉家莊，徐家莊，王木元莊，談家莊，四十二里劉瓚莊，馬廠莊，馬家莊，單家莊，四十三里小談家莊，王家莊，四十六里大苑家莊，小苑家莊，四十八里孫家口頭莊，曹家口頭莊，于家口頭莊，李家口頭莊，五十二里大沽莊，巢家莊，劉家莊，史家莊，五十三里蘇家莊，五十四里小齊家莊，五十五里灘沽莊，五十八里船兒窩莊，小郭家莊，馬家莊，六十里淩眼莊，六十三里小于家莊，楊木莊，六十四里王家莊，六十八里芝麻窩莊，九十五里豐台莊。南半里曹家園莊，二里前苑家莊，後苑家莊，南苑家莊，三里吴家辛莊，四里老家莊，五里東歇馬臺，西歇馬臺，一名駐馬臺，金章宗駐蹕處。方輿紀要：駐馬臺一名歇馬臺。長安客話：臺故址在縣南五里，相傳金世宗駐蹕處。西石橋，張家莊，六里太平莊，鄧家莊，老君堂莊，段各莊，八里石佛營莊，大套莊，陳家菴，定福新莊，十二里小套莊，十三里甘泉莊，十四里王家新莊，管家新莊，十五里莊頭莊，馬家店，苑家新莊，王家新莊，連子營，十六里果園新莊，十八里十四户莊，八户莊，孫家莊，王家口莊，張家莊，二十里新開口莊，後小莊，彩家鋪莊，焦家莊，苑家莊，侯家莊，郝各莊，前秦各莊，後秦各莊，官莊，雙王寺，廣林木莊，馬各莊，義股莊，艾各莊，二十二里王家莊，二十三里燒角莊，二十五里東田五莊，西田五莊，菜園莊，王家莊，馬各莊，小程各莊，龐橋頭莊，小龐橋頭莊，堅場莊，閻各莊，戴家莊，西莊，東莊，二十八里扒頭港莊，三十里五登莊，中登莊，前賈各莊，後賈各莊，寺後莊，前鄒家莊，新寨莊，西河頭莊，菜芽莊，西河背莊，三十三里劉四寡莊，大劉寡莊，大四寡莊，三十五里馬營莊，張岡鋪莊，四里港莊，樊家莊，三十六里陳家莊，三十七里孝家莊，三十八里丈方鄺莊，周良莊，南新莊，魯文莊，四十里新劉家莊，樹兒窩莊，王梁莊，聶家莊，田家莊，穆家莊，邢木家莊，尹家鋪莊，何家鋪莊，李賢莊，四十二里白毛莊，四十三里張宿莊，蔡家鋪莊，四十五里牛蹄河莊，李山莊，張堂莊，趙連鋪莊，四十八里柴家鋪莊，五十里大新馬頭莊，小新馬頭莊，李官莊，老牙口莊，藍家店，吴家牌，牛家牌，王草莊，劉邦橋莊，陳甫莊，華尖莊，胡盧莊，杜家莊，胡盧新莊，翟家莊，五十二里李家牌，五十三里羊馬頭莊，五十五里孫家莊，趙家牌，范家莊，巫家莊，大白莊，張家莊，趙家灣，汪曹莊，陳甫亮莊，長亭莊，五十八里吴家新莊，六十里趙新莊，北李子沽莊，張洪玉，鴨子莊，南河莊，大寶莊，八道沽，小寶莊，黄花泂，孫校莊，小白莊，田家橋，朱家窩，趙聰莊，東老牙口莊，六十二里苦鹽坨，彭元莊，王木元莊，梁家莊，六十三里北馬家莊，王家沽莊，六十四里曹家沽莊，六十五里鯽魚泂莊，張洪莊，苑紅橋莊，大楊莊，朱家曹莊，張庫莊，小楊莊，六十六里侯家台莊，楊家鋪莊，六十七里胡盧沽莊，六十八里靳家莊，七十里唐家莊，陳家莊，許新莊，張倉莊，中心臺莊，南李子沽莊，甜水井莊，大劉坡莊，小劉坡莊，七十一里南馬家莊，馬家新莊，七十二里司家莊，七十五里小張家莊，杜家莊，馬貴莊，高莊窠，七十六里馬連莊，大張家莊，七十八里柳樹窪莊，小盧莊，八十里鄭家莊，隨家莊，張老八莊，趙家莊，小頃泂莊，八十二里董家莊，馮家莊，八十五里劉萬莊，景家莊，爾家新莊，毛家莊，常家店莊，史家莊，姜家莊，八十八里潘兒套莊，白家莊，九十里北四棵樹莊，黃金莊，承司洵莊，李家河莊，運家莊，宋家莊，爾家莊，于家堼莊，九十二里安子上莊，九十四里田家莊，九十五里後李家莊，南李家莊，九十六里唐家莊，小龍灣莊，閻皮莊，高家莊，九十八里東洵莊，董家新莊，一百里董槐莊，大馬家莊，小馬家莊，南四棵樹莊，大龍灣莊，賈家莊，趙家莊，一百一里猪頭洵莊，霍家莊，韓太莊，狼兒窩莊，一百二里楊建莊，一百三里陳家台莊，一百五里屈家新莊，白廟莊，王家莊，季家莊，董官莊，董麻莊，杜家莊，陶家莊。西半里娘娘廟，五里朝霞店莊，朝霞大莊，朝霞小莊，南小莊，東小莊，周家莊，六里小趙各莊，蓮花莊，七里艾楊各莊，八里丁家套莊，油葫蘆莊，管家曲莊，賈家曲莊，胡家新莊，九里大艾各莊，小艾各莊，前苑家莊，後苑家莊，陳甫莊，大尚莊，小尚莊，十里山後莊，豆家橋莊，十二里曹家新莊，李家莊，十五里朱家鋪，方家莊，潘家莊，孫家莊，楊家莊，劉家莊，孔家莊，樓兒底下莊，楊家新莊，頃洵莊，東馬各莊，西馬各莊，小馬各莊，郭家莊，褚家莊，明時之桑園近此。一統志：桑園在縣西十五里，明嘉靖中，知縣張元相置，後廢，知縣唐鍊重築垣牆，植桑課蠶。史家莊，二十里何各莊，丁家莊，二十一里范家莊，二十二里郭楊各莊，陳家莊，標家店，二十三里洛水坨莊，二十五里邱家莊，小盧家莊，袁家莊，董家莊，于家曹莊，邳家新莊，邳家鋪，劉家莊，張家莊，賈家莊，榮各莊，高辛莊，黄家集莊，馬辛莊，前六家口莊，後六家口莊，江右窩莊，蔣家莊，彭家甫莊，東王各莊，西王各莊，琉璃屯莊，二十八里東新莊，三十里譚家鋪莊，前杜家莊，商王店莊，請公台莊，孫家口莊，三十一里蔡家莊，三十三里西黄沙鋪莊，三十六里西三岔口莊。北一里王家莊，河北寺莊，王家墳，彭家莊，三里薛家園莊，四里賈家莊，單家莊，李家莊，苑家莊，五里齊河務莊，丁家莊，蕭家墊莊，十里邦道沽莊，十二里三岔口後莊，王家莊，十四里小苑莊，十五里三岔口莊，亦曰三叉口，舊有三叉城。方輿紀要：三叉城在縣東北。唐志：檀州有三叉石城，蓋置于縣之三叉口。按：采訪册云，在縣北十五里。梁家莊，十六里小陳家莊，鄒家莊，張家莊，大苑家莊，單街子莊，十八里下莊，盧家莊，馬家莊，郝家莊，黄新莊，二十里石家莊，賈家櫟莊，二十一里王家莊，二十二里新小莊。東北一里吴家道口，小杜家莊，大口港莊，牛家莊，一里有半蘇家屯，二里梁家莊，五里前白廟莊，後白廟莊，六里前劉舉人莊，後劉舉人莊，七里張峯莊，八里小北台莊，十里黄家莊，十二里陳家口莊，十三里哈喇莊，十四里八間房莊，十五里霍各莊，大吴家莊，馬家莊，十六里王家莊，經堂莊，張家莊，十七里雙樹莊，大盤裹莊，外郎莊，十八里白龍港莊，安樂莊，張西郊莊，十九里綱户莊，九王莊，劉家莊，破磂碍莊，陳家莊，小吴家莊。東南半里韓家橋，一里馬家橋，苑家樓莊，郝家莊，二里龍潭莊，槐樹莊，前師婆莊，後師婆莊，王家莊，三里郭家莊，四里陳家墳莊，五里曲里莊，苑家莊，王家莊，姜家莊，龔家莊，前曹家莊，後曹家莊，高家口莊，六里顧家莊，田家莊，七里安家橋，八里新務屯莊，莊之東南二里許有秦城，唐太宗征高麗駐蹕于此。（方輿紀要：秦城在縣南十里，秦始皇并燕，築城置戍。唐太宗征高麗，嘗駐蹕。一統志：秦城，縣東南十里。薊邱雜抄：李君虞詩，惆悵秦城送獨歸，即此。）十二里小屯裹莊，牛家莊，張家莊，十三里黃家新莊，西李各莊，十四里大堅莊，小堅莊，北王各莊，東李各莊，胡各莊，十五里劉各莊，陳甫莊，橋上莊，口東，大張各莊，小張各莊，石各莊，王家莊，東新莊，西新莊，閻王寺，十六里梁家衚衕莊，上王各莊，二十里前齊各莊，後齊各莊，二十二里于各莊，二十三里胡家莊，二十四里東泗河莊，西泗河莊，二十五里蛤窩莊，倪家莊，龍虎莊，河東王卜莊，王卜莊，陳家莊，店子莊，陶家莊，張家莊，孟家莊，二十七里圈網莊，八間房莊，二十八里陳家園莊，野律各莊，後丁家木莊，前張司馬莊，二十九里淡家莊，前丁家木莊，三十里下王各莊，六各莊，藺家莊，白家莊，三十一里白絲窩頭莊，朱家莊，三十二里邢家莊，網户莊，三十三里司家莊，後張司馬莊，三十五里史家莊，四十里蘇家莊，劉新莊，尹家莊，周家莊，南小橋莊，車轅軸莊，郝家莊，李子窩莊，王家莊，八里莊，侯家莊，任家莊，新莊，王家新莊，四十一里小侯家莊，前尹家圈莊，後尹家圈莊，南寨沽莊，四十二里黃莊，糙洵莊，石臼莊，前黃土坎莊，後黃土坎莊，張家莊，毒蜂窩莊，四十三里小靳家莊，田家莊，南史家莊，王指揮莊，石碑莊，顧家莊，四十四里季八莊，泥窩莊，曾梁莊，東新莊，四十五里陳家莊，北青溝莊，李簸箕莊，四十六里南青溝莊，馬家台莊，馬營莊，康家莊，高家莊，四十七里打掛莊，劉家台莊，芮家台莊，四十八里回子莊，東李家莊，李家莊，牛家莊，大米莊，米四莊，巴家莊，張亭莊，李英莊，小李家莊，窩背廠莊，小單家莊，李家新莊，四十九里大靳莊，孔家莊，五十里康家莊，大劉莊，金蟬窩莊，江右沽莊，五十一里葫蘆窩莊，五十二里二米莊，塔沽莊，塔沽新莊，汪家莊，五十三里半截沽莊，大泂沽莊，張秀莊，南八間房莊，王見莊，五十五里張五店莊，小雙莊，小楊家莊，鍾家莊，翦子沽莊，閻羅莊，張家莊，劉家場莊，五十六里周家莊，王三莊，五十七里尹家莊，阮家鋪莊，五十八里靳廠莊，長亭莊，劉蘭莊，小劉莊，陳堂莊，于家鄺莊，東鄺莊，西鄺莊，頭窩莊，二窩莊，瑪瑙沽莊，五十九里苟家莊，青稗沽莊，寬江莊，六十里王家莊，八門城莊，小塔沽莊，大洛里沽莊，小洛里沽莊，小塔沽新莊，小張家莊，大單家莊，五道沽莊，歡喜莊，大陳家莊，岳家樓莊，司家莊，廠家窩莊，大焦家莊，小焦家莊，王家莊，燕喜邨莊，六十二里苑家場莊，六十三里楊岡莊，六十四里張家莊，西魯沽莊，六十五里東魯沽莊，郭家莊，于家沽莊，六十六里走綫窩莊，六十八里南燕窩，六十九里梁家沽莊，七十里菱角沽莊，王家鋪莊，水流莊，七十一里木札窩莊，七十三里魯家鋪莊，七十五里貉子沽莊，七十八里布家莊，七十九里八里莊，八十里大頃洵莊，李家店莊，八十二里胡志莊，八十三里小洵莊，小鄧家莊，八十五里大鄧家莊，張頭窩莊，九十里小月河莊，宋家莊，東單家莊，牛金頭莊，大盤龍莊，九十二里小盤龍莊，單家莊，九十三里盛家莊，九十六里孫家莊。西南半里岳家園莊，劉家莊，興隆菴小莊，一里前馬家莊，後馬家莊，一里有半馬家莊，田家場，三里于家莊頭，于家新莊，劉家新莊，五里黑豆窩莊，小黑豆窩，黑豆窩苗新莊，十六里種田營莊，二十里大蘭各莊，小蘭各莊，趙各莊，二十二里前陳甫莊，後陳甫莊，左家屯，二十四里景家莊，二十五里劉舉人莊，六户莊，龍尾屯，西小莊，大千佛頂莊，小千佛頂莊，前韓河莊，後韓河莊，韓河小尖坨，圈子莊，韓家莊，郭家莊，二十七里韓家口莊，三十里王新莊，東鄲莊，西鄲莊，王家莊，小口哨莊，石新莊，三十二里𡋾頭莊，王家莊，與前王家莊相距二里。茶棚莊，大窩背廠莊，小窩背廠莊，三十三里大張家坦莊，小張家坦莊，三十五里芮家莊，薄家莊，寇家莊，東褎鹹口，西褎鹹口，窩子莊，小簿店莊，大簿店莊，邢家莊，網户莊，枯河莊，孤莊，西寨莊，東寨莊，新莊，三十六里菜園莊，三十八里龐家灣莊，長牌莊，蕭家口莊，曹家莊，黃家莊，南仁俘，四十里白家莊，苑家莊，大口哨莊，東十字港，西十字港，白石頭莊，四十一里韓家口莊。西北半里沙窩莊，佟家溝莊，喻家園莊，二里北台莊，西台莊，三里聖兒窩莊，高家莊，羅家務莊，四里宋家莊，杜家莊，岳家菴莊，核桃園莊，五里李三莊，前後中船各莊，小苑家莊，八里橋頭莊，十里焦山寺莊，東小莊，十三里前岳家莊，後岳家莊，十五里牛道莊，十七里高家深子莊，翟家深子莊，二十里芮家莊，二十二里黄沙甫莊，二十三里徐各莊，二十四里老鴉寨莊，二十五里張家莊，太平莊，趙家莊，李家深子莊，鄭各莊，二十六里大趙各莊，李家莊，王家莊，二十七里塘頭莊，芮家莊，史家衚衕莊，劉家衚衕莊，二十八里李三店，盧各莊，何各營莊，李家菴莊，二十九里郭家園子莊，三十里謝各莊，杜家莊，王甫營，溝頭莊，高各莊，泥城莊，三十二里龐各莊，三十三里西羅邨莊，東羅邨莊，韓家莊，竇各莊，三十五里達子屯莊，三十七里張八家莊，姚家營莊，三十八里朝家莊，任家莊，四十里方家莊，劉家莊，新集后莊，王家莊，陳家莊，菜園莊，燕各莊，四十三里虎捋莊。

甯河縣

鎮：治南三十里蘆臺鎮，爲通判、巡檢、鹽大使治，又總兵、千總駐焉。後唐同光中，劉守光置蘆臺軍，俗名將臺。名勝志：蘆臺軍在縣東南一百六十里，後唐同光中，劉守光置，俗名將臺。通鑑：後梁乾化三年三月朔，晉周德威拔燕蘆臺軍。按：名勝志所稱之縣，蓋寶坻也。方輿紀要引寶坻志云，將臺亦名蘆臺。舊有榷鹽院，元至正間改儒學。名勝志：趙德鈞祠在蘆臺巡檢司，德鈞鎮蘆臺，榷鹽院其所置也。寶坻舊志：榷鹽院，元至正間改儒學。有峭帆亭。日下舊聞載張斛峭帆亭詩。六十里營城，把總駐此。甯河關志：營城，唐太宗有高麗之役，因築土城，駐中軍，其前軍、後軍，則更屯他村，所謂前、後寨上也。其北則有司甲坨，爲製甲之所。又北則亮甲坨，尚有數坨突起似古塚，相傳亦亮甲云。營城之城基，四十年前猶存故址，土人能道其處，而于寨基司甲坨之舊跡，則不可復識。九十里北塘，遊擊以下官駐此，有礮臺，東、西各一，明所築，防海寇也，西圮。關志：縣南九十里，地名北塘，東西對峙，明築以防海寇。塘西者僅存其基，而東一臺屹然獨立，爲登眺之所。西南七十里潘莊集，百一十里新河汛，把總駐焉。西北十八里大月河鎮。畿輔圖說云東北，東乃西之譌。

其郵：按：甯河郵莊，初分里保。在城里，一保，五十二莊；安平里，二保，二十二莊；文行里，六保，四十六莊；忠信里，二保，二十四莊；興義里，二保，二十六莊；崇仁里，六保，四十二莊；儒林里，六保，三十莊。乾隆二十一年，清查馬厰各莊，承認官地二千餘頃升科，遂增仁義里統之，其地户即在七里内，別無郵莊。今則莊法漸更，小北澗沽、李家臺、南山嶺等郵，皆舊所無。治東三里東窩莊，五里倒流窩，六里馬滑莊，塔慈莊，瓦房港，九里趙學莊，十里趙路莊，十二里盆礶莊，劉瘸莊，于飛莊，十三里老家莊，東雙莊，十五里楊花莊，十八里張鳳莊，又三里，豐潤縣界。二十里藍家莊。南小南莊，一里黎園莊，三里南窩莊，五里南沽莊，八里江右沽，九里孟舊窩，十里楊家莊，孟家莊，十二里菜園莊，二十里木頭窩，南岳旗莊，二十二里大斑莊，二十五里党家莊，二十八里大趙家莊，小趙家莊，二十九里田家莊，小崔家莊，三十里大楊家莊，小楊家莊，三十一里永興莊，三十二里黃沽莊，三十三里趙家園，舊名趙家莊，董家莊，三十五里南陳莊，靳家莊，三十八里西莊頭，東莊頭，四十五里張緒莊，南崔莊，邵家莊，張家莊，羊家莊，四十八里漢沽，按：關志，南五十二里國家莊後坨，五十三里前坨，今則三邨併歸漢沽。五十里王家莊，李公莊，南孟家莊，崔興莊，鐵獅坨，李家新莊，寨上，五十五里新莊，白家莊，思家坨，八十五里青坨子，蔡家鋪，鯉頭沽，八十八里避風嘴，一百二十五里塘兒沽，又一里，接天津縣界。于家鋪，一百三十二里窑兒上，一百三十三里田家沽道。西三里西關莊，五里胡家莊，八里任漢莊，十二里李黃毛莊，十五里任千户莊，十八里大于莊，二十里于懷莊，二十五里西雙莊，二十六里杜家莊，三十里韓建莊，馬聰莊，大韓莊，小韓莊，三十五里邢木莊，四十里蛤蜊埑，張廣莊，俵口，五十里大港莊，張家莊，五十二里李秀莊，于京莊，楊宇莊，于家新莊，洛里坨，五十五里躲軍店，五十八里老安店，紀家莊，六十里孫家莊，六十五里小楊莊，塘兒坨，七十五里樂善莊，八十五里造甲城，有紅土坨，相距五里許。甯河關志：紅土坨在造甲城五里許，有圓坨一段，闊頃餘，相傳劉仁恭駐兵於此。九十里馮家臺，傅家臺，王家臺，田家新莊，九十二里小王莊，九十八里東隄頭，一百里北于家鋪，南于家鋪，西隄頭莊，莊之石橋接天津縣界。一百十五里貫兒莊。北三里小楊莊，齊家沽，五里田莊頭，岳旗莊，六里青泥莊，八里大麥沽，埋珠莊。接豐潤界。東北六里于三莊，板橋莊，七里崔成莊，十里王良莊，朱家莊，十五里小郝鋪，十六里獐子鋪，十八里王贊鋪，李茂莊，二十里岳秀莊，王實莊，二十五里高穩莊，東淮莊，三十里東棘坨，西棘坨，五十里青坨，接豐潤界。六十里河家流，岳家莊。東南九里捷道沽，十里朱家莊，十二里苗家莊，十五里麥子莊，十八里苗棗莊，柳家莊，米廠莊，劉家莊，沙窩莊，二十里尚塢莊，崔家莊，馬家莊，二十五里齊家莊，二十八里閻家莊，三十三里曹萬莊，田萬莊，三十四里東陳莊，三十五里任家莊，阜淀莊，三十八里東尹莊，瓢新莊，楊角莊，四十里魏家莊，四十五里楊家泊，四十七里艾蒿嶺，四十八里田蘭莊，五十里李家沽，五十八里富家莊，六十里二港莊，六十五里浪頭港。西南五里林家莊，谷家莊，孫家莊，十二里楊撥莊，十四里廉家莊，十五里高家坨，二十里朱家莊，花牛莊，二十五里王御史莊，二十八里馬家菴，三十里中興沽，南澗沽，北澗沽，官莊，後新莊，小北澗沽，三十三里船沽，李家臺，三十五里薄家莊，四十里任鳳莊，桐城莊，東董家莊，西董家莊，小海北莊，莊北五里有紅心隄。甯河關志：小海北莊之北五里，道旁有土堰一條，相傳卽秦始皇所築紅心隄。東嶺頭，靳家墪，四十二里西嶺頭，南胡莊，大尹家莊，小尹家莊，盧家務，勾樓沽，北沽莊，張家莊，四十五里西田莊，四十六里後新莊，王家衢，四十八里馬杓沽，下霧莊，五十里李家沽，劉家莊，邢家坨，五十五里塔淀，六十里齊家府，舊名小新莊，大八畝坨，六十二里小八畝坨，七十里南淮魚淀，北淮魚淀，九十里趙温莊，百里東甯車沽，西甯車沽，一百三里赤城灘，一百十二里劉家莊，一百十五里南山嶺，一百三十二里上北，一百四十里軍糧城，或曰卽梁城，非也。一百四十八里鄭家莊，李家莊，一百四十九里小楊莊，翟家莊，周家莊，大楊莊，蘇家莊，一百五十里袁家莊，宋家莊，于家莊，車套圈，王家莊。西北三里張家新莊，五里楊四莊，劉可莊，八里邦道沽，十六里江窪口，洛波亭，杜家新莊，十七里于家新莊，十八里段家莊，楊富莊，二十里魯家莊，高家莊，張彪莊，苗家莊，二十四里趙本莊，二十五里李成莊，劉家莊，大從莊，小從莊，三十里艾林莊，三十五里毛毛匠莊，高景莊，四十里小⿱封土莊，四十五里王洪莊，五十里東棘坨，西棘坨。

昌平州

鎮：治東十五里湯泉營，守備、把總、外委駐此，行宫在其東。三十里牛房汛，原名小西流，把總駐此，有鋪。西八里奋夿屯汛，外委駐此。四十里白楊城，亦曰白洋口，八十九里横嶺城。東北七十五里黄花鎮，在黄花汛西二十里，黄花汛，把總駐此。東南十里沙屯，把總移自貫市，有鋪，有倉。二十里鞏華城，又謂鞏華臺，初名沙河店，亦曰沙河屯，爲北路同知治，都司、千總、把總駐焉，舊有明行宫。方輿紀要：鞏華城在州東南二十里，城周四里，有四門，置軍戍守，亦曰鞏華臺。水部備考：隆慶六年，薊遼總督侍郎劉應節、順天巡撫都御史楊兆議：于鞏華城外安濟橋至通州渡口止，疏河，運諸陵官軍餉。明世宗實録：嘉靖十六年三月，上駐蹕沙河，視文皇帝行宫遺址。嚴嵩因言：沙河爲車駕展視陵寢之路，南北道里適均。文皇帝建山陵，卽建行宫於此，正統時爲水所壞，今遺址尚存，誠宜修復而不容緩者。且居庸、白羊近在西北，若鼎建行宫于中，環以城池，設官戍守，不特車駕駐蹕爲便，而封守慎固，南護神京，北衛陵寢，東可以蔽密雲之衝，西可以扼居庸之險，聯絡控制，居然增一北門重鎮矣。上是其議，卽日興工。明神宗實録：萬曆元年二月，命昌平兵備僉事張廷弼，疏濬鞏華城外河，聽民徙鞏華城居住。四十五里高麗營汛，外委駐此，有鋪。藺溝汛卽後藺溝也，外委駐此。四十八里前營汛，把總駐此。五十里前屯汛，亦把總駐焉。西南二十五里皂角屯汛，把總移自北旺。九十里鎮邊城，外委駐焉，或曰城東八里是鎮邊廢邑。薊邱集：灰嶺下山有城，是鎮邊之廢邑，又西八里有城，是曰鎮邊，兩旁皆山。西北七十五里長峪城，一云常峪州。

其邨：治東半里東關，一里松園，松袤里許。燕都游覽志：園在州東門外，延袤里許，皆松檜，無一雜樹，備陵樹缺移栽也，二百年來遂成大林。八里何家營，北哨窪，營房，大北哨，十八里小辛峯，二十里崔家後營，東獅子營，崔邨十巷，杜家巷、紀家巷、張家巷、閻家巷、程家巷、王家巷、周家巷、邢家巷、楊家巷、姚家巷，統名崔邨十巷。二十五里南莊營，三十里蕭家邨，原名大西流，沙坨邨，小湯山邨，大柳樹，芹城邨，一統志引隋圖經：昌平縣有芹城。昌平山水記：在州東三十里。後象房，三十五里下苑邨，東新城邨，西新城邨，葫蘆河邨，大富仁莊，亦名粉莊，黄泉峪，桃峪口，四十里小東流邨，西官莊，四十五里聶山營，聶山東營，賴馬莊，麥莊，南官莊，東官莊，五十五里山裏莊，後茶務，北莊。南一里南關，二里水屯，十八里采河邨，二十五里小榆河邨，大榆河邨。西一里西關，三里槐樹巷，五里南郝家莊，北郝家莊，舊有坡頭，六里舊有渠家莊，據昌平吴志，今無。八里舊縣邨，昌平縣五代唐改曰燕平縣，同光二年徙治曹邨，又徙白浮圖城，在今州西八里，然則舊縣邨其故城與？清類天文分野之書：五代唐同光二年，改燕平縣。方輿紀要：縣徙治曹邨，又徙白浮圖城，在今州西八里。上埝頭，下埝頭，南鄧家莊，九里舊有石河邨，據昌平吴志，今無。十二里乃千屯，舊有官莊，據昌平吴志，今無。十五里紅橋邨，前丈頭邨，後丈頭邨，十八里龍虎臺，按：元時駐蹕龍虎臺，至元十九年後，史不絕書。誠意伯文集：龍虎臺去京師百里，在居庸關之南，背山面水，車駕歲幸上都，往還駐蹕之地。明成祖實録：永樂八年二月，車駕次龍虎臺。二十年九月，次臺。二十一年十一月，次臺。明宣宗實録：宣德五年十月，車駕次龍虎臺。昌平山水記：舊縣西十里爲龍虎臺，地勢高平如臺，廣二里，袤三里。灤京集：龍虎臺，納寶地也，車駕行幸宿頓之所，謂之納寶，又名巴納。李賢古穰雜録：正統己巳秋，王振挾天子親征，至龍虎臺。周伯琦扈從紀行署：龍虎臺在昌平，距京師百里。二十里八溝邨，前土婁，後土婁，四家莊，八溝新莊，亭子莊，二十五里羊坊莊，駐蹕山之棲雲嘯臺近此。昌平山水記：駐蹕山在州西二十五里，山南有棲雲嘯臺，高二丈，正北有石梯可上，金章宗建亭于此，舊傳山下有石牀、石釜，今亡。畿輔山川志：金章宗駐蹕處，崖上有駐蹕二大字。三十里南流邨，亦曰前流邨，北里邨，上店，葛邨，舊有姚店，長坡店，崔邨。據昌平吳志，今並無。四十里黑寨邨，西峯山邨，四十五里枯江邨，五十里漆園邨，俗名且窑，韓家臺，水峪臺，五十五里鼇兒峪，跳稍邨，六十里菩薩木，新開邨，大石坡，王峪邨，一百里房頭大營盤。北三里朝鳳菴，五里仙人洞邨，洞可容人二百。昌平山水記：中山口北一里仙人洞，可容二百人，口向東。六里石牌坊，八里長陵園，龍母莊，東山口，有聖蹟亭，相距里許。昌平山水記：東山口內一里，水中有小山，曰平臺山，成祖嘗駐蹕焉。嘉靖十五年，上命作亭于上，曰聖蹟。十七年四月，上幸平臺山，祀成祖于亭中。亭圓，以白石爲欄，盤旋數十級而上。御題聖蹟二字。明神宗實録：萬曆十一年閏月，上詣牆子嶺、潭谷嶺、勒草窪，相擇壽宮，至東山口，登聖蹟亭。西山口，西山口後營，澗頭邨，太平莊，大紅門，十里裕陵園，瓜園，舊有燕山竇氏莊古槐。一統志：在州東山口內二里，相傳有古槐，大數十圍，中可容十人坐，今無。陳繼新翠微志：蔣山後龍母莊東一里，有竇禹錫植槐。黃百家北游紀方：竇氏植槐在景陵瓜園中。順治四年伐去。燕都游覽志謂在德陵旁，非也。按：翠微志，竇禹錫之錫，疑當作鈞。十五里思陵園，萬娘娘墳，小紅門，舊行宮，泰陵園，十八里工部廠，康陵園，悼陵監，昭陵監，其西南九龍池上有粹澤亭，明嘉靖十五年建。昌平山水記：九龍池在昭陵西南，上有粹澤亭，中一間，旁各三間，門三道，東向，繚以周垣，爲謁陵畢臨幸之所。嘉靖十五年敕建。二十里德陵監，永陵監，景陵監，長陵監，獻陵監，慶陵監，裕陵監，茂陵監，康陵監，定陵監，虎峪郵，老君堂，有長春宮。（昌平山水記：老君堂東北有長春宮三間，東、西廂各三間。）二十五里泰陵監，錐石口，三十里賢莊口，灰嶺口，得勝口，得一作德，金大定二十五年，改名翠平口，（元混一方輿勝覽：翠平口在昌平北，舊名得勝口，金大定二十九年五月改名。溪山集：從紅門望長陵而西入峽中，爲得勝口。按：一統志，得一作德。）口内㟅㟅厓，有水月亭。（昌平吴志：㟅㟅厓在得勝口内，厓西有水月亭。）石頭園，三十五里果家莊，六十里琵琶石，鐵爐子，帽兒墩，李常溝，七十里董家溝，沙塘溝，井兒溝，松樹溝，八十里茨梅川，三义郵，九十里蝎子石。東北八里小北哨，任家衚衕，孟家衚衕，崔家衚衕，馬家衚衕，閻家店，王家上坡，張家營，吕家莊，蕭家莊，十里官窑郵，紀家窑，東營郵，南哨新莊，張家莊，十二里鍾家營，金家墳，十五里縣山郵，舊有清平窊，近此。（昌平吴志：東北十五里清平窊。今無。）二十里劉娘娘墳，亦名墳上郵，大辛峯，泥窪郵，舊有蔣家莊近此。二十五里香堂，亦云響堂，南莊營，二十七里東莊，三十里興壽郵，麻峪郵，香屯，大湯山，三十五里上苑，小富仁莊，桃林新莊，桃郵，八家天橋，三十六里舊有西莊，四十里上抱榆泉，下抱榆泉，秦宅屯，上三家莊，下三家莊，舊有軍都郵近此，軍都郵亦曰縣址，即軍都故城也。（方輿紀要：州東漢立縣於軍都山南，或以爲秦縣也，漢初周勃屠渾都，即軍都矣。昌平舊志：州東四十里有軍都村，亦曰縣址。采訪册：東北四十里軍都村。今無。）四十五里大東流，麥屯莊，俗名東營，五十里渤海寨，東半壁店，黑山寨，分水嶺，望寶川、銀山、説法臺近此，（燕山紀遊：銀山度嶺分爲三，左一峯有塔凌空，爲法華寺，寺後古佛巖，再上爲鄧隱峰、說法臺。舊有鄭莊。據舊志。今無。五十五里平義墳，前茶務，山立莊，沙峪口，黑山寨新莊，上西市，蘇家口，六十里五度河，峪口邨，花果山，慈悲峪，六十五里東九度河，西九度河，秦家東莊，楊家東莊，郝家東莊，王家史山，前岐莊，後岐莊，孟家莊，有武家莊，武家堡子，馬房坎，據舊志，今無。七十里前橋梓，後橋梓，橋梓東莊，孫家史山，花木邨，紅門邨，黄坎邨，海子邨，西墳邨，桃山邨，一度河，旺泉溝，鷂子峪，鐵果山，石灰峪，局裏，團泉，臺上邨，臺下邨，白家莊，前沙峪邨，後沙峪邨，黄家臺，馬道峪，段兒峪，張家臺子，北寨邨，六度河，山裏香屯，舊有奚莊，據舊志，今無。七十五里大石塘，葦泃，霍家新莊，亦名後新莊，吉泗邨，西臺上，西四度河，撞道口，八十里西水峪，紅廟邨，光礤邨，雷家新莊，新開溝，水泉溝，八十五里三座窑，舊有南則邨，近此。據舊志，今無。九十里口頭邨，白軍莊，三度河邨，東四度河邨，舊有北則邨，近此。據舊志，今無。一百里慕田峪，俗亦名水田峪，有堡。峪溝邨，南治邨，二道關，大長峪，一百十里新營邨，渤海所，一百二十里桃峪，洞臺，一百三十里東三岔，一百五十里杏樹臺。

東南三里涼水河邨，界山邨，五里山峽邨，化家莊，白浮邨，八里福會屯，亦名姜家屯，濟陽衛屯，十里張家屯，十二里西沙屯，舊有藍于邨，據吴志，今無。十五里王家莊，小寨邨，滿井邨，十六里東沙屯，十八里路家莊，二十里上東郭，下東郭，孟祖邨，梁家莊，宋郎務，于家新莊，白石邨，豐善邨，東新立屯，二十二里東郭半壁街，二十五里小沙河邨，阿蘇衛，定福黄莊，朱家新莊，牛房圈，白家莊，史家莊，冷坑，竇家莊，舊有南站邨，栗園邨，據吴志，今無。南小口，西有古疑城，一統志：在州東南二十五里南小口之西，相傳遼蕭后屯兵于此。三十里七里渠，馬連店，官牛房，二撥子，講禮，三十五里尚信，湯山馬房，三合莊，吕家莊，草廠，北鄭家莊，舊有秦家莊，據吴志，今無。三十八里南半壁店，四十里西三旗，東三旗，平西府，初名南鄭家莊，八仙莊，曹碾，沙固堆，或曰沮陽故城近此。按：昌平吴志云，沮陽故城在州東南四十里，一統志云，建置未詳，或以爲即漢縣，誤。四十五里前藺溝，西沙家莊，東沙家莊，東半截塔，一名雷家莊，西半截塔，謝家莊，亦名歇甲莊，聲之近也。西小口，魏家窑，小羊家莊，上坡邨，東二旗，酸棗嶺，清河小營，平房，五十里北戚家莊，賀家邨，霍家營，東小口，舊有大口邨，即大口故城。昌平吴志：大口故城在州東南五十里。采訪册：大口邨，今無。單家邨，藍家莊，南太平莊，溝子頭，大土溝，小土溝，後屯，南戚家莊，沙子營，黑泉邨，五十五里陳家營，魯灘邨，小嶺兒上，泗兒上，東小半壁店，盧家邨，黑泉馬房，六十里立水橋，南獅子營，中灘邨，括地志云：昌平故城在今東南六十里，疑近此地，一統志：昌平故城在今昌平州東南，漢置縣，後魏初省。魏書地形志：軍都縣有昌平城。按：昌平舊志，東南有白廟邨、白房邨、海青廟邨、黄土邨、燕丹邨，今俱不屬昌平。舊有關西莊。據昌平吴志，今無。西南五里百泉莊，八里馬池口，十二里西閘邨，東閘邨，十三里舊有孟邨，據昌平吴志，今無。十五里樓子莊，西坨邨，東坨邨，大興莊，十六里雙塔邨，雙塔故城近此。昌平吳志：雙塔故城在州西南十八里。十九里白水窪，二十里後章邨，西新立屯，前章邨，梅所屯，四家莊馬房，二十五里八家邨，東小營，東貫市初置把總一，後移駐沙屯。西貫市，小牛房邨，上莊，東嶽廟小營，三十里皇后店，元至正二十四年，博囉特穆爾遣其黨圖沁特穆爾犯關，入居庸，太子遣兵逆戰于皇后店，卽此，據方輿紀要。亦呼黃花店。前白虎澗，後白虎澗，常樂邨，永太莊，永豐屯，三十五里前柳林，後柳林，土井屯，南新立屯，大牛房，前沙澗，南新店，亦曰小新店，臺頭，梁家園，屯田，常樂小馬房，常樂大馬房，舊有玉泉邨。據昌平吳志，今無。四十里西埠頭，聶家莊，蘇家坨，車兒營，蘇家坨小營，四十二里三星莊，五十里羊各莊，東埠頭，太州務，舊有萬年故城、平昌故城，並在西南。方輿紀要：萬年故城在州西南，東魏天平中置，萬年縣屬平昌郡，隋開皇中廢入昌平。水經注：易荊水東逕平昌故城南。舊聞考：南沙河逕昌平州南，舊有城。本朝氊作局設此。按：采訪册云，昌平崔志，西南有楊家坨、北沙澗、冷泉、唐家嶺、廻龍店、北望邨、清河店、甕山邨，今俱不屬昌平。西北八里小埝頭，北鄧家莊，橫道子，十四里七間房，十五里紅泥溝，西新店，十七里古城，蓋軍都故城也。一統志：軍都故城在州西，漢縣。後魏置東燕州及昌平縣于此。昌平吳志：故城在州西十七里。十八里西小營，二十里史家橋邨，邨之西北數里，或曰舊有居庸城。方輿紀要：居庸故城，州西北，漢縣，後周廢。志云：州西北二十四里爲居庸關，南口有城。二十五里前桃峪窪，後桃峪窪，三十里流邨下店，三十五里湯峪馬房，長水峪邨，譚峪，四十里硯磨峪，興龍口，亦曰蘇林口，水澗，花塔邨，舊有延慶衞，在治西北四十里。一統志：西北四十里居庸關內，明永樂二年置隆慶衞，隆慶初改名延慶。舊聞考：延慶衛，乾隆二十四年改歸州屬。四十五里柏峪口，五十里南趙家臺，瓦窑，大水峪，小水峪，溜石港，合子澗，高崖口，五十五里狼兒峪，六十里水泉邨，七十五里四支水，八十里馬跑泉邨，泉西二里有了思臺。薊邱集：北山上平衍，西五里有嶺曰長城，微有古堞剥蝕，傳是秦皇之址，有泉曰馬跑。又西二里有了思臺。按：昌平吴志，西北二十里有南口邨，今不屬昌平。孤竹故城，唐地理志云，神龍初寄治昌平縣清水店，今邨無清水店名，一統志：孤竹城在昌平州界。舊又有李陵臺，陸友仁研北雜志：昌平李陵臺有温泉。景梁臺。帝京景物畧：過沙河二十里至新井菴，有松林，蔭一畝。西數里柳林中有臺曰景梁，土人立，以思狄梁公也。昌平吴志：臺初名慕狄，正德間户部分司林應驄建，隆慶中改景梁。

順義縣

鎮：治東三十里楊各莊。東北二十里牛欄山鎮，在山之東南，把總駐此，一統志所謂漕河營是也，先是，遼置都統領司。遼史百官志：置牛欄都統領司。東南二十里李遂店，舊有宋城鎮。按：順義邨鎮分路凡十：一正東，一新東，一正南，一新南，一正西，一新西，一正北，一新北，一東南，一東北。今仍按方隅著録。

其邨：治東十里風伯邨，風一作俸，後風伯邨，按：順義黄志載，有竇燕山故里，稱在治東二十里，蓋因燕山衛而坿會也。竇爲漁陽人，非今順義地。十三里柳行邨，十四里窪里邨，馬新邨，十五里小杜各莊，小楊各莊，南采邨，九王莊，河北邨，十六里後李匆邨，北采邨，十七里前郝家疃，後郝家疃，小營邨，十八里雙營邨，二十里王新莊，水屯，太平莊，漢石橋，東江頭邨，西江頭邨，前李匆邨，橋頭邨，薛各莊，上莊子邨，望渠邨，道仙莊，二十五里魏家新莊，東匆邨，西匆邨，新莊窠，二十八里下營邨，二十九里安樂莊，下坡邨，三十里沙子營，李家新莊，大新莊，小新莊，三十二里彭家莊，三十五里張家府，杜家莊，三十六里業家莊，三十八里徐家莊，陳家坨，三十九里東疃邨，四十里溝東邨，别家莊。南一里小東莊，石門莊，三里大東莊，倉上邨，梅溝營，沙井邨，四里趙古營，軍營邨，杜各莊，五里胡各莊，石各莊，尹家莊，六里楊家營，南法信，北法信，劉家河，網圈邨，焦各莊，大紅窪，七里吴家營，茶棚，七里有半網子營，八里平各莊，于家墳，十里哨馬營，十里鋪，十一里二營邨，三營邨，四營邨，十二里河南邨，臨河邨，米各莊，塔河邨，十五里頭營邨，二十里李家橋，龍山邨，後橋邨，二十一里吴家莊，二十五里英各莊，張家新莊，沿河邨，羅各莊，二十六里南桃園，北桃園，小林清邨，盧各莊，安里邨，二十八里火山營，三十里寨里新莊，管頭邨，三十五里南莊頭邨，蘆臺邨，南半壁店，葛渠邨，窪子邨，四十里吴各莊。西四里泥河邨，西海洪邨，中海洪邨，東海洪邨，南卷邨，五里三家店，六里東杜藍莊，西杜藍莊，廟兒卷，十二里鄭家邨，姚店邨，白各莊，良正卷，十五里東馬各莊，馬家堡子，大官莊，小官莊，南狼塚邨，河津營，夏縣營，張喜莊，舊有安樂里。按：順義黃志云，邵康節故里在縣西十五里安樂里，其説非也。康節范陽人，范陽爲今涿州，而順義在宋已入遼，爲歸化軍。北魏安樂郡在縣西北，俗因康節安樂窩，遂以安樂里坿會之，不知康節父已徙衡漳，其自號安樂先生，在定居于洛之後。今不敢沿譌箸録。十九里前渠河，後渠河，羊坊邨，二十里唐自頭邨，白廟邨，小營邨，二十二里北狼塚邨，二十五里桑園邨，二十八里白狼河，范各莊，梁各莊，鐵匠營，二十九里河沿頭，石槽新莊，石家巷，三十里聶山營，小冀莊，五家巷，蕭家巷，錢家墳，曹家巷，二十二里水泉邨，三十五里董各莊，義店邨，古城邨，或曰軍都僑置故城即此。按：昌平山水記云，在縣西三十里，蓋軍都之別徙者也。今攷古城邨較顧説里數僅遠五里。三十六里下西市邨，四十里趙各莊。北一里舊有安樂邨，或曰即土垠縣址也。順州公廨記：土垠，晉、宋爲易京城。後魏廢易京爲安樂郡，今州北負郭有安樂村。日下舊聞：兩漢屬右北平郡，當在今豐潤境，而縣則漢漁陽、狐奴地也。順義黄志：土垠縣舊地在北門外里許。二里莊頭邨，五里大營邨，孔家邨，馬坡邨，蕭家坡，衙門邨，七里小孫各莊，八里向陽邨，十里小杏落邨，姚各莊，窪子邨，姚家圈，武家卷，樊家卷，荆家卷，十六里小高力營，陳各莊，十七里下坡屯，前晏子邨，後晏子邨，張家莊，十八里半壁店，史家口，二十里北軍營邨，官志卷，盧正卷，相各莊，去碑營，富各莊，二十二里豹房邨，二十五里大孫各莊，三十里龍王頭邨，小四季屯，梭草邨，中灘營，紅銅營，三十二里大四季屯，三十三里大柳樹營，三十五里年豐邨，泉河屯，堡子里邨，李家史山邨，寺兒上邨，二章營，桃山莊，三十七里五各莊，四十里路家園，太平莊。東北二十里前魯各莊，仇家店，二十二里後魯各莊，二十三里胡家營，二十五里東府邨，西府邨，榆林邨，小營，二十八里上輦邨，東埝頭邨，西埝頭邨，三十里上埝頭邨，東烏雞邨，西烏雞邨，魏家店，北府邨，按：狐奴故城近此。昌平山水記：狐奴山西南百步，有漢狐奴縣故址。新斠注漢志：漁陽郡狐奴在順義縣東北二十里。順義黃志：狐奴故城在縣東北三十里狐奴山西麓。三十二里榮各莊，三十四里魏家新莊，三十五里柏樹王各莊，王各莊　陳各莊，它頭廟，蔣各莊，四十里王判莊，東南二十里前葛代子，大溝北邨，小溝北邨，柳各莊，北河邨，二十三里沙務邨，蘇家莊，二十四里史家莊，二十五里李各莊，崇各莊，竇各莊，駱家營，石家營，太平莊，三十里田家營，牌樓邨，前營邨，後營邨，佟家堡子，南河邨，東官莊，西官莊，中官莊，南海寺邨，三十五里富各莊，車房邨，倉上邨，閻家渠，林上邨，三十六里大朱堡邨，小朱堡邨，南務邨，北務邨，西營邨，南莊窠，王各莊，三十八里陳各莊，高各莊，三十九里道口邨，四十里前祖溝邨，後祖溝邨，果家府，小店邨，陳家新莊，王新莊，四十一里孫各莊，四十二里趙各莊，五十里井兒上邨，荆坨邨，郭家府，大洛泡。西南二十一里水坡邨，十二里石家營，十五里西馬各莊，謝家營，十八里馬家營，二十里馬頭莊，前沙峪邨，後沙峪邨，東莊邨，二十五里閻子營，二十八里燕王莊，田各莊，南王路邨，西王路邨，三十里葦溝邨，有齊長城，昌平山水記：縣西南三十里葦溝邨，東臨溫餘河渡，南有長城遺跡。遼史：順州南有齊長城。齊長城天保中築。沈括曰：幽州東北三十里有望京館，東行少北十里餘，出古長城，卽此。舊有華林、天柱二莊，遼時建涼殿。遼地理志：順州建涼殿。昌平山水記：齊長城東北有華林、天柱二莊，遼建涼殿，春賞花，夏納涼者也。按：畿輔唐志云，在懷柔，誤也。三十二里北王路邨，三十五里北店邨。西北六里舊有安樂莊，莊之東南一里爲良牧署舊廨，順義黃志：良牧署舊廨在縣西北五里許，繚以城垣，有明嘉靖間翰林李蒙撰記，碑字半蝕，大意謂署爲上林苑監設也。其地遠接居庸，近臨京都，爲邊境告警往來必經之處，給貲命署丞董其事，始于壬子秋，終于癸丑夏。昌平山水記：後魏安樂郡，隋開皇初廢，今爲安樂莊，永樂間撥給良牧署。而莊則漢安樂縣故城也。按：昌平山水記，安樂故城在縣西北六里，縣志乃謂西北六里有安樂莊，卽故安樂郡城，郡乃縣之誤也。一統志云，安樂故城在縣西南，漢置。北魏安樂郡城，在今密雲界。此自漢縣，非後魏僑置，其辨縣城甚晰，而西南疑係西北之譌。十六里范各莊，三十里板橋邨，東石槽邨，北石槽邨，南石槽邨，所謂三石槽是也，元史上都兵入古北口，其知樞密院事凖台以兵掠石槽，卽此。昌平山水記：西北三十里石槽三，曰東石槽，南石槽，北石槽。後營邨，興州營，三十五里劉各莊，三十六里營兒裏邨，四十里平義分。

密雲縣

鎮：治東六十里鎮羅關，有堡，把總駐焉。北六十里石塘嶺關，有堡，把總駐焉。東北六十里石匣鎮城，爲縣丞治，遊擊、守備、千總、把總、外委駐焉。七十里楊家堡，千總駐焉。八十里墻子路城，都司、把總駐焉。黃崖口汛，外委駐焉。九十里大蟲峪堡，百里古北口城，爲同知、巡檢治，都司、千總、把總駐焉，獷平故城近此，方輿紀要：獷平城，漢縣，屬漁陽郡。舊聞考：城址無考。按：一統志云，獷平廢縣在縣東北，近古北口地。地理韵編亦云在東北。而新斠注漢志云在西南，未知所據。其東北爲厗奚廢縣。方輿紀要：在縣東南，漢置，屬漁陽郡。厗音蹄，後漢曰傂奚縣。晉廢。魏收志：皇始二年，置密雲郡，初治提携城，卽厗奚之譌也。宋白曰：檀州密雲縣，卽漢厗奚縣舊治。新斠注漢志：厗奚在今密雲縣西孟康，厗音題，字亦作題。郡國志作傂奚。太平御覽曰：作虒奚。王氏念孫曰：漢志本作虒奚，御覽引不誤。段氏玉裁曰：廣韻、集韻皆無傂，而集韻曰虒奚，縣名，音田黎切。然則傂者譌字。一統志：厗奚故城在密雲縣東北口外獷平城東北。潮河關城，有堡，又爲潮河營，提督駐焉。一百二十里司馬臺城，把總駐焉。一百二十五里吉家營城，把總駐焉。一百四十里曹家路城，都司、千總、把總駐焉。一百六十里黑峪堡，把總駐焉。西北三十里大水峪口汛，有堡，外委駐焉，有看花臺。一統志：在縣西北三十里大水峪，相傳遼蕭后嘗登此。按：遼史拾遺引周仲士懷柔縣志稱，在懷柔縣北三十里，遼蕭后避暑，北上登臺看花云云。考一統志，密雲西至懷柔界二十里，西北至懷柔界三十里，意此臺舊在兩縣接界處，故互見也。

其邨：治東二里劉家莊，有新舊兩行宮，鄒衍吹律處近此。舊聞考：舊城東門外有鄒衍吹律處碑，因建新城驟，今新、舊二城夾道中有鄒大夫祠，據此，則黍谷應編入密雲。劉向別録：燕有黍谷，地美而寒，不生五穀，鄒子居之，吹律而温氣至。王充論衡：燕有谷，氣寒不生五穀，鄒衍吹律致氣，既寒更爲温熱，以種黍，黍生豐熟到今，名之曰黍谷。昌平山水記：黍谷亦謂之寒谷。吴越春秋：北過寒谷。左思賦：寒谷豐黍，吹律而暖之。是也。神仙莊，楊家樓，二里鋪，三里高家莊，五里前栗園莊，八里後栗園莊，十里石嶺莊，柏巖，十三里豐各莊，十五里前焦家府，後焦家府，十八里水谷，二十里羊山邨，南霍各莊，北霍各莊，撥闕谷，徐家莊，二十五里安新莊，金扇子莊，二十八里大巖里，蘆子谷，荆子谷，巨各莊，三十里竇家莊，密雲張志曰：卽竇禹鈞故里。三十二里塘子莊，三十五里板石大巖，九連莊，三十八里海子里莊，四十里康各莊，沙場，四十五里西山下莊，五十里棠凱谷，牛角谷，莊頭，七角嶺，今名河下，五十五里虎狼谷，六十里尚家莊，蔡家谷，聶家谷，房兒谷，前廠，後廠，城子里，六十五里田各莊，七十里高家莊，舊有行唐廢縣，在治東。一統志：在縣東，本定州屬縣。遼史：遼太祖掠定州，破行唐，盡驅其民，北至檀州，擇曠土居之，凡置十砦，仍名行唐縣。金廢。南五里甯邨，八里河南寨，十里聖水頭邨，以聖水泉名也，泉上有初月亭，明戚繼光建，亦曰友月亭。長安客話：密雲縣南十里，山麓二泉，稱聖水泉，泉上有初月亭。舊聞考：亭爲明萬曆間都護戚繼光建。按：畿輔唐志載，聖水泉亭，云縣志載戚繼光詩，題曰友月亭，又楊兆有題聖水泉如斯亭詩，復有題初月亭詩，則一亭似有數名。十二里盧各莊，十五里銀治嶺，東莊，半壁店，十六里荆栗園，二十里南臺上，南臺下，或曰白檀故城近此。（一統志：漢白檀縣在今古北口外承德州界，後魏密雲郡白檀縣治，漢傂奚城已非故治。方輿紀要：在縣南，以縣有白檀山而名，後漢廢，建安中，曹操歷白檀破烏桓于柳城，即白檀故城也。新斠注漢志：白檀在今密雲縣南二十里。崔迺翬白檀縣考，亦稱故城當在縣南二十里。）二十三里夾山，沙窩里，三十三里丁家莊，未至數里許，或曰密雲故縣也。（密雲薛志：隗山下即密雲故縣。方輿紀要、唐志：縣有隗山，今山在縣南三十里。）四十里舊有龍灣屯，四十八里舊有朱馬屯，六十里舊有呂遂屯，白塔屯，七十里舊有周莊前屯，周莊後屯，九十里舊有留馬屯。（以上七邨，據密雲薛志，今無。）西二里河西莊，司馬莊，四里鄭家莊，五里燕樂寨，有獲野館近此，館爲明萬曆二年治粟使者申嘉瑞建。（薛志：在舊城西門外五里，明治粟使者申嘉瑞建。日下舊聞引縣志云，萬曆二年建。）十里靳各寨，十里鋪，即塔院莊也。十五里田各莊，二十里沿邨，西栗園莊，倉頭，（接懷柔界。）二十五里舊有辛相屯，（據密雲薛志，今無。）四十里舊有仙臺屯，石各莊屯。（據同上。）北二里周家莊，五里沙河莊，十二里東智莊，楊家淺，響水谷，十八里石井兒，二十里吳家莊，金叵羅，溪翁莊，原名旗鼓莊，二十三里舍馬谷，三十里北柏巖，東營，和尚店，尖巖，三十三里柏山坨，四十里青甸莊，有范承勳清溪別墅。（丁志：在縣北四十里，范承勳築。范承勳自撰記略：余既志京北諸阡矣，晚又得清溪一曲于密雲之北，眉山之東。水從塞北來，冬夏不竭，山則韶秀天成。余顧而樂之，數策杖登其巔，審其氣象軒豁，城郭完固，於是相其陰陽，觀其流泉而卜兆焉。兆既定，乃築草堂於溪之北，山之陽。磴道盤紆而上，作翼風亭冠之，傍溪作茅亭，雜植桃榆，以待憇息。渡溪橋而北，呀然南闢者，清溪之莊門也。入門，廊廡迴繚，花承木委，從石路達曲池，石梁三折跨焉。既渡梁，羣石磦砢，面池有亭，曰一鑑草堂，最軒朗，面山臨流。余性好松，隨處種之，數必以九，兹堂其最勝地也。堂之前右，闢隙地築軒，曰遐景，頗幽曠；左則冠以小閣，曰巢雲，以坡仙句榜之曰：山如翠浪湧，水作玉虹流。豈能移其隻字哉！閣後有小齋，曰甯心，余素患怔忡，至此則神靜而心甯，毋煩藥石，理或庶幾。其他藤石之居，延芳之榭，溪南之館，或以待賓親，或以寓家室，皆爲斯莊之輔。薛天培跋：密陽城西青甸莊之原，爲范公邱隴，松煙凝翠，山光撲青，實握斯邑勝概。先是，公自卜生壙，因于莊營別墅，號清溪。軒楹幽秀，曲水縈洄，枕流漱石，與田父野叟忘形疏放。莊鄰超聖庵，有普門、靈境諸勝蹟。四十二里王各莊，四十三里李各莊，四十四里鄧各莊，四十五里沙答里，東水谷堡，南石城堡，四十八里北石城堡，五十里不老莊，舊傳有五百歲老人居此。沙峪口，乾河廠，六十里沙峪嶺，石佛兒堡，下馮家谷堡，六十五里上馮家谷堡，六十八里高家莊堡，七十里西駝骨關堡，七十五里白連谷堡，八十里白馬營堡，白馬關城，八十二里東駝骨關堡。東北二十里穆家谷，二十五里張大人墳，二十六里東横河，三十里南省莊，北省莊，陳各莊，南石駱駝，北石駱駝，上户部莊，下户部莊，三十五里南鹹場莊，北鹹場莊，產鹹。三十六里西横河，三十八里嶺東莊，渤海寨，有渤海泉。四十里莊禾里，超渡莊店，董各莊，水花屯，黄坨子莊，四十三里大清水潭，小清水潭，四十五里釣魚臺，四十五里善各莊，小營，有行宮。金溝莊，宋有金溝館，將至館，謂之金溝淀，溝一作勾，亦作鉤。方輿紀要：四十五里亦謂之金溝淀。一統志：金溝館在縣東北四十五里，王曾上契丹事檀州，五十里至金溝館，將至館，川原平曠，謂之金溝淀。夢溪筆談：金溝館東北三十餘里至中頓，過頓屈折北行峽中，濟灤水道三十餘里，鉤折投山隙以渡，所謂古北口也。四十五里舊有雙井屯，據密雲薛志，今無。東務屯，同上。四十八里八家莊，五十里于家臺，套里，化家店，安樂莊，有故共城，舜流共工處也，莊又爲魏安樂僑郡故城，故名。方輿紀要：即舜流共工之地。作龔城，在今縣東北五十里。閻百詩古文尚書疏證：舜流共工於幽州。蔡傳幽州止注北裔之地，當引括地志，故龔城在檀州燕樂縣界。故老傳云，舜流共工幽州，居此城，今鎮遠軍密雲縣也。密雲丁志：安樂莊相去數里，有共工城，其爲燕樂之訛可知。薛志謂此即安樂郡，誤。按：薛志不誤，一統志引魏地形志云，安州嶺安樂郡，又引志云，安樂僑郡故城，在今縣東北五十里。黄土坎，或曰安市廢縣近此。（方輿紀要：安市廢縣在縣東北五十里，漢遼東屬縣，後魏僑治於此。）五十里舊有高嶺屯，金溝屯，莊禾屯，部落屯，（四邨據密雲薛志，今無。）五十二里楊家莊，五十三里莊頭，五十五里南永樂店，北永樂店，祖各莊，前兵馬營，後兵馬營，五十八里團山子，六十里後堡莊，半城子，太史莊，六十三里吴家會，六十五里上金扇，斗子谷，栗子谷，六十七里下河頭，六十八里波光谷，下北莊，要亭莊，有新、舊兩行宫，（舊聞考：要亭一作遥亭，又作瑶亭。密雲志則稱姚汀。御製各集詩題，皆作要亭。水經注：要水出塞外，東南流逕要陽縣城東。考要陽，卽今密雲境，則要亭之稱，自爲近古。按：密雲丁志云，姚亭莊。）漕邨，七十里上塔子會，下塔子會，田各莊，孫各莊，學各莊，南莊，上北莊，盧頭莊，下金扇，七十二里斗嶺子，七十三里盧各莊，七十五里桑園，南山會，蜂兒谷，葦子谷，北臺，車道谷，八十里桃花菴，臭水坑，南湘谷，郝家臺，放馬谷，南臺，沙嶺子，或曰燕樂故城近此。（方輿紀要：在縣東北八十里，漢厗奚縣地，後魏延和九年置。續通典：燕樂，漢厗奚縣地，五代時廢爲燕莊，其地平曠可屯。）八十三里東莊，八十五里河南營，北湘谷，新開嶺，令公莊，姜毛谷，九十里莊窠，陳家谷，北店子，老王店，九十五里楊家莊，一百三里小營，一百五里方家谷，龍王谷堡，新營堡，正關上，一百十里西寨堡，秋千谷，磚垛子堡，一百十二里小巴各莊，一百十五里太湖石，沙嶺兒堡，新城莊堡，一百二十五里將軍石，一百三十五里蔡家店堡，一百四十八里窈窕谷堡，一百六十里大角谷堡，舊有方城廢縣，在治東北。（方輿紀要：在縣東北。魏主燾以方城并入密雲，方城蓋慕容燕所置。）東南八里提轄莊，卽八里莊也，相傳爲遼劉存規莊院。山溝，蔡家窪，二十里遠西莊，三十里界牌，與懷柔分界處。五十里瓦官頭莊，五十五里猪圈頭莊，西谷莊，六十里上鎮莊，後魏僑置之，要陽縣近此，非漢縣也。一統志：漢縣在今古北口外，後魏時僑置于此，北齊省。按：方輿紀要云，要陽廢縣在縣東南六十里。漢縣，漁陽都尉治此。顧蓋以魏之僑置爲漢縣也，誤。六十八里楊各莊，七十里陳各莊，七十二里巧女臺，七十五里倉松會，大鏵山，接三河界。舊有蘇橋屯，八十里舊有王官屯，以上二郵，據密雲薛志，今無。一百里熊兒寨堡，一百二十里魚子山堡，接平谷界。舊有博陸故城，在治東南。一統志：在縣東南。水經注：泃水出傂奚縣東南，逕博陸故城北，漢武帝封霍光爲侯邑。文穎曰：博大陸平，取其嘉名，而無其縣。薛瓚曰：按漁陽有博陸城，即此。舊聞考：城址無考。西南十里河漕莊，十二里舊有軍下屯，據密雲薛志，今無。又三里有遼避暑殿。畿輔山川志：遼避暑殿在縣西南十五里黍谷山。十八里王各莊，接懷柔界。二十里臺頭莊，二十里兩河莊，或曰莊之西南數里爲漁陽故城，漁，史記趙世家作貍，貍爲漁之譌，張守節史記正義已云當作漁陽矣，而或且沿之，非也。一統志：漁陽故城在縣西南。趙録石虎建武四年，有段遼漁陽太守馬鮑降，而晉志不載，蓋殘缺也。方輿紀要：孔穎達云，在縣南十八里，秦郡治此，二世發閭左戍漁陽，即此城也。閻百詩曰：秦漢漁陽郡，皆治漁陽。新斠注漢志：漁陽郡漁陽，在今密雲縣西南三十里。史記正義：故城在密雲縣南十八里。應邵曰：縣在漁水之陽。按：志册，據史記趙世家，稱貍陽故城在密雲縣南，然考史記正義曰，燕無貍陽，疑貍字誤，當作漁陽，故城在密雲縣南十八里，燕漁陽郡城也。趙東界至瀛州，則檀州在北，趙攻燕取漁陽城也。是張守節久以貍字爲譌，其方隅里數，今依新斠注漢志。四十里馬房，接順義界。四十三里舊有牛欄屯，據密雲薛志，今無。四十五里西胡家營，接順義界。洪寺兒屯，接三河界。五十里舊有呼奴屯，據密雲薛志，今無。五十八里東山頭，接順義界。六十八里于家新莊。接通州界。西北五里王家樓，大唐家莊，小唐家莊，六里李各莊，八里韓各莊，十二里太子務，西智莊，三十里白道谷堡，牛盆谷堡，小水谷堡，三十三里大良谷堡，三十五里石夾堡，三十六里河防口堡，四十里神塘谷堡，七十里幵連口堡，接昌平界。舊有鵶鶻安，盧家安。按：碣石叢談云，密雲縣有鵶鶻安、盧家安。說文：安，止也。土人謂安字爲高平處，今無此二邨。

江陰繆荃孫校

地理志十一

光緒順天府志二十九

邨鎮三

德清蔡賡年纂 德清傅雲龍覆輯

懷柔縣

鎮：治北十八里紅螺鎮。按：一統志云十里，今据圖册。

其邨：治東一里南富樂莊，三里小張各莊，五里王化莊，十里南房莊，北房莊，有仙臺近此。懷柔吳志：仙臺在縣東十里，高十丈，下有深洞，可容八九十人。十二里黄家營，十五里駙馬莊，二十里統軍莊，梨園莊，鄭家莊，韋里，大辛莊，四十里茶棚，五十里北務，六十里西邵渠，七十里東邵渠。南一里南園子，五里廟城，一統志：廟城在縣南五里，俗傳契丹蕭太后家廟。六里劉家兩河，八里采各莊，焦家邨，霍各莊。西三里釣魚臺，澗流至此，廣丈餘，日下舊聞引温陽紀畧：釣魚臺在懷柔縣三里，山水殊勝，澗流至此，廣丈餘，横板橋以渡，東南一望，渚煙邨火，仿佛江鄉。臺北爲佟氏別業，有亭曰則靈，温陽紀畧：釣魚臺北有園一區，國舅佟□別業，莊西一井，水甚清寒，相傳有龍居之。井上小亭，榜曰則靈。明工部厰近此。昌平山水記：縣西三里爲石塘山，有大工則采石焉，設工部厰。北十里劉各莊，莊之南七里有孤臺，懷柔吳志：在縣北三里，舊有金勝寺塔，今廢。寨子，路各莊，盧家莊，十五里泉水頭，下辛莊，二十里干澗峪，二十五里常元，三十里要子峪，三十三里神堂峪。東北二里下元，三里大屯莊，六里中富樂，十里陳各莊，十二里范各莊，下莊，十五里宰相莊，安各莊，二十里北臺下，北臺上，墳頭，柏崖廠，二十五里東流水莊，西流水莊，墳莊，馬家墳，龍各莊，三十里北山，三十五里鄧各莊，康各莊，疃里，大水峪，小水峪，河防口，鉀甲山，四十三里河北莊，五十里龔家莊。東南三里葛各莊，四里唐自口，六里李兩河，大社兩河，小社兩河，高兩河，八里蕭兩河，十里楊宋各莊，張自口，十二里安樂莊，花園，十五里郭家莊，年豐，大張各莊，十六里解家邨，二十里羅山莊，小羅山，耿新莊，二十五里平頭莊，二十八里韓新莊，三十里王判莊，木林莊，孝德莊，三十五里唐指山，懷新莊，四十里丁家莊，安新莊，湘子王各莊，李各莊，四十五里張中務，史中務，五十里南務，焦莊窠，唐洞，柏樹王各莊，七十里小高各莊，八十里大石門，石峩，大保莊，北店，舊有邵渠莊，趙惠井在焉。一統志：趙惠井在懷柔縣東南八十里邵渠莊，地高邱，艱于汲引，里人趙傑鑿以惠民，深五十丈，鄉人德之，因名。九十里馮家灘，松棚，⿱髟丫髻山莊，紙房，莊窠，東山下，九十二里辛莊，九十五里萬家莊，劉家店，一百里寅洞，胡家店，大峪子，小峪子，瓦礶辛莊，一百十里胡家營，一百二十里華山。西南三里石廠，五里高台下，朱台下，八里正各莊，十里高各莊。西北三里羊各莊，四里潘各莊，六里果家務。按：畿輔唐志稱，五柳城在縣，引遼志，唐貞觀六年置懷柔縣，治五柳城。其說非也。遼史此下接云：改順義縣，開元四年置松漠府彈汗州，天寶元年改歸化郡，乾元元年復爲順州。舊聞考謂，遼史此條混歸順州于順州，其辨甚審，唐志則誤以唐之懷柔爲今之懷柔矣。今不取。

涿州

鎮：按：涿州鎮凡五，邨凡三百八十有四，或曰四鎮者以三家店入邨也，其中有一邨帶管數邨者。涿州吴志、續志，與今互異，今据圖册。治東北三十里馬頭鎮，外委駐焉。東南三十里柳河營鎮，外委駐焉。三家店，千總駐焉。西南二十里松林鎮，亦曰松林店，把總駐焉，鎮之西偏有城址，或曰廣陽故城也。按：一統志曰寰宇記云，廣陽故城在縣西南，州治在縣西南十五里，皆誤。今考曰下舊聞引州志，廣陽城在州西南十五里。舊聞考云：西南十八里，松林店西偏有城遺址，然無碑記可考。西北二十里長溝鎮，外委駐焉。鎮北有土城址，土人呼古城，或曰此西鄉故城也，亦謂之都鄉城。寰宇記：西鄉故城在范陽縣西北二十五里。方輿紀要：西鄉廢縣，州西北二十里，漢縣屬涿郡，後漢省，或謂之都鄉城。按：舊唐地理志，慎州逢龍縣，黎州新黎縣，神龍初皆寄治良鄉之故都鄉城。一統志，西鄉故城在涿州西北。舊聞考：西鄉廢縣在州西二十里長溝邨，北有土城遺址，土人呼爲古城，或即其地，但無碑記可考。今考長溝鎮在治西北二十里，與紀要合。

其邨：治東東關，二里史家莊，莊東里許，舊有北臺邨，爲宋藝祖故居。一統志：北臺邨在涿州東三里，宋太祖故里，今爲清涼寺。涿州吴志：州東三里北臺邨。五里槐林邨，六里官莊，七里沙坎邨，八里馬坊邨，梁家街，吴邨，張段莊，屈家莊，亦呼屈家街，塔上邨，趙各莊，十里六間房，十五里徐里營，沿魯邨，十八里南張邨，二十里刁窩邨，或曰欒城、田城近此。涿州吴志：州東二十里欒城，其旁又有田城，相傳皆遼人所築。林家莊，白塔邨，屈家莊，二十五里馮邨，大呂邨，潘各莊，竇家莊，翟家莊，二十八里小營邨，萬全莊，三十里小吕邨，佟邨，望海莊，三十五里任邨，西茨邨，東茨邨，西韋它，小岡頭，州縣莊，蔡家莊，小營邨，西園子，四十里新莊邨，白家莊，義合莊，龍門口，苑家莊，丁各莊，南定邨，化家莊，馬家莊，常家莊，四十四里南蔡邨，四十五里南晃邨，陶家營，五十里北蔡邨。南南關，二里南河邨，三里河邨，鎮安寺，五里包子鋪，六里西道園，八里東道園，十里東管頭，西管頭，半壁店，十一里下坡店，十二里忠義店，馮家墳，十五里南皋邨，南良口，北良口，二十里念疃邨，二十二里泥窪鋪，二十五里大興莊，三十里郭家務，史家新莊，孤莊頭。西西關，三里楊家莊，五里西壇邨，有洗馬潭近此，或曰張桓侯洗馬處。涿州吳志：州西五里洗馬潭，張桓侯洗馬處。六里東沙溝，八里小馬邨，南莊，洛各莊，西沙溝，十里里池店，東里池，或曰引渠灌田，疑近古所謂范陽陂者，亦謂之鹽臺陂。水經注：范陽陂在范陽城西十里，方一十五里，俗亦謂之鹽臺陂。舊聞考：范陽陂，今無其名，惟州西南多引渠灌田，疑卽所謂陂者。十一里西里池，十二里邊各莊，十四里丁家莊，十五里陶家屯，土阜巋然，下有積水，土人曰卽獨鹿鳴澤也。通典：范陽郡有獨鹿鳴澤。方輿紀要：獨鹿山在州西十五里，下有鳴澤，元封四年，由回中北出朝那蕭關，歷獨鹿鳴澤，從西河還，卽此。舊聞考：獨鹿鳴澤，今其地名陶家屯，土阜巋然，其下常有積水，土人傳以爲卽獨鹿鳴澤。醬各莊，大欄柳，十六里小欄柳，石佛邨，二十里東城坊，西城坊，二站邨，散城邨，三十里西疃邨，馬踏營，茂林莊，三十五里后鋪邨，孫家莊，三十八里稅門邨，四十里横岐邨。北北關，五里大石橋，六里王家墳，八里三步橋，中胡良，十里上胡良，綱户莊，下胡良，十五里東仙坡，西仙坡，按：此二坡俗呼仙風坡，卽元歐陽元涿郡名賢碑所謂宣封坡也，舊有邵邨，蓋因坿會之安樂窩而名，舊聞考：元歐陽元涿郡名賢碑記云：邵雍，其先涿人，今州西北十餘里有邵邨，謂卽以安樂得名也。又州西北十五里宣封坡，舊有木坊，書邵子講易處。据此，則仙風係傳訛，應從歐記，作宣封。涿州吴志：安樂窩，州北十二里，今名仙風坡，邵康節居此。涿州續志：康節幼自燕從父徙居衞之共城，讀書百泉之上。共屬今輝縣，安樂窩故址猶存。二十里常店邨，二十五里挾河邨，羊户屯，舊有垣城在治北，未詳所在。水經注：垣水逕垣縣故城北。史記音義，河間有武垣縣，涿有垣縣。趙一清水經注釋：漢志，垣縣屬河東郡，武垣縣屬涿郡。續志：河間國武垣，故屬涿。注所引音義云云，豈別有説乎？史表，垣侯賜，索隱曰：縣名，屬河東。則非涿之武垣可知。武垣城在河間府西南三十八里，去涿甚遠，水道無相通之處，恐涿郡自有垣縣也。一統志：垣城在涿州北。東北一里范家坡，二里蓮花池，鄧家窰，三里念頭邨，六里楊家樓，八里永樂邨，九里蓮花邨，十二里陳家墳，十五里北張邨，東鹿頭，西鹿頭，西小營，復興南營，苑家場，十六里粱家場，莊窠邨，十八里保安莊，三合莊，向陽邨，二十里南營邨，楊合莊，高家莊，二十三里立新莊，二十四里沙窩邨，二十五里遂同邨，党家莊，周家莊，新立邨，臺子邨，二十六里浮洛營，二十八里新莊窠，馬家莊，南盧邨，劉家莊，二十九里北盧邨，三十里公家莊，洋泗莊，北蔣邨，古家莊，三十一里徐家街，蕭家街，郎家莊，北西郭，三十三里南西郭，三十五里雙柳樹，北園子，田城邨，東韋它，四十里閻家莊，鄧渠邨，楊邨，羅家營，渠洛邨，新立邨，古城邨，或曰卽良鄉故城也，方輿紀要謂在州北四十里，蓋以東北爲北云。按：良鄉故城，方輿紀要云在州北四十里，漢置縣治此，五代時始移今良鄉治。今考涿州北至房山僅二十里，西北至房山僅三十里，均無四十里，而東北四十里適有古城邨。一統志又云，良鄉故城在房山縣東，爲良鄉、宛平、范陽三縣地，其説不一。四柳樹，大興莊，封源莊，劉家莊，四十三里果渠邨，四十五里屯子頭。東南二里安樂莊，三里邱家莊，東河邨，新莊邨，四里盧家莊，疑卽盧家灤也，盧植故宅無考。名勝志：盧植故宅在州東十五里，地名盧家灤。舊聞考：盧植故宅無可考，州境亦無盧家灤地名，惟城東南四里許有小邨名盧家莊，多盧姓。五里常領邨，八里馬官屯，十里畢家當陌，馬當陌，鄭當陌，督亢陂近此。寰宇記：范陽縣本漢涿郡也，督亢陂在縣東南十里。按：萬曆沈志云，燕太子丹獻督亢圖于秦，其陂及亭故在也，土人指其處尚多古瓦礫金錢，不虛也。址在涿州。方輿紀要：督亢陂，州東南十里。長安客話：督亢陂舊有亭，遺址高丈餘，周七十步。十二里劉當陌，陳當陌，大莊邨，十五里後塘邨，前塘邨，二屯邨，毛家營，十七里石家屯，十八里石家務，東莊窠，海深塘，張合屯，西興莊，小辛邨，小莊邨，十九里許各莊，二十里後屯田，三合屯，沙家莊，大樹樓桑，姚家屯，醬各莊，東找子營，西找子營，二牛屯，塔趙邨，泗平莊，前屯田邨，永和莊，二十二里郝各莊，富家莊，二十五里大豹子莊，南窰邨，鑾子營，趙官屯，舊田官屯，小豹子莊，太平莊，小柳河營，黃各莊，五興莊，老小莊，連家莊，坡河屯，新田官屯，永興莊，白家莊，義合店，高家莊，二十八里嶺上邨，北高官莊，黃家井，南高官莊，三十里張家莊，蔣家莊，陳家屯，小三家店，苗家屯，謝家樓，白官屯，喬家屯，找王邨，周家莊，南務邨，后營邨，褚家邨，南寺邨，下莊邨，交渠邨，擡頭邨，智軍莊，何各莊，王各莊，韓家莊，王家莊，新立邨，富官屯，河西務邨，北務邨，三十二里代家屯，永興莊，三十三里辛莊邨，三十四里崔家莊，三十五里香營邨，馬家莊，賈家莊，趙家莊，申家莊，孟家莊，辛莊邨，太和莊，高家莊，上莊郵，公正莊，東下莊，豬皮營，辛莊窠，四十里楊家屯。西南一里巴家窰，三里莊頭郵，六里大馬郵，八里賈郵，甯郵，十里西臯莊，西臯郵，舊有忠義店，近此，舊聞考：州西南十里忠義店有石碣二，一曰桓侯故里，一曰桓侯故井，井已湮。舊又有所謂梁門陂者。元混一方輿勝覽：武遂津北對長城門，謂之汾門，又謂之梁門。易水東分爲梁門陂，在范陽西南十里。舊聞考：梁門陂，今城西南無此地名，但考文天祥經先主故宅詩云：我過梁門城，樓桑在其北。則元時猶存其名，實爲涿之故蹟矣。涿州舊志：州西南十里粉水口，相傳爲古汾水門。後漢書郡國志：涿郡北新城有汾水門。水經：汾門亦曰分門，又謂之梁門。十二里茂田莊，十三里徐家莊，下新店，莊窠郵，太家樓桑，樓桑廟，黃家樓桑，十八里樓桑郵，有鋪，亦謂樓桑鋪，漢昭陵故里也。三國蜀志：先主少孤，與母販屨織席爲業。舍東南角籬上有桑樹生，高五丈餘，遙望幢幢如小車蓋。先主與宗中小兒戲言：吾必當乘此羽葆蓋車。水經注：樓桑里，昭烈之舊里也。燕山叢録：昭烈宅在涿州樓桑郵，有桑層蔭如樓，因曰樓桑。帝京景物畧：涿州西南十五里，道右大桑高十丈，昭烈故居桑也，後因名郵，千五百年，椹大倍于恆桑。方輿紀要：明建文時，燕王嘗屯兵于此。按：遼史，涿州有樓桑河，是河亦以桑名。樓桑郵之北三里，舊有酈郵，亦呼道元郵，是爲酈道元故居，有酈亭。水經注：巨馬水又東，酈亭溝水注之，水上承督亢溝，東南流，歷紫淵東。余六世祖樂浪府君，自涿之先賢鄉爰宅其陰。督亢溝水東南流，逕迺縣北，又東逕涿縣酈亭、樓桑里。名勝志：去樓桑郵三里爲酈郵，酈道元所居也。舊聞考：今樓桑郵北三里許有道元郵。按：酈亭先賢鄉，今不可考。十八里莊窠郵，艾朝郵，二十里東樓桑，展臺郵，展臺云者，臺以土積，高二丈，廣九丈，袤十二丈有奇。長安客話：展臺在州西南二十里，相傳燕昭王展禮賢士于此。舊聞考：展臺今爲郵名，其地有土臺，高二丈許，東西廣九丈，南北袤十二丈有奇。房樹郵，史各莊，張沈郵，二十三里熨斗店，二十五里官立莊，東陽屯，韓郵，林家屯，祝郵，二十六里黃家屯，二十七里義合店，三十里榆林郵，北馬郵，賈家莊，澤畔郵，蒼牛屯，常郵，三十四里興盛屯，三十五里西古邱，北胡凝，二十里鋪，南馬郵，貝子郵，東古邱，楊康郵，西莊頭，四十里南胡凝，孫家疃，岐溝郵，又爲祁溝，唐末及宋宣和中，嘗設關于此，今亦呼岐溝關。方輿紀要：亦曰奇溝，又爲祁溝，唐末設關于此。晉王李存勗天祐十年，遣周德威進攻岐溝關，下之，遂圍涿州。通鑑注：關在巨馬河北。宋雍熙三年，曹彬、米信與契丹將耶律休哥戰于岐溝，敗績。宣和中，亦嘗設關于此以備金。舊聞考：州志稱在州西三十里，有土城，環郵之南、北、西三面，當是遺址。高郵，四十二里史家莊，四十五里上莊郵，距郵數里有燕昭王臺。元混一方輿勝覽：東有三峯，甚崇峻，騰雲冠峯，高霞翼嶺，岫壑沖深，含煙鎖霧，耆舊言，燕昭王求仙處。一統志：臺在州西南五十里。舊有范郵。按：方輿紀要有范郵，今無。西北二里北壇郵，郵之南里許，舊有桃莊，淪于水。涿州舊志：桃莊在州西北一里，張桓侯舊里也。舊聞考：桃莊已沒入河水中，高處尚傳爲桃莊遺址。三里太平莊，五里朱家郵，葱園郵，演武莊，吝子口，六里小朱家郵，八里大邢各莊，胡同口，孫家莊，九里小邢各莊，十里兩河郵，曹家莊，石橋郵，趙家莊，練莊郵，沿家郵，十二里康家莊，十三里青岡郵，泗各莊，十五里豆家莊，馮郵，普和莊，百尺竿，杜郵，丁蔣莊，上坡郵，索家莊，小邵郵，大邵郵，花園郵，中坡郵，南莊郵，十六里新旺郵，十八里夾河郵，二十里羊坊郵，張家莊，觀仙營，北務郵，南魯坡，北魯坡，二十五里毛家屯，藍家營，宋家營，三十里半壁店。越房山縣而至三坡，亦在治之西北。三百二十里下坡：郵凡十二。山南郵，下莊子，馬家莊，盤坡郵，龍門郵，大龍門，清泉寺，鑼鼓臺，北莊，南扁鵲，崿峪，菜樹崦。三百二十五里中坡：郵凡五。桑葉澗，大澤郵，北扁鵲，莊里郵，南湖裏。三百五十里上坡：郵凡七。嶺南臺，莊頭郵，南莊郵，西埠，高家鋪，柏林城，下西埠。其未詳所在者，舊有唐之瀼州僑治，唐地理志：降胡州一，灤州，天寶初置。方輿紀要：廢灤州。天寶初，置于范陽縣界，以處降人。涿州吴志：灤州舊治在州境。元之層樓，元英宗紀：至治二年九月，作層樓于涿州鹿頂殿西。又有鎮河塔。長安客話：涿州舊有塔，在桑乾河中，名鎮河塔。嘉靖元年，塔崩，內有古錢，皆飛空如蝀，自後河水不時汎溢。

房山縣

鎮：治北二十五里磁家務，巡檢治此。東北二十五里石梯鎮，管邨十二。五十里大灰廠鎮。管邨十六。西南三十五里長溝鎮，管邨十三。七十里張坊鎮。管邨十五。

其邨：治東三里饒樂甫邨，六里馬各莊，十二里大董邨，十五里開各莊。南五里缸窰邨，顧簈邨，西壩邨，八里雙孝邨，十二里石婁邨，支婁邨，十八里楊駙馬莊，十九里廂駙馬莊，二十里趙各莊，二十五里韓邨，河邨，三十里白家莊，曹章邨，潘家莊，崇義邨，三十五里鄭家莊。西半里洪寺邨，三里大洪寺邨，六里塔窪，響鬧邨，十五里煎餅灣邨，邨西數里茶樓頂山，有金章宗歇涼臺，石柱猶存。涿州吴志：縣西二十里茶樓頂山，有金章宗歇涼臺遺址。舊聞考：臺圮，存四石柱。二十五里長溝峪邨，邨西數里六聘山，爲霍原故居。水經注：淶水北逕小釁東，又東逕大釁東，蓋霍原教授處。既無碑頌，竟不知定誰居也。册府元龜：原山居積年，燕王月致羊酒。明一統志：六聘山在房山縣西三十里。日下舊聞：六聘之義，舍原無人當之。五十里南窖邨，邨西十餘里大防山，有仙人玉堂，或曰卽水經注所謂石穴者也。水經注：大防嶺山下有石穴，東北洞開，高廣四五丈。舊聞考：隋圖經云，防山上有仙人玉堂，或卽水經注所稱石穴也。九十里王家臺邨，莊窠臺，一百里平域邨，一百十里干河邨，一百三十里蘆子水邨，椒江口邨，舊有石邨，爲賈島故里。明一統志：賈島谷在房山縣西，內有石室，世傳爲島所居。燕山叢録：房山縣石口邨有賈島庵，云是島爲僧時所棲，負山臨壑。長安客話：島初祝髮于瀛州法善寺，後居房山西峪，峪有石庵，是島故宅。萬甯縣址，亦在治西。金史：大定二十九年置萬甯縣，以奉山陵，明昌二年更奉先縣。名勝志：萬甯縣遺址在縣治西。北六里前朱各莊，後朱各莊，十二里流水邨，南礶邨，四十里北車營邨。東北五里丁家窪邨，六里羊頭岡邨，十二里北坊邨，焦家莊，十五里吴家莊，十八里公主墳樹，小莊窠莊，伏虎邨，卽口頭邨也。二十里新開口邨，沙窩邨，苑上邨，倪家溝，馬家溝邨，二十二里它里邨，它里新房邨，二十五里岡上邨，水峪邨，漫水河莊，三十里上萬邨，焦各莊，河西邨，三十五里南公邨，南茨尾邨，北茨尾，東石甫邨，西石甫邨，常樂寺邨，新舊莊窠，四十里北公邨，王家莊，西王佐，東王佐，張各莊，劉太莊，魏各莊，仙它邨，南洛平邨，北洛平邨，大富莊，小兒營，四十五里西莊店，瓦窰邨，栗園邨，翟家莊，佃子邨，雲岡邨，侯家峪邨，下莊邨，沙鍋邨，小店邨，五十五里後甫營邨，羊圈頭邨，岡窪邨。東南四里北市邨，六里瓜市邨，八里定甫新莊，田各莊，十里它頭邨，十二里夏邨，十四里瓦窰頭，十五里蘇邨，棃園店，雙柳樹邨，十六里二站邨，十八里蘆邨，吉陽邨，安家莊，于家莊，下坡店，二十里東營邨，白草窪邨，二十五里西東邨，三十里羊户屯，李家莊。西南四里牛口峪邨，六里雲峯寺邨，周口邨，八里周口店，十里東山口邨，西山口邨，十二里韓姑新莊，新街邨，北韓姑邨，十五里南韓姑邨，俗呼韓繼邨，北游紀方：韓姑砦，俗呼韓繼邨。婁子水邨，十八里瓦井邨，次洛邨，二十里西營邨，小茨尾邨，周各莊，二十五里五侯邨，或曰漢光武封王興五子爲侯，邨名以此，按：房山佟志，五侯邨，漢光武封王興五子爲侯居此，故名，邨沿舊名。有五大夫城遺址。水經注：易水出西山寬中谷，東逕五大夫城南。舊聞考：五大夫城基址今存，尚有五條道口。岳各莊，南章邨，天開邨，二十八里皇后店，三十里七賢邨，所謂七賢者，難可徵實。三沿邨，龍門口邨，東甘池邨，黃山店，舊名桃葉口，燕都遊覽志：桃葉口俗呼黃山店。舊聞考：桃葉口在縣西南二十五里。按圖册，實在治西南三十里。三十三里北甘池邨，三十五里太和莊，墳莊，西甘池邨，南甘池邨，黃院邨，六間房邨，孤山口邨，上中院邨，下中院邨，四十里獅子岩邨，下寺邨，葫蘆棚邨，酸棗菴邨，三良各莊，四十五里北正邨，南正邨，雙磨邨，禪窩水邨，五十里石窩邨，下營邨，獨樹邨，周忱雙崖集：出獨樹邨四里，兩山對峙，外隘内豁。崖下邨，石經山近此，山有石經堂，曝經臺，義飰廳。按：石經山一名白帶山，据隋圖經云，僧静琬見白帶山有石室，遂發心書經。雙峯集云：石經堂東向，方廣五丈，几案罏瓶之屬，皆以石爲之。壁嵌石刻佛經。石扉八，可以啟閉。外有露臺，三面以石爲欄。設石几，石牀，禪房，庖湢因巖。又山有巨石，後廣前鋭，平出于虛空者數尺，名曝經臺。山半石室曰義飰廳，唐乾符中僧藏貴所建。四座廟邨，高家莊，石窩新莊，前石門邨，半壁店，紙房邨，五十五里水峪邨，後石門邨，西域寺下莊，六十里南上洛邨，北上洛邨，惠南莊，顧家莊，趙邨，北白岱邨，六十五里小白岱邨，南白岱邨，廣禄莊，廣潤莊，七十里下灘邨，蔡家邨，鄭家磨，王家磨邨，史各莊，正子營邨，上石堡邨，下石堡邨，舊有抱玉里近此，里有文靖書院。寰宇通志：在縣西南七十里抱玉里，元里人總管趙密、宣德府教授賈壤，嘗從容城劉因游，歸以其學教鄉人，乃建書院，立祠祀之，元賜額曰文靖書院。七十五里片上邨，九十里匣兒嶺邨，石版臺邨，一百十里六度邨，十度邨，馬鞍邨，一百二十里蒲窪邨，一百三十里鎮上邨，邨之西南七十里，有龍門臺。（寰宇通志：龍門臺去縣二百里，上曰玉河臺，四面皆山，其下深澗莫測。一統志：在縣西南二百里。）西北半里西北關，四里北莊邨，五里歇息岡邨，六里迎峯坡邨，三間房邨，八里宗家莊，後莊邨，十里下良各莊，十二里上良各莊，霧山之呆漢臺近此。（房山佟志：呆漢臺在縣西北十二里。）十三里羊耳峪邨，邨之西北七里有釣魚臺。（房山佟志：釣魚臺在縣西北二十里，馮賢隱退，垂釣于此。）金之瑞雲宮、磐甯宮，距此不遠。（房山佟志：瑞雲宮在縣西北十餘里，金太祖陵側，今存遺址。舊聞考：金史地志稱，奉先縣有磐甯宮，今無可考。一統志：金志，磐甯宮在縣西北二十餘里。）二十五里北半壁店，三十里杏園邨，三十五里南車營邨，六山會邨，四十里李各莊，滑石片邨，四十五里河北邨，河南邨，河南新莊，陳家臺邨，他窨兒邨，五十里班各莊，三英水邨，西安邨，螞蟻礓邨，口兒邨，曬石臺邨，查兒邨，潭子港邨，六十里佛子莊，三安子邨，舊有石堡邨，唐之威州威化縣僑治于此，（舊唐書地理志：威州威化縣，寄治良鄉石堡窟。一統志：廢威州在房山縣界。引縣志云，石堡邨在縣西北六十里。）舊又有別院邨，邨西數里有歡喜臺。（劉芳喆國門近游録：自普濟寺西行，有邨名別院，循邨又西數里爲歡喜臺，萬曆初，太監馮保修築。帝京景物畧：循孤山口而西十二三里，旋折東，西望一平處，曰歡喜臺。徐文長集：自歡喜臺盡三百級，達毘盧頂。）七十里北窨邨，長操邨，有玉室洞天近此，或曰即黄山張良洞也。（房山佟志：玉室洞天在縣西北七十里。）一百里大安山邨，山有大安館，（唐書：劉仁恭從方士王若訥學，長年築館大安山。通鑑：仁恭慮幽州城不固，築館大安山。一統志：大安館在縣西北大安山，劉仁恭師事王若訥于此。）舊有師州陽師縣僑治，今不可考。（按：唐志，師州陽師縣，神龍中寄治良鄉縣故東閭城。）

霸州

鎮：按：霸州舊分里、屯，曰辛店里，曰沙城里，曰永安里，曰宫家里，曰桑園里，曰臨津里，曰莫金里，曰善來里，曰苑家里，曰豪家里，曰東永里，曰西永里，曰臺山里，曰青口里，曰策城里，曰堂二里，曰高橋里，曰瑞麥屯，曰永福屯，曰順義屯，曰永義屯，曰臨津屯，曰登家屯，曰富花屯，曰忠孝屯，曰安慶屯，曰思賢屯。或管郵，或不管郵，與今郵鎮有異，今据方隅册。治東北十四里辛店鎮，有鋪。十八里煎茶鋪鎮，有倉。四十二里信安鎮，與永清縣分轄，爲巡檢治，把總駐焉。舊有城，唐之淤口關，周之淤口寨，宋之信安軍，皆卽此地。鎮南有趙家臺。方輿紀要：信安城在州東五十里，唐置淤口關，後没于遼。周世宗收復，置淤口寨。名勝志：信安城，宋之信安軍也。霸州周志：信安郵南趙家臺，地勢獨高。相傳有三臺，今存二阜，其外舊城址，隱約在焉。按：鎮在治東北，非東也。東南二十一里蘇橋鎮，與文安縣分轄，主簿治此。六十八里策城鎮，初名拆城，明知州陳于庭更拆爲策。据霸州周志，參采訪圖册。西北十八里南孟鎮，有鋪。

其郵：治東東關，二里元里郵，胡各莊，三里西樓郵，維民坊，半壁店，王鐵臉莊，朱家塲，上趙家坊，下趙家坊，孟家莊，姜流河嘴，四里王家莊，八里康仙莊，十里高家墳，劉家墳，王家墳，十三里撒袋營，西新莊，十八里石城郵，後屯郵，十九里後兩間房，高家郵，二十二里白墳郵，二十三里白墳東新莊，二十四里大甯家口，小甯家口，二十五里平曲郵，寰宇記：平曲城在縣東三十二里，漢景帝封公孫渾邪爲平曲侯，卽此地。舊聞考：東二十里有平曲郵。按：霸州周志，東二十五里臺山里有平曲郵。二十七里趙各莊，二十八里采木營，二十九里大新莊，二新莊，三新莊，三十里田家口，三十一里郝青口，楊青口，田青口，三十二里楊各莊，三十三里菜園郵，三十六里高橋郵，張家莊，四十二里花園郵，史家莊，小口郵，趙臺子，北城上郵，黄家鋪，外郎城，四十六里王家塲，蕭家鋪，四十九里崔家鋪，五十里馬家鋪，四間房，牛眼邨，小董家鋪，五十四里堂二鋪，何趙鋪，宋家鋪，胡家鋪，五十六里牛百灣，東叚邨，五十八里李家鋪，楊家鋪，樊家鋪，或曰狼臧城近此。方輿紀要：信安軍東三十里，有狼臧城，又十里爲拆城，宋將楊延朗屯兵拒遼于此。六十二里佛城疙疸，七十里寨上邨，七十八里水大旺莊，蔡家鋪，許家鋪，楊家鋪，閻家鋪，劉家鋪，姚家鋪，褚河港河南。南南關廂，所謂南關故城者，未詳所在。霸州周志：南關故城在州南。九域志：州有南關城，趙武靈王築。舊聞考：古南關城，今無考。三里包子莊，牛業莊，顧家樓，趙家莊，許家莊，五里王古房，八里前卜家莊，後卜家莊，十一里老隄邨，十五里大卜莊，二十里張各莊，魚津窩，武各莊，十五里口頭邨，卽元一統志所謂莫金口寨也。方輿紀要：莫金山，宋設莫金口寨，俗名口頭邨。善來營，牛莊伙，減莊伙，姜家樓，高家頭，營上邨，盧各莊，韓家莊，三十里李家頭，三十三里蔡家頭，薛家疙疸，三十五里畢家房，四十五里豐盈屯，富花屯，胡家屯，舊有大隱堂，爲明王遴別業，在治南。据霸州舊志。西一里賈家莊，三里宋家莊，傅家莊，四里武家莊，五里秦家樓，何家莊，義合莊，六里姚家莊，隄角邨，杜家莊，馮家莊，八里劉家莊，顧家莊，張家莊，曹家莊，鑾子營，錢家莊，太平莊，王良莊，下岔河，十里臨津邨，十三里李家莊，十四里夾河邨，十五里岔河集，高家莊，十七里于家廟，擺渡口，十八里大柏林莊，小柏林莊，二十一里狄家莊。北北關廂，舊有草橋關，在治北一里。長安客話：州北一里有界河，相傳楊延朗建草橋于此，關因名。按：草橋關，采訪册無考。三里大魏家營，五里北楊家莊，花園邨，車門店，朱家莊，迎恩邨，范家房，六里大各莊，七里西沙里，東沙里，南沙里，北沙里，掛打莊，圈子邨，八里孟家墳，李家窰，皮家營，十二里北高各莊，十三里金各莊，十四里東沙城，西沙城，十五里羅卜營，安家營，李家營，崔各莊，十六里李家莊頭，邱家莊，小邱家莊，十八里馬坊邨，香營邨，十九里馬興莊，鋪疙疸，二十里塔上邨，二十一里朱家營，千人禾，大安莊，小安莊，二十二里沈家營，二十三里北落店，倉上邨，二十四里王邨，陳厨營，二十五里繩各營，東它里，善家營，羅家營，二十九里宋貨郎營，三十一里馬家營。東北六里大新立莊，小新立莊，十七里濟民莊，七間房，二十里前兩間房，二十五里任家莊頭，大董家鋪，二十六里顧家新莊，益昌故城，未詳何邨。水經注：巨馬水東逕益昌故城。地里風俗記曰：方城縣東八十里，有益昌故城。一統志：益昌故城在霸州東北。東南六里于崔莊，七里南豪家務，北豪家務，十二里東栲栳圈，西栲栳圈，十五里苑家口，十六里郝莊伙，東高各莊，十八里陳王郭莊伙，十九里魚廠邨，東王莊，徐各莊，王家房，二十二里宋莊伙，二十七里大臺山，中臺山，三臺山，韓家鋪，劉南莊，小東莊，河東，李家莊，二十九里下賈莊，三十一里花桑木，三十三里邱滑黄莊，三十五里十間房，三十九里下王莊，平口邨，四十一里靳家鋪頭。西南八里桑園邨，十一里杜各莊，十四里牛各莊，十七里馮家邨，二十四里梁家臺，吳家臺，二十九里宮各莊，各一作哥，皆家之聲轉也，舊有益津書院，元宮君祺建。元黄溍宣聖廟學記：霸州之益津人宮君祺，即其西鄉宮哥莊建學舍，總爲屋十餘楹，始于至順二年春二月，落成于秋八月。按：宮家莊益津書院建自元黄溍，明萬曆元年，兵備錢藻改建州治。西北七里南燕家務，北燕家務，十里鄭各莊，十二里任水邨，田各邨，俞家新莊，十五里南岸邨，十八里東粉營，西粉營，葉家莊，郭家務，二十里北岸邨，二十五里宋邨，趙家務。

文安縣

鎮：按：文安楊志，縣之邨鎮，舊分四鄉，東曰遵化，南曰孝義，西曰安樂，北曰仙居。又分八路，曰東南近路，曰東南遠路，曰東北大路，曰東北小近路，曰東北小遠路，曰西南左路，曰西南右路，曰西北路，與今不同，今依分隅箸録。治南二十五里孫氏鎮，有倉。北十八里南阜廟鎮，四十里蘇橋鎮，與霸州分轄，詳霸州。東北二十五里柳河鎮，鎮之東北五里有古城，即文安故城也，後漢書注：文安故城在今縣東北。寰宇記：古文安城在今縣東北三十里。一統志：文安故城在今縣東，漢置，唐徙今治。縣志：今縣東北柳河鎮有古城，上有漢縣令趙夔祠，即文安故城。按：東北是也，非東。孟母臺近此。文安楊志：柳河下有洞，傳爲宋將孟良藏母處。四十里左各莊鎮，六十里勝芳鎮，鎮之東北十數里，舊有武平亭。方輿紀要、括地志云：文安縣北七十二里，今名渭城，戰國時地屬趙。史記趙世家：惠文王二十七年，徙漳水武平西。二十六年，徙漳水武平東。舊聞考：勝芳河在縣東北七十里，會同滹沱、漳水，匯流于北，即武平地也，亭廢。東南二十五里韓邨鎮。西南十二里安祖店鎮。西北十八里圍河鎮。

其邨：治東二里王家莊，張家莊，四里付安邨，曹付安，李付安，張付安，六里曲隄邨，賀曲隄，磨邨，趙磨邨，李磨邨，七里姚磨邨，八里劉磨邨，十里墳頭邨，十五里叩剛邨，封叩剛，胡叩剛，高叩剛，王叩剛，小王叩剛，蔣叩剛，姚叩剛，二十五里馬務營，張家營，韓家營，二十八里司吉城，王司吉城，霍家莊，三十里趙黄甫，李黄甫，解黄甫，何黄甫，康黄甫，王黄甫，夸大口，四十二里得歸邨，孟得歸，李得歸，曲城邨，四十五里東柴溝，西柴溝，齊莊。南八里八里莊，九里賈各莊，十里曹家莊，孫家莊，十二里黄家莊，十五里高邨，東高邨，十八里台子務，朱家務，王家務，二十八里邊邨，紀家屯，三十里大祥邨，三十五里黄得務。西三里趙邨，邨之東二里，舊有匏瓜亭。文安楊志：亭在城西里許，元侍郎趙文清建，今廢。四里徐家郭，五里黄家郭，袁家郭，六里郭辛莊，馮家郭，七里繳家屯，八里譚家郭，趙家郭，王家營，回回營，盧各莊，舊有紀家郭，九里小鋪邨，十里大鋪邨，十二里尹邨，十五里柏家務，十六里程家屯，段家莊，趙各莊，李各莊，十七里楊家邨，十八里常家邨，豐富店，張家務，劉張家務，樊張家務，南張家務，二十里富花邨，胡富花，王富花，劉富花，二十五里靳邨，前于家屯，後于家屯，屯西二里許，舊有南北二盧蒲城，相傳爲春秋時齊放盧蒲嫳處也。左昭三年九月，齊放盧蒲嫳于北燕。方輿紀要引城冢記：縣西二十七里，有古南北二盧蒲城，齊侯放盧蒲嫳于此。三十里南李邨，北李邨。北三里光州邨，樊光州，梁光州，董光州，趙光州，四里寺各莊，十五里里東莊，王里東莊，楊里東莊，疙拉邨，急流口，前急流口，西莊，十六里大寺莊，王小寺莊，鄭小泗莊，十七里董小泗莊，祁小泗莊，劉小泗莊，十八里張各莊，候張各莊，鞏張各莊，叩張各莊，李張各莊，魏張各莊，二十四里界偉郕，二十五里王家莊，李家莊，二十六里南留寨，二十七里中留寨，二十八里北留寨，三十五里王莊，昔無，今有。三官郕，四十里孫家房，四十四里長郕，崔家房，四十八里趙家房。東北一里吴家塲，前店，莊頭郕，留莊，二里東園郕，西園郕，海豐莊，三里留郡郕，六里小叩阜，大叩阜，邊莊，新莊，王莊，趙莊，八里馬莊，豐各莊，大京頭，九里小京頭，十里前孟氏郕，後孟氏郕，十二里小趙郕，十三里孟家務，十五里寇家頭，胡家頭，大趙郕，高家頭，傅家頭，十八里常家郕，久遠莊，高家郕，昔無，今有。盧家頭，昔無，今有。苗家郕，孟家郕，張家郕，郭家郕，馬石槽，石槽郕，董各莊，陳家務，二十里吕董務，二十五里西柳河，富各莊，靳各莊，二十六里文二莊，王家郕，二十八里綫家莊，西綫家莊，北綫家莊，三十里小保郕，南各莊，牛各莊，繳各莊，褚家郕，辛各莊，桃園郕，三十二里李家莊，官士莊，北官士莊，潘平郕，琉璃郕，相家郕，張家郕，三十三里霸子頭，三十五里三間房，南莊，四十里堂頭郕，西馬頭，姚淀莊，黄淀莊，王淀莊，高淀莊，吴淀莊，淀莊郕，大長田，張長田，小長田，胡家頭，艾頭郕，南艾頭，苑家莊，中艾頭，陶管營，張管營，四十五里任家莊，王疙疸，楊管營，土喬郕，劉土喬，陳土喬，何土喬，吴家壇，五十里劉家營，趙家營，張家營，西灘里，中灘里，五十二里東灘里，五十五里安里屯，石溝郵，富管營，南樓郵，北樓郵，六十里崔家莊，傅家莊，楊家莊，王家泊，六十八里獸頭房，田家鋪，賈家鋪，紀家鋪，七十里王家鋪，邢家鋪，陳家鋪，樊家鋪，董家鋪，馬家鋪，尚家鋪，七十二里中口郵。東南三里吉郵，李吉郵，四里文莊，八里西隄店，十二里鄒家莊，十五里陳大平州，十七里西萬大平州，東萬大平州，後劉大平州，張大平州，前劉大平州，十八里温大平州，辛莊，楊大平州，賈家郵，姜家莊，卯里郵，潘卯里，武卯里，大馮卯里，郭卯里，劉卯里，小馮卯里，二十里彭各莊，天德店，趙家郵，龍街郵，二十五里東艾子郵，西艾子郵，岳郵，二十六里岳辛莊，三十里陳黄甫，楊黄甫，蔡黄甫，宋黄甫，董黄甫，徐黄甫，小陳黄甫，三王郵，小三王郵，戴辛莊，朱三王郵，三十二里程子郵。西南一里野廠，二里房家莊，三里孫章郵，八里牛家務，小牛家務，十里王家莊，十二里朱安祖，十三里李安祖，十五里張安祖，金安祖，杜安祖，董安祖，韓安祖，田安祖，董郵，任董郵，吴董郵，王董郵，十六里東南莊，十七里王各莊，十八里大有郵，南大有，林近郵，白林近，趙林近，荀家務，安祖新莊，史郵，米家莊，二十里大郵，南大郵，二十五里趙仙莊，北趙仙莊，何家務，西何家務，三十里王仙莊，三十五里高家屯，三十八里苑家莊，太史郵。西北二里麻各莊，東麻各莊，三里相公莊，唐張仁憲故里也。文安楊志：相公莊，唐工部尚書張仁憲故里，莊北有神道碑。西相公莊，十五里鄒各莊，盧家頭，高家頭，官莊，十七里廣陵城邨，或以爲卽漢王胥之廣陵，又有平曲縣城，誤也。方輿紀要：廣陵城在縣西北二十里，與保定縣接界，宋時聚糧于此，以守益津關。文安楊志：廣陵城在城北十七里。據魏地形志：文安有平曲城。又引史記褚少孫補三王世家：本始元年，封廣陵王胥子爲平曲侯。正義曰：地理志，平曲縣屬東海郡。又云，在瀛州文安縣北七十里。七十字，疑倒。按：漢王胥之廣陵，今揚州地；平曲，今海州地。文安縣北之廣陵，非漢王胥廣陵矣。其在瀛州文安縣東北之平曲縣，當卽霸州之平曲城。漢景帝封公孫渾邪地，亦非胥子所封地也。霸州正在文安縣北四十里，蓋其誤沿史記正義之誤引。許各莊，後許各莊，郭莊窠，齊家莊，紀家莊，十八里東莊，莊之西北數里，舊有三角城，石勒築以備燕。寰宇記：三角城在縣西北二十里，石勒築以備燕。按：城今圮。二十五里河西店，楊家莊，二十八里豐臺頭，國家頭，韓家頭，賴家頭，賈家頭，宋之安平砦在邨西北數里。方輿紀要：安平砦在縣西北三十里，宋置，今廢。三十四里孔家務，三十五里周家莊，代家莊，三十六里魯家莊。

大城縣

鎮：治東十二里南趙扶鎮，有鋪。南四十里里坦鎮，卽一統志所謂李壇鎮也。舊鎮或曰西章武，故城近此。方輿紀要：章武故城在縣南四十七里，漢置縣，屬渤海郡。武帝封竇廣德爲侯邑。一統志：西章武故城在大城縣南，漢章武縣在今滄州界；後魏正光中分置西章武縣，屬章武郡；北齊省。舊志：章武城在今縣南四十七里，以在章武之西，故加西也。東北六十里王家口鎮，外委駐焉。西南二十里大廣安鎮。

其邨：治東東關，一里任家塲，代家莊，三里宋家莊，卞家莊，東陳家莊，四里東崔家莊，閻家莊，六里東賈莊，西賈莊，十二里中趙扶，十五里傅隄北，張隄北，馮莊，二十里葉家莊，小李家莊，二十二里劉家莊，二十四里東小王家莊，二十五里大李家莊。

南南關，一里鳳凰莊，二里王莊，三里繳莊，五里務農屯，八里邢家莊，南崔家莊，任家莊，十二里趙賈邨，白賈邨，張賈邨，田賈邨，駱賈邨，梁賈邨，王賈邨，房賈邨，李賈邨，宋賈邨，十三里九間房，十五里臧家屯，十六里野固獻，十八里十王堂，二十里關務，二十四里郭莊，二十五里蘇莊，鮑馬策，劉馬策，田馬策，宋馬策，桑杭，二十七里李馬策，三十里苦水務，娘娘莊，四十里白馬堂，前煙邨，岳杭，張遠南頭，邢遠南頭，大邵邨，小邵邨，四十五里楊遠南頭，四十六里王遠南頭。西西關，一里東王祥，二里西王祥，北王祥，油房，八里季邨，趙家務，十里馮張街，十二里張關屯，郝家屯，王香屯，呰張街，牛張街，蓋張街，按：文安楊志稱，空城在城西十二里，此傳會之謬者也。漢書燕王旦傳，空城，言國空也，何得指爲城名？十五里西官邨，樊家莊，十八里小青州，二十里大會羅，二十五里小會羅。北北關，二里牙莊，三里五方，亮斗莊，五里前童子，後童子，大祥連，小祥連，六里杏園，八里龍塚，西萬燈，十二里前孝彩，後孝彩，馬莊，十五里王王文，申王文，郭王文，田王文，吴王文，魏王文，薛王文，二十里大荊河，二十五里魏荊河，張荊河，流漂距，三十里劉四岳，邢四岳，大崔四岳，尹四岳，三十二里李四岳，梁四岳，三十四里小崔四岳，楊四岳，盧四岳，三十六里馬六郎，四十里三岔口。東北三里興莊，二姑院，五里大王都，小王都，六里温邨，八里東萬燈，都莊，十里北趙扶，南樓隄，十二里北樓隄，十五里小河郵，王思河郵，張思河郵，孟郵，舊有鳳凰臺近此。寰宇記：臺在東北十五里，晉石勒四年鳳凰見于此，因築臺。舊聞考：臺圮。十六里孫河郵，崔思河，李思河，十八里艾奴，二十里姚馬渡，四交河，道彩，東張莊，南进莊，二十五里楊家口，東新莊，大次花，石次花，李次花，二十八里三間房，三十里沿莊，蔡旺郵，王旺郵，劉旺郵，雷旺郵，西旺郵，東旺郵，李旺郵，三十五里東臧莊，西臧莊，四十里高莊，西子牙鎮，舊有釣臺，遂傅會爲太公釣迹云。一統志：釣臺在縣東北子牙鎮鹽河中，相傳太公嘗居此。

乾隆三十二年御製子牙河詩序曰：縣志謂其地有子牙廟，即釣臺遺址。所言無足據。史記載吕尚以魚釣干周西伯。西伯獵，遇于渭之陽。注引酈道元、劉向之説以證。雖磻溪、渭渚，釣迹不同，而其地尚皆近岐。至此地，距岐數千里，安得有釣璜遇主事？不特釣臺説涉荒唐，即以大城爲海濱，亦非確鑿不移者。

五十里東家郵，王家郵，張家郵，尚家郵，鄭莊，堂上，六十里北进莊，東岳莊，西岳莊，段隄，南萬營，北萬營，七十里莊頭，八十里黃岔，臺頭，大六分，九十里辛張，九十五里石家堡，一百里郝家堡，堡之東北十里許，舊有平陵城，漢蘇建封侯即此。寰宇記：平陵城在縣東北一百一十里。漢書：蘇建封平陵侯，即此地也。東南一里西陳莊，二里南李家莊，三里田莊，六里豆莊，八里八里莊，黃家莊，安慶屯，十里王莊，裴莊，十二里八方，十四里西白洋，十五里東白洋，孫五臺，申五臺，李五臺，南張家莊，十八里西流莊，北流莊，凡莊，大流漂，小流漂，二十里小店邨，章莊，蓋益莊，朱家邨，段家邨，二十二里中窪，二十四里傅家莊，王鎮店，楊家莊，前窪，後窪，二十五里西空城，白廟，何良臺，蘇良臺，三十里石疙疸，大沿邨，小沿邨，王大木橋，紀莊，楊紀莊，王紀莊，任前莊，王召莊，李召莊，固家莊，流源莊，宫邨，廣會屯，劉紀莊，三十二里周家莊，三十五里吕召莊，三十七里孫召莊，四十里大木橋，李大木橋，艾辛莊，曹家寺邨。西南五里楊家隄，夏家屯，六里咸家隄，王家莊，八里東陳邨，西陳邨，十里趙固獻，十二里劉固獻，吕固獻，薛固獻，東牛邨，西牛邨，有清風井。舊聞考引縣志云：清風井在西牛邨，因牛烈女全節得名。十五里東迷隄，西迷隄，王演馬，王王只保，李王只保，繳王只保，郭王只保，蔡王只保，東桑生，西桑生，十六里朱演馬，十八里劉演馬，張演馬，畢演馬，仰止，仝家莊，二十里毛演馬，王凡，西李家莊，袁家屯，二十三里小流河，二十五里杜家屯，鄧令巨，東令巨，西令巨，小廣安，大流河，三十里冒門，東馬邨，西馬邨。西北三里東近北莊，西近北莊，四里菜園，八里李家莊，七女，大里北，孫里北，劉里北，魏里北，里北店，十二里王軸北，宋軸北，翟軸北，十五里郭底，鄧家務，大皁邨，小皁邨，王良邨，樊良邨，鄧良邨，趙良邨，大王良邨，谷良邨，孫良邨，十八里祖寺邨，窖子頭，二十里邢家林，與文安縣毗連處有長城。一統志：長城在文安縣東南，接大城縣界，延袤百里，相傳燕、趙分界處。

保定縣

鎮：治西八里張青口。

其邨：治東二里田各莊，舊有六郎洞，在東關。保定舊志：六郎洞在東關，古傳通數十里，今失其處。王家莊，三里路疃邨，四里于家邨，十五里東武各莊。南二里南場，十五里安里邨，十六里豐樂邨。西一里劉家園，二里趙家莊，劉家莊，七里潘家莊，八里崔家莊，馬家莊，十五里西武各莊。北二里西莊頭，五里擺渡口，北舍興，九里張各莊，十里吴家台。東北六里盧各莊，莊之西南四里許，舊有二里城。一統志：二里城在縣東北，宋時積糧于此。舊聞考：城有遺址。十六里下武各莊。東南十里東陽路疃，有鋪。十五里樊家莊，十六里東柏木橋，小團河。西南五里南舍興，八里西陽路疃，有鋪。北邨，十里上武各莊，喬家灣，十二里新立莊，十六里西柏木橋，舊有將臺在西南。保定成志：將臺在縣西南，楊延朗演武處，下多鐵汁，掘土者每見殘戟。舊聞考：保定在宋時最爲重地，楊延朗守此，以鎮三關。北以霸州爲一關，西以雄州爲一關，又以白溝河爲一關，其團練兵馬處遺址尚存。西北三里紙方頭邨，王各莊，八里寨上邨，宋楊延朗父母軍寨即此，政和三年改曰安甯。保定成志：父母軍寨在城西八里，楊延朗守平戎時盛，父業殉敵，祭父于此，今稱爲寨上。方輿紀要：政和三年，改父母曰安甯，今廢。按：寨上邨在縣治西北八里。舊又有桃花寨，廢。保定成志：桃花砦，世傳楊延朗築屯軍士，基址尚存，今稱旋馬結達。方輿紀要：今廢。

薊州

鎮：按：薊州沈志，邨隸保，保隸里。其里一曰上醴泉，分保三；二曰下醴泉，分保三；三曰上安和，分保二；四曰中安和，分保一；五曰下安和，保一；六曰上負里，分保二；七曰下負里，分保三；八曰西花鄉，分保二；九曰前仁智鄉，分保二；十曰後仁智鄉，保一；十一曰祥慶屯，保一；十二曰永慶屯，保一；十三曰榮慶屯，保一；十四曰東尚義里，分保二；十五曰西尚義里，保一；十六曰關廂里，分保三。今則異矣。仍依方隅箸録。治東三十五里馬伸橋鎮，有鋪。西三十里邦均鎮，亦曰邦軍店，有鋪。按：松漠紀聞曰，薊州三十里至邦軍店，三十五里至下店。舊聞考曰：邦均店在州西。夏店，隸三河縣。南三十里上倉河東鎮，上倉河西鎮，六十里下倉鎮。東南三十里別山鎮，有鋪。九十里狗兒窩鎮。西南六十里侯家營鎮。

其邨：治東東關，半里崔家店，舊有約齋近此。吳澂吳文正集：薊州邵權平衡于東門外翁同山下構一室，曰約齋。一里北菜園，楊家河，二里北大井，狗兒窩，二里有半康莊，莊東里許有竇禹鈞故居，舊名竇氏莊，又相傳爲趙普讀書處，亦曰孔雀菴。按：萬曆沈志，竇氏莊爲禹鈞故居，莊南建義塾，聚書數千卷，以延師儒，貧士賴之，顯貴接踵。按：一統志，竇禹鈞故居在州東三里。州志，城東鳳凰山有舊址，乃周諫議大夫竇禹鈞故居。又相傳爲趙普讀書處。又云，趙普故居，即今州西之孔雀菴。又五里圍房，六里于家橋，陳莊，七里底門莊子，東大屯，十五里三家店，下莊子，十八里白莊子，二十二里西馬坊，二十五里東馬坊，倉上屯，二十六里壕門，南莊窠，毛家屯，二十八里大新莊，三十里姚鋪，小巨各莊，三十一里蔡莊子，三十二里大巨各莊，劉貴新莊，定福莊，花園，三十五里王刁莊，下莊子，古莊子，牛各莊，三十七里石家莊，四十里孫家莊，魯家林，呌山莊，孔莊子，宋家營，莫莊子，四十三里好女塔，四十五里南馬莊，淋河莊，驗甲宮，史各莊，四十七里馬官屯，太平莊。南南關，三里管驛，西七院，楊家園莊，三里莊，四里東七院，穆莊子，五里季莊，糖房莊，六里六里屯，七里新莊子，西河套莊，八里馬圈頭，八里莊，南桃園，北桃園，八里鋪，十里魏莊子，蘇莊子，科科莊，十二里朱莊，瓦房，管城，溵溜店，十四里前店，十五里高各莊，劉新莊，韓家寺，小黃土莊，十六里楊新莊，盧各莊，楊各莊，十八里上窩頭莊，屈莊子，十九里韓家壩，二十里朱莊子，史家屯，涼水泉，二十二里康各莊，毛家園，盧新莊，二十四里小孫莊，鄭家套，二十五里孟家樓，裴家屯，西河套，元家莊，二十八里潵水頭，李明莊，紀各莊，果各莊，橋頭，秦各莊，曹莊，三十里王新莊，蔡家莊，赤安莊，二王莊，垛家莊，塔兒莊，陳家莊，丁家莊，崔新莊，魯各莊，東大莊，田各莊，八間房，三十二里刁窩莊，李莊子，劉各莊，八營莊，三十三里小官場，高家套，王合莊，三十四里西王莊，三十五里大官場，花兒窩，響水窩，消流莊，三十六里粱莊子，埝頭莊，黃新莊，程子口，窩頭，三十九里劉百莊，四十里六里屯，楊津莊，侯莊子，四十二里馬龍岡，王家淺，小于津莊，四十三里常口莊，四十五里小漫河，趙家莊，四十六里大于津莊，八蜡廟莊，四十七里王莊子，五十里老曲莊，西李莊，小南莊，小新莊，大新莊，小于津莊，小馬莊，大王務，大莫莊，司家莊，大李各莊，蒙新莊，蒙福莊，蒙家鄲，小蘇莊，賈各莊，五十四里于少屯，五十五里康各莊，白塔莊，六十里小王各莊，豆各莊，河北屯，大楊各莊，李四莊，李四王莊，李新莊，北石莊，小楊莊，劉總兵莊，大楊莊，後丁莊，西焦莊，小營後屯，小蒲屯，西屯，六十五里翟新莊，小仇莊，王指揮莊，七十里福里莊，南石莊，少林口，何各莊，李莊子，趙各莊，李家套，韓家道，安各九王莊。西西關，半里草廠衚衕，二里三岡莊，三里三義廟，五里五里橋，或曰宋之五里鎮卽此。方輿紀要：五里鎮在州西五里。宣德三年，駕至五里鎮。婁莊子，六里賈莊，小刀翦營，十里賈各莊，十二里南營，十五里小屯，小孫各莊，十六里盛化莊，十八里小傅莊，大孫各莊，東大佛塔，西大佛塔，二十里大徐莊，鄭勾莊，董各莊，二十二里孫侯莊，趙莊子，二十五里匡新莊，狐里莊，二十七里崔新莊，二十八里索達莊，鑰匙莊，東兵馬莊，西兵馬莊，中兵馬莊，三十里小律莊，潘莊子，張新莊，三十一里西草廠，三十二里石人莊，胡里莊，啞叭坑，潘莊子，三十三里菜園，三百户，三十四里小梨園頭，大梨園頭，三十五里西二營，三十八里天平莊，四十里白澗，外委駐焉，有鋪。後新莊，馬房，四十八里高莊子，五十里段家嶺，公樂店，七百户，羊圈子，吕莊子，五十五里官新莊，西新莊，六十里閔莊子，黄旂莊，十百户，七十里後屯莊，舊有雞蘇砦，在治西。方輿紀要：雞蘇砦在州西。五代梁開平二年，劉守文討其弟守光，戰于雞蘇砦，爲守光所獲。北二里白馬泉莊，十里闖子峪，十五里鐵嶺子，劉莊子，代莊子，二十里二十里鋪，二十八里城兒下莊，三十里楊各莊，三十一里閻家峪，四十里高各莊，四十五里下營，周各莊，四十八里中營，初置巡檢，今移駐州城。五十里段家莊，六十里黃崖關，千總駐焉。六十五里後甘澗，七十里老營盤，陰山背，八十里三岔口，西灣，茨兒臺，北鋪，毛山。東北二里土樓莊，西井兒峪，黃莊，三里莫莊子，四里北張家莊，東井兒峪，五里白莊子，六里下寶塔，七里上寶塔，八里營房，十里暴子峪，老瓜峪，十二里毛家峪，二十里桃花寺汛，外委駐焉。二十五里小新莊，三十里川方峪，東井兒峪，鶯哥寨，果香峪，臺頭，三十一里蔡莊子，隆福寺汛，外委駐焉。三十二里白莊子，三十三里田各莊，黃花山汛，三十五里藥英窪，伯王莊，趙各莊，翟各莊，北官莊，高家橋，朱華山，李家凹，舊有唐之鹽城守捉近此。一統志：東北三十五里有鹽城守捉。按：方輿紀要據唐書云三十里。舊聞考云：唐地理志，薊州南二百里有靜塞軍，雄武軍，東北有洪水守捉、鹽城守捉。唐兵志：唐初兵之戍邊者，大曰軍，小曰守捉。薊州自鹽城守捉東北渡灤河，有古盧龍鎮。自古盧龍鎮北至奚王帳止六百里，故其防戍尤巖。洪水、鹽城當東北防戍之衝，故連置兩守捉。今洪水城、鹽城遺址皆無可考。三十六里團子山，車道峪，劉莊子，四十里石頭營，張莊子，陳家河，蘇莊子，珠光峪，于骨莊，狀元臺，四十一里大平安，青山嶺汛，千總駐焉。四十二里夏家林，蕭新莊，北馬莊，四十三里西葛頭莊，四十五里川倉峪，東葛頭莊，杏花山，王家墳，四十六里古强峪，四十七里太平莊，五十里道溝峪，石頭營，五十五里赤霞峪，七十里快活林，小平安，達子溝，九十里蛇溝子，唐之洪水守捉故城近此，按：一統志，洪水城，據唐地理志云，薊州東北九十里，餘詳上豐城守捉注。

舊有雄武城。薊州衛在治東北。舊唐書張仲武傳：仲武爲薊北雄武軍使。唐地理注：雄武城故廣漢川也。唐安祿山傳：安祿山築壘范陽城北，號雄武城，峙兵積穀。姚汝能安祿山事蹟：祿山歸范陽，築雄武城，外示禦寇，内貯兵器。方輿紀要：雄武城在州東北，唐天寶六載祿山築，其後置軍使，爲州境要地。薊州衛在治東北，洪武八年建鎮，朔衛在薊州衛西，永樂中又建營州右屯衛，本在大甯衛境，永樂二年移建州治北。舊聞考：衛俱廢。

東南半里南蔡園，二里南張家莊，三里南大井，四里南安子，七里東河套，八里山下屯，四不相莊，十里東山北頭，十二里西山北頭，蘇家莊，十五里運莊，十百户，楊各莊，十八里大黄土莊，小黄土莊大雲泉寺，小雲泉寺，青池莊，十九里東定福莊，二十里張家店，潘莊子，池莊子，下埝頭，沿河莊，朱家莊，楊家套，坎上莊，官扇莊，二十里鋪，二十一里東三間房，西三間房，二十二里九百户，二十三里秀金屯，二十四里西定福莊，彌勒院，王扛莊，徐各莊，二十五里上埝頭，六百户，雪莊，金車莊，采邨，八溝張莊，二十六里雙楊樹，二十七里霍家店，劉莊子，二十八里佛莊子，上李莊，二里店，二十九里八百户，辛家莊，三十里歡虎莊，吴家埝頭，仇家莊，楊各莊，楊家樓，豆家樓，東毛莊，新莊，溯河莊，孔家龍灣，田家龍灣，峯山莊，劉向營，張各莊，元帥營，大漫河莊，三十二里曹各莊，七百户，楊莊子，李各莊，岡上莊，三十三里西史家莊，毛莊子，三十四里三岔口，閆莊子，西九户，三十五里王官屯，仇莊子，豆莊，東史各莊，夏莊子，下李莊，康各莊，豆莊子，三十六里陳新莊，小賈莊，周莊，小白莊，三十七里曹各莊，胖莊子，三十八里崔各寨，馬家崖，小保安鎮，東三道港，中三道港，西三道港，四十里徐官屯，周官屯，馬各莊，半壁街，八溝十三莊，霍蘇莊，四十一里五百户，四十二里于莊子，代家莊，四十三里螺山莊，半壁店，四十四里粱莊子，四十五里四百户，大保安鎮，小屯，賈各莊，六道街，趙各莊，大胡莊，公莊子，大户各莊，小户各莊，大蘇莊，小蘇莊，姜莊，四十六里辛莊子，張胡莊，四十七里三百户，古莊子，四十八里王莊子，大南莊，五十里二百户，葡萄園，宋新莊，柳樹莊，枯樹莊，柏樹莊，張麒麟莊，鮎魚莊，秦莊子，八間房，大盧各莊，南趙莊，五十一里看花樓，定福莊，劉莊子，五十二里新家莊，姚新莊，干醬莊，小⿱封土莊，大⿱封土莊，楊公莊，周家莊，五十四里楊相公莊，五十五里大風溝，程家莊，小馬莊，馬龍港，韓莊，小張莊，五十六里香水園，陳莊，五十七里段莊子，五十八里十棵樹莊，胡家樓，梅花屯，六十里頭百户，小毛莊，黄土坎，周王屯張莊，張木匠莊，喬家菴，薛官莊，董家屯，馬營，東草廠，西草廠，小盧莊，毛眼鋪，舊有薊邱，即古薊關也。薊州沈志：薊門關舊有樓館，今無存。有二土阜，如門。舊聞考：古薊門關在州城東南六十里，一名薊邱，今遺址尚存。六十五里五里屯，王莊，沽東莊，東太河莊，西太河莊，中太河莊，趙山莊，七十里東迷王會，西迷王會，王福莊，安棋盤，前姚土河，後姚土河，婁莊子，魯家莊，舊有北平故城，或曰近此數邨。括地志：漁陽縣東南七十里有北平城，倚燕山爲版築。方輿紀要：北平故城在州境。漢右北平郡治平岡，或以爲即此城。舊聞考：北平故城遺址無考，燕山距州東南五十五里，與遵化、玉田接壤。薊州沈志：北平故城在州東七十里。按：乾隆府廳州縣志，右北平郡今永平府盧龍縣地。新斠注漢志、地理韵編，均右北平，平剛在永平府城東北四百里，永平在遵化東南，遵化、玉田在薊州東南，則北平故城在永平之東北，適在薊州之東南。又州志有博陸城、獷平城，蓋本方輿紀要也。今載密雲。七十五里毛家莊，八十里李家窩，大仇莊，王良莊，永安莊，國王莊，八十五里左家鋪，龐家場，劉廠莊，九十里莊窠莊，王家樓，于椿莊，九十五里喬口樓莊，高家沽，樓新莊，一百里閘口樓莊，白家莊，大高莊，小高莊，大曹莊。西南三里下閘莊，板橋莊，新莊子，四里上閘莊，七里豆腐營，八里西大屯，十一里丁家莊，吴家窪，十二里東鄭各莊，西鄭各莊，靳家莊，十五里五里莊，康家莊，焦莊子，郭莊子，小龍灣，龍灣莊，現渠莊，十六里王莊子，大唐莊子，十七里李四懷新莊，十八里前牛宫，後牛宫，二十里前大嶺，後大嶺，新莊子，現渠莊，現渠店，孟新莊，西瓦房，穆家莊，二十二里毛彦莊，盈福寺，二十五里小趙莊，安各莊，定福莊，西蘇莊，朱家莊，張進士莊，唐坨莊，東趙各莊，西趙各莊，黄家屯，吉祥莊，段莊子，小興武鎮，安兒莊子，傅新莊，朱家莊，二十七里楊莊子，二十八里廠莊子，張家莊，三十里白槐莊，小徐莊，李將官莊，棒章屯，黄新莊，小毛莊，王莊子，牛道口莊，馬莊子，都新莊，張新莊，小逯莊，小康莊，頭百户，西毛莊，小唐莊，前屯，嘴吧莊子，高莊子，三十一里董各莊，三十二里果家莊，高家莊，東二營，小果莊，梁家莊，陳家莊，荒地莊子，大莫莊，駱各莊，潘莊子，陳家橋，三十三里蔡家莊，都新莊，小莫莊，三十四里小金莊，陳家莊，程各莊，白廟莊，黄新莊，張仙莊，大唐坨莊，小唐坨莊，三十五里仇莊，太平莊，新河口，西二營，陳茂莊，都寨營，丁家莊，東施姑莊，西施姑莊，牛圈子，龍王廟，三十六里小朱莊，韓家筏，郭莊子，三十七里彦户莊，西蔡莊，三十八里崔新莊，張家店，東進貢坨，西進貢坨，小趙莊，大許家莊，柳子口，邱各莊，景各莊，三十九里大狼窩，小狼窩，頭營，雪家莊，四十里西小狼窩，永固邨，盧家莊，李景莊，臺頭莊，李莊子，李貴莊，定福莊，毛莊，李莊，孟新莊，小南莊，四十二里小尤莊，傅家屯，大袁莊，青甸莊，四十三里玉皇閣，鄧各莊，四十四里周家莊，程各莊，唐各莊，四十五里高家莊，曹家莊，尤各莊，楊各莊，大逯莊，四十六里武營莊，四十七里劉莊子，四十八里小許莊，小康莊，劉頂子，趙莊子，常各莊，謝莊子，小許莊，五十里大傅莊，齊莊子，顧莊子，塔兒莊，邢各莊，東王唐莊，五十一里小王莊，王莊子，五十二里黄新莊，李天莊，薄家莊，五十三里劉家莊，黄辛莊，袁新莊，朱家莊，李四莊，五十五里周鑾莊，馬房莊，胡家莊，張比莊，馬莊子，半壁街，韓家莊，蕭莊子，五十六里何邨莊，劉家莊，袁家岡，歸凝屯，坨子莊，五十七里高家莊，五十八里索莊子，張胖莊，小王莊，蘭家莊窠，五十九里魏莊子，六十里侯家營，牛圈子，傅莊，李花生，西王唐莊，橋頭莊，兩半莊，邵家沽，丁新莊，祥福莊，王家堡子，鋪户莊，王家店，張家莊，八蜡廟，周家莊，老丁莊，秦家莊，王大郎莊，韓家營，寇各莊，東馬營，西馬營，蕭家莊，前駙馬坨，後駙馬坨，吴家套，嘴頭莊，孟家莊，于家堡子，王家莊，李家莊，六十三里大潘莊，宗家莊，票莊子，六十五里柳林莊，瓦窰子，小屯，六十六里傅家屯，六十七里東馬道莊，西馬道莊，六十八里娘娘廟莊，七十里桑梓莊，孫家堡子，老宋莊，孫家堡，駱駝港，橋頭，張仙莊，李善人莊，七十二里安家莊，新莊，七十三里新莊，七十四里盧家莊，七十五里打魚莊，大掠馬新莊，七十六里崔新莊，七十八里三岔口。西北三里東路莊，西路莊，五里周莊，或曰金章宗避暑亭近此。一統志：避暑亭在州西北五里，相傳金章宗避暑于此。六里大刀覇營，姚園莊，十里駱駝菴，十二里歐家井，旱店子莊，十三里蓮花院莊，十四里肘各莊，十五里彩各莊，梁莊，十六里東後子峪，西後子峪，趙家峪，西流水莊，十七里北後子峪，野溝莊，二十里塔兒莊，怪子峪，官莊，二十三里夏各莊，二十七里盤山汛，外委駐焉。山有環翠亭，王衡遊盤山記：東崖有松，題曰蒼龍，折至中盤中觀，松從石罅出，繞北而西，爲環翠亭。懸石亭，王衡遊盤山記：自中盤至上方，度松棧而出，有懸石亭。舊聞考補：懸石亭在懸空石上，明戚繼光建，遺址僅存。津津亭，畿輔唐志：在盤山大巔。薊州沈志：在大巔，明僧常增施茶處，有石刻易飲處三字，秀水項德楨書。巢雲軒，按：軒在少林寺內，至正間雲威建。見盤山志。六王砦，盤山志：砦在茶子庵主山上，一壁淩虛，千峯居下，廢基存。舊有亂石莊，賜名玉石莊。盤山志：法常寺在亂石莊西，惟石幢古井在焉。舊聞考：亂石莊在盤山南麓，皇上賜名曰玉石莊。二十八里王莊，三十里胡盧峪，臭水盆，洪水莊，勾河北莊，太平莊，玉石莊，營房莊，連環嶺，瀑水莊，許家臺，二百户，官扇莊，吴四莊，黑豆莊，三十二里王莊，三十四里于骨莊，三十五里六間房，杜吉素，小米莊，三十八里王吉素，田吉素，四十里羊圈子，石佛莊，史各莊，劉吉素，新房子，桑園莊，四十三里泥河莊，四十五里桃園莊，新莊子，五十里田家峪，八百户，五百户，上新莊，五十五里盧家峪，偏橋子，九百户，六百户，六十里蝎子巖，莊窠峪，苛山集，六十一里上營，六十二里上莊子，六十三里彰作莊，六十五里黑水灣，七十里蔣福莊，栲栳山，黑豆峪，七十五里小港，黄松峪，八十里峩眉山，將軍關，白草窪，前溝，芍藥溝，滚嶺，塔兒嶺，八十五里瞪眼溝，陰司溝，白土嶺，北天臺，貼兒峪，東斗子峪，西斗子峪，夾板石，心思嶺，九十里半天雲，連三洞，釣魚臺，臭水盆，五道溝，思家嶺。舊有安遠故城，在治西北。方輿紀要：安遠故城在州西北，唐末置安遠軍，五代晉將周德威攻燕，拔安遠軍。舊聞考：城今無考。又有黎豁縣，廢置未詳。金地理志：薊州舊有黎豁縣，廢置皆未詳。

平谷縣

無鎮。

其邨：治東二里馬各莊，四里龍家務，六里王都莊，十里南泰務，有堡。二十里望馬臺莊，有堡，相傳金章宗出獵，嘗登此臺，據平谷朱志。舊有摩鼓臺，亦曰雷鼓臺，近此。按：一統志引明統志作擂鼓。

縣志云摩鼓臺。二十五里洙水莊，三十里水峪莊，四十里海子莊，東馬各莊。南二里寺渠莊，三里埝頭莊，五里東高邨，看花臺近此。平谷朱志：在城南五里逆流河之西，相傳金章宗看花于此，址存。十里大旺務。西六里岳各莊，七里趙各莊，十里魯各莊。北五里羅家莊，十里中胡家務，熊兒營莊，十五里上營莊，三十里北土門莊。東北二里下紙寨莊，三里上紙寨莊，五里橋頭營莊，六里瀝津莊，七里杜辛莊，十里張辛莊，北泰務，李辛莊，東胡家務，小北關莊，大北關莊，十二里舊有城子莊，即古縣城也。一統志：故城在縣東北，漢置。平谷朱志：古縣城在今縣城東北十二里，今名城子莊。十五里山東莊，峯臺莊，二十里南獨樂河莊，北獨樂河莊，文家莊，二十五里胡家莊，三十里韓家莊，祖務莊，滑子莊，三十五里上寨莊。東南三里楊各莊，四里張各莊，六里稻地莊，安固莊，八里賢王莊，十里夏各莊，十八里甘營莊。西南五里西高邨，六里東鹿角莊，十里西鹿角莊，北臺頭莊，南臺頭莊，霑霈莊，辛店莊，有鋪。周邨。西北五里賈各莊，齊各莊，七里小辛寨莊，大辛寨莊，十里白各莊，城子莊，太平莊，西胡家務，十五里蓮花潭莊，放光莊，楊家會莊，二十里井兒峪莊，夏箭務，有鋪。或曰發箭臺近此。按：平谷朱志云，在縣北二十里。名勝志：在縣西北。舊有滑鹽廢縣，在治西北，世謂斛鹽城，亦謂斛鹽戍。方輿紀要：滑鹽縣在縣西北，漢置，屬漁陽郡。後漢縣廢。明帝時謂之鹽田，世謂之斛鹽城。北魏時謂之斛鹽戍。新斠注漢志：漁陽郡滑鹽，在今平谷縣西北。

地理志十二

德清蔡賡年纂　江陰繆荃孫覆輯

邊關 海口附

易稱設險，傳言重閉，自古用武必争之地，尤爲宵小易匿之區。所宜鈐束咽喉，控扼險要。漢時始言盧龍之塞，唐代乃重渝關之險，明初徐達築邊牆，自山海關西抵慕田峪一千七百餘里，迨及末造，防範愈周。國家威德遠揚，輿圖式廓。每歲恭值避暑、行圍，自古北口外，清蹕所臨，皆爲都邑，奚有於此疆爾界也！近年海氛不靖，北塘一隅，與天津實相犄角，礮臺之扼要，防兵之屯聚，皆詳著之，俾同聚米云爾。志關隘。

京師西北，皆重岡疊巘，天設險要，東自馬蘭峪攔馬牆入境，西至昌平黄花鎮出境，共千九百餘里。

薊州最東邊曰攔馬牆，馬蘭路轄下。五里至恥轄谷砦，又三里至古强谷關，三鎮邊務總要：恥轄谷砦、古强谷關，並山險，不通騎。又三里至鼉椽谷，三鎮邊務總要：鼉椽谷通步，不通騎。又十里至青山嶺砦，三鎮邊務總要：青山嶺砦通單騎。又八里至車道峪，三鎮邊務總要：車道峪由櫛土嶺通步，不通騎。方輿紀要：車道峪堡在黄崖峪東直北，元之大興州也。又二里至太平安砦，三鎮邊務總要：由擦子臺離砦十里，通人馬，正口衝。又十一里至黃崖口關。三鎮邊務總要：黃崖口關正關水口東西稍城，斷頭崖、安墩、中山兒、龍扒兒、磚墩東西二空，俱通騎，衝。方輿紀要：崖谷關在薊州北四十里，其北三十五里曰尋思谷，又北十五里爲柞兒谷。長安客話：黃崖谷俗呼曰萬塔黃崖山。嶺上一塔，黃色，相傳金爲之，餘塔不可數。東南通古北口，元避暑古道也。

由黃崖口關西四十里至彰作里關，三鎮邊務總要：彰作里關正關水口，並紅石谷墩空，俱平漫，通人馬，極衝。又二十里至將軍石關，三鎮邊務總要：將軍石關正關水口城下，內外廠邊及大段頭山、小段頭山墩空，極衝。又十五里至黑水灣砦，三鎮邊務總要：黑水灣砦路狹，山險，通步。又八里至黃松谷關。三鎮邊務總要：黃松谷關正關水口城下，內外平漫，通人馬，極衝。又二十里至峨嵋山砦，三鎮邊務總要：峨嵋山砦通步，不通騎。接密雲界。

密雲最東曰峨嵋山砦，牆子路轄下。十五里曰魚子山砦，三鎮邊務總要：魚子山砦、桃園墩、南北順墩、大青山、嶺墩、窑墩等處，平漫通騎。又二十里曰熊兒峪口，三鎮邊務總要：熊兒峪正關水口，稍通人馬，其餘墩空，止通單騎。又二十里至南水峪，三鎮邊務總要：南水峪正關水口，平漫通騎，衝。又八里至北水峪，三鎮邊務總要：北水峪正關水口，並挂弓頂、卧狗嶺三空通單騎，衝，餘通步。明孝宗實録：弘治七年八月，整飭薊州邊備。都御史屠動奏：故豬圈頭關，平漫難守。關之三里曰北水峪，南八里曰南水峪，成化中各因山中增設，二關險要可守，但區畫未備，請於二關內加修增城垛，增立墩堡。從之。又十里至灰峪口，三鎮邊務總要：灰峪口，腰子石墩空，通單騎。又十二里至黃門口關，三鎮邊務總要：黃門口關正關水口，平漫可通大舉，又松嶺墩空，亦可通騎。又十里至南峪砦，三鎮邊務總要：南峪砦正關河口，平漫可通大舉。又防秋墩空，亦可通騎。又八里至牆子路，三鎮邊務總要：牆子路關外通大川，寬漫，內南高墩並窩鋪嶺及正關月城河口，俱衝。方輿紀要：嘉靖二十四年，諸音二十萬騎潰此而入，大掠通州及順義、三河諸縣。四十二年，諳達復由此入。昌平山水記：牆子嶺距密雲縣七十五里，城周一里三百一步四尺，三門，參將、提調各一人守之。有水關，水東流至石匣，南入於潮河。崇禎十一年失守，總督侍郎吴阿衡死焉。又一里磨刀峪，三鎮邊務總要：磨刀峪正關水口通牆子嶺大川，並大小尖山墩空，平漫，通大舉。又三十里至小黃崖關，三鎮邊務總要：小黃崖關正關河口，可通單騎。又十二里至大黃崖關。三鎮邊務總要：大黃崖關正關通單騎，餘通步。

由大黃崖關西十里至小臺兒砦，曹家路轄下。三鎮邊務總要：小臺兒砦邊外有橫山，通步。又七里至石塘峪，三鎮邊務總要：

石塘峪邊外山險，通步。又七里至姜毛峪，三鎮邊務總要：姜毛峪邊有橫山，通步。又十里至蘇家峪，三鎮邊務總要：蘇家峪邊外亦有橫山，通步。又五里至大水窪，又十五里至大蟲峪，又十五里至遙橋峪，又八里至惡峪，三鎮邊務總要：大水窪、大蟲峪、遙橋峪、惡峪邊外，皆霧靈山障之，僅通步徑。昌平山水記：曹家砦之東，牆子嶺之北，有霧靈山，距邊四十里。水經注：孟廣硎山也。其下爲廣硎水，自黑谷關入，西南流逕牆子嶺，西合清水河。其山高峻，有雲霧蒙其上，四時不絕。上多奇花，又名萬花臺。山之左右，峯巒拱列，深松茂柏，內地之民多取材焉。元史有霧靈山伐木官，又言文宗命西僧於霧靈山作佛事一月，而其絕頂可瞰塞內。議者謂山錯在諸音地界，據此山守之則易，循山南守之甚難。嘉靖初，巡撫都御史王大用欲通諸音，與以重賂取其山城之，不果也。右折爲馬連峪營，再左爲南峪砦。自惡峪口至南峪五里，又五里至燒香峪，三鎮邊務總要：馬連峪營、南峪砦、惡峪口、南峪、燒香峪，邊外有霧靈山，通步。又十里至烽臺峪，北五里至黑峪砦，其北爲紅門川，三鎮邊務總要：紅門川正關河口迤南通騎，折而右。方輿紀要：黑谷關在曹家砦東北，其北十四里曰榆樹林，東南四十六里曰鵪子塘，又南十里爲窄道兒，東北過斗裹庫。又十里至水峪砦，三鎮邊務總要：水峪砦平漫，通單騎。又十里至汗兒嶺，三鎮邊務總要：汗兒嶺通川谷一道，隘口窄，正關並西山墩空，通單騎。又五里至大角峪，三鎮邊務總要：大角峪通步。又五里至倒班嶺，三鎮邊務總要：倒班嶺通大川水口，迤西口土牆一帶，通單騎。又五里至師姑峪，三鎮邊務總要：師姑峪外通大川，極衝。又五里至扒頭崖，三鎮邊務總要：扒頭崖東接土牆，外通大川，山險，不通騎。又三里至梧桐安砦，又十里至齊頭崖，三鎮邊務總要：梧桐安砦，齊頭崖，山俱險。又四里至柏嶺安砦，三鎮邊務總要：柏嶺安砦、廟兒嶺、北高墩、狗皮嶺，路通單騎，迤西墩墩俱山，空險。又六里至將軍臺山。三鎮邊務總要：將軍臺山險，通步。

由將軍臺山西十里至盧家安砦，古北口轄下。又三里至鴉鶻安砦，三鎮邊務總要：鴉鶻安砦山俱險，通步。又四里至司馬臺，三鎮邊務總要：司馬臺隘口通單騎。又三里至丫髻山寨，又三里至沙嶺，又三里至磚垛子關，又六里至龍王峪，又十里至師坡峪，又十里至古北口。三鎮邊務總要：丫髻山寨、沙嶺寨、磚垛子關、龍王峪、師坡峪、古北口，俱外通大川，各墩空，俱通騎，極衝。昌平山水記：古北口水淺則絶潮河，水大則紆迴山頂行，故石匣至古北口計程爲六十里也。宋沈括言：自金溝館東北行，乍原乍隰。三十餘里，至中頓。過頓屈折，北行峽中，濟灤水，通三十餘里，鈎折投山隙以度，所謂古北口也。時道出其西，故云。然其曰灤水，即今之潮河也。古北口城在山上，周四里三百一十步，三門。洪武十一年，立守禦千户所。三十年，改密雲後衛，領左、右、中、前、後五千户所，其後以參將一人守之。唐書：檀州燕樂縣，有東軍、古北二守捉，北口，長城口也。又北八百里，有都古爾濟河，奚王牙帳也。金史：古北口，國言曰瑠和嶺。元史：古北口千户所於檀州北面，東口置司。唐莊宗之取幽州也，遣劉光濬克古北口。遼太祖之取山南也，先下古北口。金之滅遼，希尹大破遼兵於古北口。其取燕京也，布希敗宋兵於古北口。元文宗之立也，唐其勢屯古北口，薩敦追上都兵於古北口。圖沁特穆爾之入也，太子出光熙門，東走古北口。嘉靖中，諳達之犯京師也，入古北口，出古北口。故中居庸、山海而制其阸寨者，古北、喜峯二口焉。

由古北口關西五里至潮河第一砦，三鎮邊務總要：邊外大川各墩空，俱平漫通騎，極衝。又三里至第五砦，三鎮邊務總要：第五砦邊外大川各墩空，俱平漫，極衝，惟栢楂山險。方輿紀要：巡撫洪鍾議，以古北口東三里許二砦、三砦間，其山外高内低，約餘二丈，鑿爲兩渠，以殺水勢，復於口外砌石堰，使水由川中行，仍於堰内築外關一座，以防寇衝。詔從之。議者謂於栢楂山築牆，則川在牆内，鑿之無益，或又言，潮河川古道門外有蜂窠嶺，增墩，濬川，設橋其間，可防衝突。許論則謂：潮河川係殘元避暑故道，設橋則浮沙難立，爲塹則漲水易淤，若多建石墩列川中，錯綜宛轉，令不礙水路，亦備禦之一法也。又一里至第六砦，三鎮邊務總要：第六砦邊外大川，惟箭口安高險，不通騎，其黄榆墩，係嘉靖庚戌諳達入犯處。又一里至潮河川，三鎮邊務總要：潮河川關邊外大川，各墩空，俱通騎，極衝。昌平山水記：潮河川守禦千户所，有關。河自塞外興州發源，以入古北口，西南經密雲、懷柔至牛闌山，與白河合，其寬處可一二里。昔人斫大樹，倒著川中，狹處僅二三丈，以巨木爲柞，其外縱横布石，以限戎馬。此漢郎中侯應所謂木柴僵落谿谷水門者。然水性湍急，大雨則諸崖之水奔騰而下，漂木走石，當歲歲修。又所云功費久遠，不可勝計也。川之兩傍，築垣立臺，東臺下有鐵門關，爲出入道，常扃鑰不開，而臺上有樓，總督大臣以撫賞涖焉。關外爲夾牆，撫夷魚貫而前，受賞於關下，軍士列兩山上，伐鼓吹角以震讋之。下有小城曰北關營，二門，而川口東南有小城曰潮河川堡，亦二門，守備一人守之。臺之東西，因山爲城，參差曲折，千里不絶。其衝處則建空心敵臺，高或三四丈，廣或十四五丈。凡衝處或四五十步一臺，緩處或二百步一臺。每臺百總一人，主殺敵，臺副二人，主輜重。五臺一把總，十臺一千總，皆以南兵充之。每一二里，鈴柝相聞爲一墩，每墩軍五人，主瞭望。每路傳烽官一人，有警舉烽，左右分傳，數百里皆見，應速而備豫，大抵皆戚少保繼光之遺畫也。又三里至第七砦，又八里至弔馬峪，又三里至柞子峪，又十里至陡道峪，又八里至蠶房峪。三鎮邊務總要：第七砦、弔馬峪、柞子峪、陡道峪、蠶房峪，山俱險，通步。

由蠶房峪西十里曰陳家峪，石塘路轄下。三鎮邊務總要：陳家峪橫嶺，北平漫，通單騎。又五里至東駝骨關，三鎮邊務總要：東駝骨關，北平南險，通單騎。又十里至西駝骨關，三鎮邊務總要：西駝骨關正關並迤東東墩空，通騎，衝。又三里至左二關，三鎮邊務總要：左二關，正關通騎，極衝，餘通步。又十里至響水峪，三鎮邊務總要：響水峪通步。又十里至白馬關，三鎮邊務總要：白馬關正關河口通連騎，極衝。紅土谷並莊窠谷通單騎，餘通步。又三里至劃車嶺，三鎮邊務總要：劃車嶺正關平漫，通單騎，今改修邊堡。又十里至白崖峪，三鎮邊務總要：白崖峪通步。又十二里至馮家峪，三鎮邊務總要：馮家峪正關並迤西六墩空，俱通單騎，衝。又二十里至營城嶺，三鎮邊務總要：營城嶺山險，止通步。又五里至黃崖口關。三鎮邊務總要：黃崖口關正關通騎，衝；鮎魚石墩空，通單騎，餘通步。

由黃崖口關西五里至石塘嶺，三鎮邊務總要：石塘嶺正關，河口寬敞，通人馬；其關東石門墩厚，夏秋水大，河口坳，馬難行；打虎安、老鴰嶺三空墩，亦可通馬；餘山險，通步。又三里至東石城，又二里至西石城，三鎮邊務總要：東石城、西石城正關，俱通單騎，餘通步。又四里至東水谷關，三鎮邊務總要：東水谷關正關通單騎，東西南山俱陡。又十五里至大良谷，三鎮邊務總要：大良谷兩山陡峻，通步。又三里至白道峪，三鎮邊務總要：白道峪通步，不通騎。又五里至牛盆峪，三鎮邊務總要：牛盆峪通步。又五里至小水峪，又七里至大水峪，接懷柔界。三鎮邊務總要：小水峪山險，通步。

懷柔東曰大水峪，石塘路轄下。三鎮邊務總要：大水峪正關口並東山崖，通單騎，餘通步。方輿紀要：大水谷關在懷柔縣東北三十里，北去密雲縣之石塘嶺四十里，有城，旁地平坦。其北十八里曰段伏嶺。又有安子嶺，在口北八十餘里，皆防禦處。又五里至河防口，三鎮邊務總要：河防口通大川，正關河口並東西兩山墩空，俱衝。方輿紀要：河防口關在縣東北，亓連口東第二關口也。口外爲連雲棧，又北爲沙嶺兒，隘窄不容馬，防守較易。又十五里至神堂峪，三鎮邊務總要：神堂峪、串條子墩空，通連騎，極衝，通步。又二十里至亓連口，又西十里至慕田峪，接昌平界。三鎮邊務總要：亓連口通大川，正寬水口寬漫，通連騎，極衝；黃草窪、南山墩、東敵臺三空通騎；迤西各墩空，通步。

昌平州西八里爲舊縣，又西北十里爲龍虎臺，又西北六里爲居庸關，南口有城，南北二里，按：魏書謂之下口。常景傳：都督元譚據居庸下口。北齊謂之夏口。文宣紀：天保六年，築長城，自幽州北夏口至恒州，九百餘里。是也。元史始謂之南口。南口以上十五里爲關城，昌平山水記：城跨水築之，周一十三里餘，高四丈二尺，南、北二門，東有水門。明宣德三年八月，命工部侍郎許廓修。城之中有過街塔，臨南北大路，累石爲臺，如譙樓而竅其下，以通車馬。上有寺，名曰泰安。正統十二年賜名，下竅處刻佛像及經，有漢字，有番字。元史：泰定三年五月，遣指揮使兀都蠻鐫西番呪語於居庸關崖石。今其刻甚多，非一時筆也。又八里爲上關，九邊圖說：上關有小城，南、北二門。又七里有彈琴峽，山水記：彈琴峽，水流石罅，聲若彈琴，上有佛閣。又十里至八達嶺，九邊圖說：八達嶺有城，南、北二門，元人所謂北口者是也。八達嶺下視居庸關，若建瓴，若闞井。故昔人謂居庸之險不在關城，而在八達嶺也。又五里爲岔道，接延慶州界。山水記：岔道有二路：一自懷來衛，保安州至宣化府爲西路；一至延慶州永甯衛、四海冶爲北路。由南口至八達嶺，凡四十里，兩山壁立，中通一軌，重嶺疊嶂，蔽虧天日。水經注所謂山岫層深，側道褊狹，曉禽暮獸，寒鳴相和，羈宦游子，聆之者莫不傷思者也。淮南子曰：天下九塞，居庸其一。而金史言：中都之有居庸，猶秦之崤函，蜀之劍門。山自太行迤北至此，數百里不絕，自麓至脊，皆陡峻不可登。中間爲徑者八，名之曰陘，居庸其第八陘也。謂之居庸者，元翰林學士王惲言：始皇築長城，居息庸徒於此，故以名焉。亦謂之西關。三國志：田疇乃上西關出塞，傍北山直趨朔方是也。亦謂之蠮螉塞。方輿紀要：晉咸康六年，慕容皝帥諸軍入蠮螉塞，直抵薊城是也。亦謂之軍都關。魏書：杜洛周反於燕州，敕都督元譚西至軍都關，北從盧龍塞，據此二險，以杜賊出入之路是也。亦謂之納款關。通典：居庸關在昌平縣西北，齊改爲納款關，亦謂之冷陘。陘又作硎。新唐書：孫佺爲幽州都督，帥兵討李奚，大酺副將李楷洛、周以悌，次冷硎。唐十道志：又名薊門關。金史：又名齊喇哈番。蓋此關自古稱之矣。其南北口之戍，則自元始。北口千户所屬上都路龍慶州，南口千户所屬大都路昌平縣。史言睿宗於居庸關立南北口，屯軍徼巡盜賊，各設千户所。至大四年，樞密院奏：居庸古道，四十有三，軍吏防守之處僅十有三，舊置千户，位輕責重。於是千户所爲萬户府。分欽察，唐兀，貴赤，西域，左右阿速諸衛軍三千人，並南、北口大和嶺舊隘漢軍六百九十三人，屯駐東、西四十三處，立十千户所，置隆鎮上萬户府以統之。皇慶元年，始改爲隆鎮衛親軍都指揮使司。延祐二年，又以哈兒魯軍千户所隸焉。至明洪武三年，置守禦千户所。永樂二年，置衛領千户所五，以爲京師北面之固。本朝初設參將駐守，後改都司一，把總一，駐關城；又把總一，分防八達嶺；外委一，分防南口。

最東曰慕田峪關，渤海所轄下。昌平吳志：慕田峪關，明永樂二年建。正關並迤西王家坨、燈千嶺、榨墩、劉家項、分界墩、胡思峪至界牌石止，各墩空俱山形平漫，外臨大川，極衝。三鎮邊務總要：自此以西皆重邊，以東皆單邊。東十里接大水峪、亓連口、密雲縣界。方輿紀要：渤海所，明宏治中置千户，有新、舊營城二座，嘉靖二十七年建。本朝設把總分防。又五里至賈兒嶺口，昌平吳志：賈兒嶺口，明嘉靖十五年建。界牌石迤西安甯臺、大管仲渠至德勝臺止，內險外平，牽馬可上，餘通步。又三里至田仙峪砦，昌平吳志：田仙峪砦，明永樂二年建。山險，有溝一道，置水關，緩。又十五里至擦石口，昌平吳志：擦石口，明嘉靖二十年建。山險，有溝，外通梨樹坨、四海冶，置有城壕可守。又十里至磨石口，昌平吳志：磨石口惟二道關並東山墩空，水口衝要，通馬，其大安家坨迤西，嵐兒峪各山，險，通步。又五里至驢安嶺口，昌平吳志：驢安嶺口外通四海冶，內險外平，通步，緩。又五里至大榛峪口。昌平吳志：大榛峪口正關，外通四海冶、東峪、旱箭石、東山墩、雪山墩，俱通單騎，餘山險，稍緩。以上三口，明永樂二年建。

由驢安嶺口西十里至南冶口，黃花鎮轄下。昌平吳志：南冶口有水關，通步，緩。其北二十里外有橫梁，又名橫嶺，州境止此。舊聞考：元黃花鎮千户所於昌平縣東口置司，以參將一人、守備一人守之。明景泰中建城，有三門，設內官守備。嘉靖四十年革。鎮城直天壽山之後，爲明長陵元武，爲京師北門，當居庸、古北二關之中，而北連四海冶，明人所謂擁護山陵，勢若肩背者也。其地多鼠，京師人以爲美味。明史言：洪熙元年閏七月，守居庸關都督僉事沈清獻黃鼠，上曰：清受命守關，當練士卒，利器械，而獻鼠何耶？卻之。又三里至大長峪，昌平吳志：大長峪山險，通步，緩。又二十里至小長峪，昌平吳志：小長峪，其北爲萬澗口，山形雖下，外險，止通步。由慕田峪關至此，凡十口，俱有堡。以上三口，明永樂中建。又五里至本鎮口頭道關，昌平吳志：本鎮口頭道關，明嘉靖十七年建，其二道關通四海冶來騎，三道關往西南，道路寬漫，通衆騎，極衝。又六里至鷂子峪，昌平吳志：鷂子峪，明嘉靖二十三年建，牆外寬平，通衆騎，極衝。其南北山墩二空皆山險，通步。又三里至撞頭口，昌平吳志：撞頭口，明永樂二年建，內窪外阜，受敵，極衝。其桃園東西墩空，通步，緩。又二里至石湖峪口，昌平吳志：石湖峪口，明正德八年建，山險，不通騎。又三里至西水峪口，昌平吳志：西水峪口外通永甯南山謊礮兒井、韓家川，通大舉，極衝。又二十五里至石城峪口，昌平吳志：石城峪口即榆林溝，外通白龍潭，可行單騎。以上六口，除石湖峪，餘俱有堡，本鎮口堡在二道關。又五里至棗園砦，昌平吳志：棗園砦即驢兒坨，迤東係明陵禁山，緩。以上三口，明永樂中建。

由棗園砦西三里至門家峪山，灰嶺口轄下。昌平吴志：門家峪山，山勢重疊，然通白龍潭路來騎，極衝。又三里至灰嶺口，昌平吴志：灰嶺口内外寬漫，由松樹溝、慈母川，通永甯城，極衝。又三里至賢莊口，昌平吴志：賢莊口本口路隘，通永甯南山塔兒來騎，次衝。東北通白龍潭，險。又七里至錐石口，昌平吴志：錐石口寬漫，三十里外闌石稍險，外通塔兒峪，衝。西南十里郭家莊，通單騎。又五里至雁門口，昌平吴志：雁門口外險内平。又五里至德勝口，昌平吴志：德勝口又名翠平口，山勢高險，中有大河，外通大小紅山、柳溝等處，衝。又九里至虎峪口，昌平吴志：虎峪口外險内平，不通騎。又五里至養馬峪口。昌平吴志：養馬峪口在南口門，緩。草花頂，山勢内外高險，人馬難行。以上八口，明嘉靖十五年建。

由養馬峪口西三里至石佛寺口，八達嶺轄下。昌平吴志：石佛寺口、草花頂迤南，通步，緩。又三里至青龍橋東口，昌平吴志：青龍橋西頭，青龍墩迤東，北山墩迤西，俱平漫，通衆騎，極衝。以上二口，有堡。又三里至王瓜峪口，昌平吴志：王瓜峪口、趙家墩三空平漫，通衆騎，極衝。水口寬廠，南北石門地高，衝。以上三口，明永樂中建。又三里至八達嶺口，昌平吴志：八達嶺口，明宏治中建。自熊窩頂至西門敵樓，平漫臨大川，通衆騎，極衝。餘通步，緩。又三里至黑石峪口，昌平吴志：黑石峪口内外平漫，威靖墩至衝，峪、墩通衆騎，餘通騎，衝。又三里至化木梁口，昌平吴志：化木梁口中，三墩通衆騎，極衝。又二里至于家衝口。昌平吴志：于家衝口正城迤東一空，通單騎；迤西青石頂墩通于家溝，俱通衆騎，衝。餘通步，緩。青石頂山勢外平内險。以上三口，永樂中建。

由于家衝口西三里至化家窑，石峽峪轄下。昌平吴志：化家窑内外高險，龍芽菜溝通單騎，城東頭至西頭水口，平漫，通衆騎，極衝。又三里至石峽口，昌平吴志：石峽口城東至石崖子口及西山墩至鎮魯墩，俱通單騎，衝。又三里至糜子峪口。昌平吴志：糜子峪口正關水口，並鎮西墩至南山墩，通陳家墳，俱平漫，通衆騎，極衝。餘步緩。

由糜子峪口西六里至軟棗頂，白羊口轄下。昌平吴志：軟棗頂，明永樂中建。正關東北，山勢險峻，止通單騎。口外平溝内薄梁，極衝。采訪册：白羊城跨南北兩山，高二丈五尺，周七百六十一丈餘，東、西二門。元史：白羊口千户所，於昌平縣東口置司。明景泰元年，調涿鹿中衛後千户所官軍守禦，後以守備一人守之。本朝設外委分防。其南里許五峯山下，舊有小城曰白羊新城，今慶僖親王園寢卽其地。又三里至牛臘溝，昌平吴志：牛臘溝内外山峻，牽馬可上，極衝。又二里至桑木頂，昌平吴志：桑木頂外梁平，内山險，可通單騎。以上二口，明嘉靖二十二年建。又一里至黄鹿坨。昌平吴志：黄鹿坨，明嘉靖四十四年建，山梁平漫，通衆騎，極衝。

由黄鹿坨西四里至茶芽坨，長峪城轄下。昌平吴志：茶芽坨，内外山峻，牽馬可上，極衝。采訪册：舊名上長峪，城高一丈八尺，周三百五十餘丈，南、北二門，明正德十五年建。城南有小城，曰長峪新城。又二里至沙嶺兒，昌平吴志：沙嶺兒南至長峪城二十五里，北至懷來四十里，可通人馬，次衝。又二里半至窟窿山，昌平吴志：窟窿山正關外平溝有山梁，可通大舉，極衝。又二里至鏡兒峪，昌平吴志：鏡兒峪山峻，牽馬可上。又二里至分水嶺，昌平吴志：分水嶺内外平漫，可通大舉。又六里至銀洞梁，昌平吴志：銀洞梁内險外平，次衝。以上六口，明永樂中建。又二里至轎子頂。昌平吴志：轎子頂，明嘉靖二十五年建，東自銀洞梁西墩至轎子頂根，通衆騎，衝。

由轎子頂西一里至黄石崖，横嶺城轄下。昌平吴志：黄石崖通單騎，衝。采訪册：横嶺城，明宏治十八年建北城垣。其南面城垣，正德八年建。南、北當兩山之衝，長五百餘丈，城北有山横亘，故名横嶺城。又一里半至東涼水泉，昌平吴志：東涼水泉，山梁平漫，通騎，次衝。又一里至西涼水泉，昌平吴志：西涼水泉，山薄梁平，可行人馬，極衝。又一里半至火石嶺，昌平吴志：火石嶺，關外溝平闊，通大舉，極衝。南至房頭十里，房頭至横嶺城五里，北至懷來四十里。又二里至寺兒梁，昌平吴志：寺兒梁，山稍峻，通單騎。又一里至東核桃衝，昌平吴志：東核桃衝，山梁可通步騎，次衝。按：東、西二口相連，南至横嶺十五里，東至火石嶺西口二里，北至懷來三十五里。又一里至西核桃衝，昌平吴志：西核桃衝，山勢平漫，通騎，次衝。十里外，西通板達峪口。又二里至大石溝，昌平吴志：大石溝水口，内平外漫，通大舉，極衝。又一里半至陡嶺口，昌平吴志：陡領口，外險内漫，通步。又二里至鶯窩坨，昌平吴志：鶯窩坨，外懸崖，内山高峻，緩。又一里半至小山口，昌平吴志：小山口山險，牽馬可上。又二里至姜家梁，昌平吴志：姜家梁山險，通騎，次衝。又二里至倒翻衝，昌平吴志：倒翻衝有水口，内外平漫，通大舉，極衝。以上十四口，明永樂中建。又五里至廟兒梁，相連西柳樹窪。昌平吴志：西柳樹窪，明永樂中建，内外平漫，極衝。

由西柳樹窪西六里至黑衝峪，鎮邊城轄下。昌平吳志：黑衝峪平漫通騎，極衝。北梁通步，緩。山水記：鎮邊新城，明隆慶中建。本朝設把總分防。其舊城在新城東南二里，正德中建，原名灰嶺口，自建城後，始改曰鎮邊城。新城以西有堠曰唐耳，背據大山，大視懷來，足爲天險。又西少南十餘里，爲沿河口界。又三里至東頭溝，昌平吳志：東頭溝，外平內險，通單騎，次衝。又二里至北唐兒菴，昌平吳志：北唐兒菴卽唐虞菴，有小口，內外平漫，可通大舉。又二里至南唐兒菴，昌平吳志：南唐兒菴，外險內平，水口空闊，牽馬可行。又四里至松樹頂，昌平吳志：松樹頂山險，僅通步，緩。以上五口，明嘉靖三十年建。又四里至桂枝菴，接延慶州界。昌平吳志：桂枝菴，明嘉靖三十八年建。相近有洪鎮山，山上有圓城，迤西至斷頭崖，俱重山疊嶂，不通步騎，邊牆止此。

順天廿四屬，惟甯河濱海濱；北界澗河，爲豐潤縣南境；南界大沽河，爲天津縣北境。有口曰北塘，自北塘北至澗河，袤一百里，自北塘南至大沽，袤三十里，河口輪船可進，最爲緊要。咸豐十年，洋人攻大沽，不能入，轉由北塘登岸，攻大沽之北，我軍失利。近築三礮臺扼之。澗河□里至望杆子墩，又□里至張家碼頭，又□里至十二里堡墩。采訪册。沿海圖說：自北河口低海岸，曲折向北六里至北塘河口。二河口間爲廣大泥灘，距大沽以北一里至二里，有塚地，北塘以南亦有塚地，餘爲淤陷。近北塘河口，有窄澳，深入岸間，長四里至五里。窄澳中腰有長隄，爲通新莊與北塘陸路。兩岸各有礮臺。距礮臺外二里半至四里，爲沙口淺亘，內外二界有木桿作識。兩旁泥灘，潮退盡時，成數尖嘴，長四里半。最北外半爲硬沙亘，最淺處潮退盡時深二尺，大潮最高時，深十三尺。北塘亘外，朔望日潮漲，於十小時二刻三分大潮，高十一尺。西七八月時，近大潮前後，汐高於潮。近小潮前後，潮高於汐。朔望後二三日間，潮漲最高。

地理志十三

黄岡洪良品纂 江陰繆荃孫覆輯

風俗

順天府屬州縣二十有四，星羅棊布，壤接趾錯，皇都尺咫，風尚不殊。然諺云：百里不同風，千里不同俗。霸、文偏於南，與保定、河間相似；昌、密偏於北，與宣化、永平相似；寶、甯富庶，俗尚奢靡；平、懷狹隘，民情弇鄙。大同之中，不無微判。爰甄其岐尚者著於篇，以備在位者問俗采風，於以補偏救弊云爾。志風俗。

順天户口繁富，民風篤寔，輦轂之下，皇化所先，加以地多磽薄，人近樸陋，距京師數十里，卽棲茅啜菽，一如窮鄉僻壤。西北多山，民習勤苦；東南多水，民憂氾濫；惟通州、武清下接津沽，近年各國通商，輪舶翔集，大艑長舸，百貨薈萃，民食其利，富厚日形。然華而不靡，勤而不惰，知得於觀感者深矣。州縣志類多追述前徽，有可諷世勸民者，如寶坻洪志曰：知縣洪肇楙適軍糧城，失路，見一樵者，遣役問之，掖至輿前，問曰：此何地名？曰：不知。爾住何莊？曰：不知。爾何姓名？亦曰：不知。蚩蚩木立。洪笑而釋之。去數武，復竚望而笑。洪歎曰：甚哉，民之醇也！其不見官吏也久矣，宜其始則茫茫然驚，繼則嘻嘻然樂也。美哉俗乎！范書載：劉寵爲會稽太守，狗不夜吠，民不見吏，龐眉皓髮之老，未嘗識郡，朝史之所稱，豈不懿哉！若夫役繁訟多，終歲之勤，半在官府，雖欲其愚，不可得矣。永清周志曰：東鄉濱河，河東韓邨、陳各莊一帶，地土磽瘠，多沙堿，不宜五穀，居民率種柳樹。柳之大者，伐薪爲炭；細者，折其柔枝，編緝柳器。無業貧民，往往賴之。凡採柳，在夏秋之交，早則液潤而夭，遲則疎燥而强，皆不中於束縛。大者爲筐，可容石許；小者或類盤盂，方圓徑二寸，量其工力繁約而計其直。業編柳者，窨地爲室，篝火其中，不知時日早暮。蓋治柳枝，必先柔之以水，剥其青，膚瑩白如荑，乃可屈曲，見風則脆而折，故就窨室成之。老幼男婦，窮日所爲，八口乃可給也。横上居民，專以織柳爲升斗量器，器良易售。云是有巧術，鄉黨相約不得授法於女子子，恐女子嫁别邨，轉授夫婿，争其業也。東安李志曰：俗尚文雅，人多技藝，沈鷙而有材力，重許諾，矜豪俠，質性厚重。香河劉志曰：喪家延僧衆作佛事以薦亡者，道場或三日，或五、七日畢，送僧襯錢，僧必以十分之二送還主家。凡土木工匠，日久亦然，至今如此。亦醇風之一端也。三河陳志曰：賓至則壺酒盤飧，絶無兼味。卽縉紳富室，亦略無靡麗，其習俗使之然也。甯河丁志曰：甯邑人多樸拙，然終歲勤動，游手好閑者絶少。各項工作，所操藝事，僅能成器備用，無有以近巧名者。而沿河莊户，皆以結魚網爲業，得微利，少可自贍。耕種之區，親饁餉，佐耘耔，率以爲常。城薄下溼地，晝取茅，夜索綯，不減豳風景象。邇更勤於紡績，司中饋畢，聚家之老幼，姑率其婦，母督其女，篝燈相對，星月横斜，猶軋軋紡車聲達户外也。昌平宋志曰：士則務實學，尚質樸，貧者多耕以自養，舊志所謂足迹不入公庭，耳目不交市儈，非虚語也。農則山居之民以果樹爲業，山外者專務力田，然素鮮蓋藏，一遇凶年，支絀立見。房山佟志曰：城内不乘輿馬，無貴賤少長，出則於郭外乘之，入則至郭外下輿馬步入。婚姻不擇財勢，惟擇舅姑與婿之賢者相締。邇來有尚財勢，而晚多敗棄者，邑人每以爲戒。遇喪葬，務盡哀合禮，不以觀美爲悦；祭奠盡誠，不以牲醴錯陳爲豐；賓客會飲，將敬而已，不以華綺重篕互相炫燿，但醉狂豪呼，時露悲歌慷慨之槩。不特貧賤單族，服飾不尚侈靡，即富貴之家，祇期莊雅爲佳，較京師之繁縟，良、涿之浮夸，稱最朴焉。一切器物，但取堅質適用而已，不以雕鏤金玉相競尚。渾噩之氣獨留於巘邑。霸州周志曰：州西地皆平衍，民樹桑棗，勤耕織，然當諸河之衝，頻罹水患。東多水鄉，饒魚鹽蒲葦之利。南汙下沮洳，不得耕播，民多業漁。其俗樸野愚鈍，倔强不肯屈折。每秋水泛濫，多棄業攜家徙别所。郡北沙薄，不宜穀，民種榆柳，植瓜果，與諸屯接壤，有軍衛風。保定成志曰：敦好禮義，崇尚廉恥；婚姻以時，隨其貧富；喪祭惟禮，稱其有無；錢糧如期而納，訴訟輸誠而理；不事浮靡之習，頗有篤實之風。其事均有足傳者。

冠禮：士大夫家子弟十六，父命加冠，或岳丈爲婿加冠。良鄉楊志。

婚禮：先遣媒妁問名，取女年庚合婚，亦有男女親長作保親者，不必合婚，謂之撞婚。通州高志。擇吉具紅柬，央媒衣冠上門，四拜獻柬。薊州沈志。行定禮，用釵釧紬帛及羊酒果餅等物。將娶，行聘禮，用衣飾及羊酒果餅等物，俗名下茶，又名過禮。將娶先期，壻家備禮物及雞席送女家，曰催粧。女家送粧奩，仍以雞席歸壻家，曰鋪牀。粧奩豐儉，各稱其家。娶前一日，曰花燭。男女家俱有戚友備禮稱賀，各設吉席款待。通州高志。娶之日，男子親迎，陳設燈燭鼓吹，至女家，女家爲備酒醴敬迎，謂之喜筵。燕畢，女至婿家，夫婦同拜天地，行合巹禮。固安陳志。娶之次日，女家送果品等物，曰點茶。三日復送席，曰餪飯。娶後幾日，擇吉行廟見禮，女家親戚咸往壻家，曰會親。九日，女家迎壻、女至家，曰回九。十八日，女家親戚咸往壻家，曰作雙九。或女家復迎壻、女至家，曰回雙九。及一月，女家迎壻、女至家，曰住對月。或壻先返，擇日送女歸。通州高志。

喪禮：初喪，辟踊哭泣，扶尸於牀，覆衾其上，懸紙馬紙錢於門。固安陳志。詣五道、土地等廟，焚燒紙求魂，三日始殮。良鄉楊志。屬纊含歛，男括髮，女去頭飾，乃成服。告於鄉社之廟，日三次，三日乃止，謂之報廟。書死者姓氏、年月榜於門，謂之殃榜。昌平宋志。訃告親族，飯用不熟者含。孝子衰麻，哭無時。一日合家不舉火，不食。孝子浴親尸面，置米鹽錢物於棺內，歛入棺柩，停院中，上覆以棚，親友皆臨弔，孝子稽顙答拜。每逢七日，必備筵哭奠，謂之做七。七者，戚也。固安陳志。世俗多修佛事，士夫家亦有遵行文公家禮者。東安李志。踰月而葬，或有停喪至數年者。及筮葬，富者蓋席爲棚，家祭，請題主，祠后土，以文武甲第主之。固安陳志。發引前一日，戚友賻弔，曰封靈。士大夫家延庠生行遷柩禮。發引日，喪家或用僧道，士大夫家或庠生於途行遣奠禮。戚友束帛素服送殯。或設路祭，或設祭品於墓所，曰山頭祭。通州高志。喪家散孝，有孝袍、孝帽，貧者設奠而已，亦設孝帽。固安陳志。葬實土成墳，封而不樹。三日，孝子增築新土，謂之圓墳，亦謂之煖墓。通州高志。至清明日，必填墳。持喪二十七月，百日不薙髮，遵制與京師同。固安陳志。送喪有擬司會，以其法度整肅，擬於官司也。鄉人或二三十人，多寡不等，各爲一朋，每朋推年尊者三人爲長，次又推一人爲主事者，司出納，衆咸聽約束。一會各出銀錢，主事者收掌，遇各人及親識有喪，則約齊於晡時往弔，量出會錢以爲奠賻，謂之坐宿。發引時，各具幡幢會送。凡行禮、坐立皆以齒，拜跪參差者有罰。冠裳秩秩，少長隨行，殊可觀也。順義黃志。

祭禮：士大夫家，凡有廟堂者，祭於廟堂，無廟堂者，室中設一龕，奉神主。逢節祭拜，朔望焚祝，出入祇告，四時供鮮，生子、娶婦，諸事必祭之。良鄉楊志。清明節祭掃先塋，懸掛紙，放起花，奠於墓所，比户皆然。同集家廟，廣設几筵，合族會食，歡洽竟日。亦有取次分門在家會飲者。七月十五日，獻麻谷。十月一日，送寒衣。終除夕、新節元旦，懸像設供，家家致祭。遇祖先忌日，請主在堂，具牲醴，舉家拜奠。三年服闋，肅儐相，備獻儀，祝告先靈，易凶從吉，不煩不怠，猶有古風。甯河丁志。歲時正旦五更時，農家秫稭一節擘開，依次挖十二孔，以配十二月，即以大豆十二枚置其中，線纏合之，質明開視，數至某月，豆漲大則某月多雨，無不驗者。清晨牽驢一頭，隨喜神方位驅之，謂之迎喜神。固安陳志。祀神，祀先，換新衣，謁官師，拜尊長，親識往來交拜。候陰晴，觀日色，以占年月歲豐歉。預治餚蔬，三日内不煮生，不煎炒。迎喜神、貴神。良鄉楊志。初二日，每家於祖塋焚紙錢，行四拜禮。固安陳志。初七，人日，攜酒登高。良鄉楊志。自一日至十日，以陰晴卜六畜、人、穀、菜、果之豐耗。三河陳志。元夕，好事者先期按户歛錢爲燈燭費，謂之燈會。固安陳志。十五至三十，里二泗娘娘廟有廟場香會。通州高志。十六日爲耗磨日，宜飲酒，忌開倉庫。東安李志。久患眼疾，以艾灸瓦窰即愈。房山佟志。二十五日，俗以爲倉官誕辰，用柴灰攤院落中爲囤形，或方，或圓，中置爆竹以震之，謂之漲囤，又謂之填倉。永清周志。二月初二日，龍抬頭節，人家以石灰引白龍入，以小灰引黑龍出，亦有以小鍽食祀者。甯河丁志。以水和麪如粥，置油於釜，熟食之，名曰煎餅。固安陳志。自初一至初三，各置土地廟演戲祀神，十九日北壩菩薩廟有廟場香會。通州高志。三月三日，病創者多以長流水洗之，卽古人修禊遺意。涿州吴志。初二，孤山廟有廟場香會。通州高志。清明日，各祭於先塋，加新土，供牲醴，焚紙錢，祭畢，乃燖饌享餕餘，少長咸集，謂之清明會。固安陳志。有喪之家，三年内，於春首戊寅日以前祭新墳，不過天赦日也。通州高志。自十七至十九，楊富店娘娘廟有廟場香會。通州高志。二十六日，俗稱爲本縣城隍生日，相率賽會，奉神像，導以鼓樂旗旛，迎於街，及廟而止。永清周志。二十八日，俗爲東嶽誕辰，州人詣北關東嶽進香。涿州吴志。留台光三元宫廟會。房山佟志。自二十七至二十九，東嶽廟有廟場香會。通州高志。穀雨帖逐蝎圖於壁，以厭之。東安李志。四月自初一至十五，宏仁橋娘娘廟，張灣廣福寺，俱有廟場香會。通州高志。俗不養蠶，婦人無事，自初春時，卽治秋令衣服，必於此月告竣。固安陳志。初八日，登崆峒山，賽崔府君神。薊州沈志。十八日，天開娘娘廟會。房山佟志。登五名山，賽聖母會。薊州沈志。草寺娘娘廟，有廟場香會。通州高志。二十六日，本縣城隍生日，賽會。順義黄志。二十七、八日，城内外四處藥王廟，有廟場香會。通州高志。男女上廟進香，絡繹於道。東安李志。北關九神廟，有廟場香會。通州高志。五月初一日，本州城隍廟，自四月晦日至初一廟場香會。里二泗娘娘廟亦於初一有廟場香會。通州高志。端午日，城邑皆佩艾葉，飲雄黃酒，食角黍，親友交餽。邨中第食角黍而已。固安陳志。繫采絲於小兒背，謂之長命縷。東安李志。十三日爲關帝誕，自初一至晦日，王恕園關帝廟有廟場香會。通州高志。夏至戴萆麻子葉，長命菜，卽馬齒莧也。涿州吴志。六月六日，汲水浸物，經久不壞。三河陳志。曝書及衣服，爲冰雹會。固安陳志。曝衣。通州高志。農家以土穀神掛於地頭，名曰掛土地頭。香河劉志。十七日，俗稱爲本州城隍誕，有廟會。通州高志。二十三日，賽火神廟。薊州沈志。二十四日，爲分龍會。固安陳志。七月七日，婦女乞巧，投針於水，借月影以驗工拙。良鄉楊志。至夕，設瓜果酒脯，祭織女。固安陳志。十五日，作盂蘭會，放河燈。固安陳志。或於衢路，曰旱道燈。東安李志。攜楮錢，登隴墓祭奠。固安陳志。八月二十八日，城隍誕辰，賽會。薊州沈志。九月九日，鄉農散工，開六畜欄，牧於田野。三河陳志。冬至日，行釋菜先師禮，懸像或設主，師生以次肅拜，奠獻畢，敬徹像，主則跪焚之。弟子拜先生，窗友交拜，謂之拜冬。固安陳志。臘月八日，臘八粥必於五更以前食之，俗傳食粥早，則五穀之收成亦早。固安陳志。除日，各隨家之貧富，豫備酒餚果物，以給新歲之需。易門神、桃符，貼春聯，以祓不祥。居喪之家，必登門拜之，謂之拜孝年。至朝，則日高三丈，猶閉户不出也。固安陳志。

地理志十四

方言上

德清傅雲龍纂 江陰繆荃孫覆輯

昔揚子雲以典莫正於爾雅，作方言。於此方人語采凡六十，外此散見它書，往往而有用。靈壽志、雲南通志槀例纂入志，言繫㠯方，方睬厥治北人云云，不著録，懼羼也，見之此方專書，則録，所云北人，非異方人也，或今古殊言，或異同互見，次第略依爾雅例。鄭注周禮曰：今燕俗名湯熱爲觀。許氏説文解字曰：燕謂信爲諶。猶本之揚。又曰：聿燕謂之弗。初學記引作拂。此則輶軒所未及矣。它如劉熙之釋名，郭璞之爾雅注，陸璣之毛詩疏，與夫廣韵、玉篇、集韵、類篇諸書，其于此方俗言，咸有取焉。言隨世轉，不無變譌，然古音古誼，時有存者，豈直問異辨奇云。志方言。

燕謂信，訦也。（説文言部。）訦，信也。（方言一。）燕曰諶。（爾雅釋詁郭注引方言。今方言本，諶作訦，已同説文，故引文之異者。）

按：説文：訦，燕、代、東齊謂信。訦也，從言，冘聲。方言一：訦，信也。燕、代、東齊曰訦。訦，郭音諶。爾雅釋詁：諶，信也。郭注引方言曰：燕、岱、東齊曰諶。邢疏方言作訦。説文：諶，誠諦也，從言，甚聲。集韵：訦，諶，忱，愖，並同。詩：天難忱斯。毛傳：忱，信也。説文引忱作諶。書：天棐忱辭。傳：忱，信也。説文引忱作訦。爾雅棐補注引書曰：天威棐諶。釋文：諶本今作忱。文選幽通賦注：諶與忱，古字通。今考訦、諶、信，並聲轉。

惇，信也。燕曰惇。方言七。

按：方言：惇，信也。燕曰惇。郭注：惇亦誠信皃。廣雅釋詁：𢡟，信也。説文：𢡟，從心，𦎫聲，今作惇。一切經音義一引蒼頡解詁曰：惇，古文敦同。素問：上古天真論長而敦敏。注：敦，信也。與方言惇信也合。又按：信，唐韵息晉切，集韵思晉切。漢書敍傳，韓信之信，則音新。是信與惇亦聲轉。

由，輔也。燕之北鄙曰由。方言六。

按：方言：胥、由，輔也。吴越曰胥，燕之北鄙曰由。郭注云：胥，相也；由，正也，皆謂輔持也。廣雅釋詁：由、胥，輔助也。又按：由與右、祐聲近，説文右分二部，口部云：助也。又部云：手口相助也。又云：祐，助也。易繫辭：祐者，助也。

侔莫，强也。北燕之外郊，凡勞而相勉若言努力者謂之侔莫。方言七。燕謂勉强爲文莫。欒肇論語駮。北燕之外，相勉努力謂之勄，一曰彊也，或作敄。集韵。北燕之外，相勉努力謂之敄。復古編。

按：侔，説文云：齊等也，從人，牟聲。淮南謬稱訓：猶未之莫與。注：莫，勉之也。説文：勉，彊也。今考彊，誼有二，勉彊之彊，説文作勥，云迫也。剛彊之彊，説文作彊，云弓有力也。今經典本俱通作强。方言：侔莫，又即爾雅黽没之聲轉。郭注：黽没，猶黽勉。又轉懋慔。爾雅釋訓：懋懋慔慔，勉也。侔、懋、莫、慔，皆一聲之轉。郝氏爾雅義疏云：侔莫又轉爲文莫。欒肇論語駮：燕齊謂勉强爲文莫，蓋急言之則聲或爲勄。説文：勄作敄，云彊也。荀子舉牟光注：牟與務同。爾雅釋詁：務，强也。説文：務，趣也。今考爾雅釋詁，作鶩。義疏：鶩者敄之叚音也。集韵：敄音謀，與勄同。北燕之外，相勉努力，謂之勄。一曰彊也，或作敄。玉篇：勄，勸勉也。廣韵：勄，勉也。廣雅：勄，强也。又方言一鄙語曰：薄努，猶勉努也。廣雅釋詁：薄怒，文農勉也。王氏疏：努猶怒也。文讀爲忞。説文：忞，强也。農，猶努也。然則薄努、薄怒、文農，亦侔莫、文莫之聲轉。

斟，汁也。北燕曰斟。方言三。

按：方言：斟，汁也。北燕、朝鮮洌水之間曰斟。自關而東，曰協。關西曰汁。郭注謂和協也。或曰潘汁，所未能詳。盧文弨曰：斟，疑本是斟字之誤。說文：斟斟，盛也。子入切。廣韻：昌汁切。引字統云：會聚也。復古編：尺入切，會集之也。皆與協、汁義相近。然注又云：或曰潘汁，似郭所見，已作斟。然斟縱可爲汁，若施之協，不可通矣。潘字舊本皆然，亦有汁義。戴從劉熙釋名改作瀋，正文汁也，胡頰反。此潘汁之入反。郭意蓋不以或說爲然。盧疑斟爲斟，其說甚辨。然考郭見本作斟，宋曹毅之孟傳二本，及明時諸本，皆不作斟。史記張儀傳：厨人進斟。索隱：斟謂羹汁，故名斟曰汁。宋羊斟，史記微子世家云羊羹。說文：斟，勺也，從斗，甚聲。玉篇、廣韻作酙。詩：泂酌彼行潦，挹彼注茲。則勺、酌古通也。勺之謂之斟，引申之盛於勺者，亦謂之斟。又引申之，凡增益謂之斟。方言曰：斟，益也。易益九五，有孚惠心，有協誼，即有汁誼。說文：汁，液也。從水，十聲。段注曰：此兼瀋汁、和汁而言。汁液必出和協，故其音義通也。今考汁，古叚爲叶。文選左思吴都賦：皆與謠俗汁協。注：猶叶也，又通協。爾雅釋天：太歲在未爲協洽。史記歷書云：汁洽。李巡云：言陰陽化生，萬物和合，故曰協洽也。此皆以汁爲協之左證。潘作瀋，不自戴氏。據釋名始考，左哀三年傳，無備而官辦者，猶拾瀋也。杜云：瀋，汁也。陸氏釋文：北土呼汁爲瀋，此作瀋，碻據也。然說文：瀋，淅米汁也。禮記内則釋文：潘，淅米汁也。然則郭注亦非譌字。

京、將，大也。凡人之大，燕之北鄙或曰京，或曰將，皆古今語也。方言一。

按：爾雅釋詁：詩，祼將于京。傳曰：嬪于京傳。左莊二十二年傳：莫之與京。注：穀梁文九年傳並云京，大也。景從日，京聲，故訓明，又訓大。白虎通：景者，大也將則。爾雅釋詁：詩，福履將之。傳：伊其將謔。箋：破斧正月，亦孔之將，傳：爲猶將多。箋：我將我享。傳：將受厥明。箋：有娀方將。傳、禮：日就月將。注：論語固天縱之將聖。皇疏並云大也。今驗順天人謂大亦曰奘，語若在朗反，與方言郭音合。奘，壯聲，近誼通。詩：鮮我方將。毛傳：將，壯也。禮記射義：幼壯孝弟。鄭注：壯或爲將。爾雅釋詁：壯，大也。釋言郭本：奘，駔也。注：今江東呼大爲駔，駔，猶麤也。釋文引樊光、孫炎本：將，且也。詩谷風鄭箋：將，且也。說文：奘，駔、大也。然則駔亦京將聲轉，且同母字。

朦、厖，豐也。燕之北鄙，凡大人謂之豐人，故燕記曰：豐人杼首。杼首，長首也。燕謂之杼，言圍大謂之豐。方言二。

按：方言一：豐，厖大也。凡物之大貌曰豐，厖深之大也。說郛本，朦、厖下有大字，一本無故字。玉篇：大也。易豐疏：豐者，多大之名，盈足之義，財多德大，故謂之豐。楚語：彼若謀楚，其必有豐，敗也哉。注：大也。然則說郛本有大字是也。廣韻：豐，多也。又云，茂也，盛也。周禮地官大司徒：原隰其民，豐肉而痺。據此，豐又有厚誼，而圍大誼亦在其中，故郭氏方言圍大，注云：謂度圍物也。一曰器名，儀禮鄉射禮：司射適堂西，命弟子設豐。注：將飲不勝者，設豐所以承其爵也。海録碎事：射禮置豐於西階，古豐國之君，以酒亡國，故以爲罰爵，圖其人形於下，寓戒也。然則豐本豆類，後爲國、爲爵，因有豆之豐滿誼，遂叚爲盛大誼。方言又云：杼首，長首也者。説文：珽，大圭，長三尺，抒上終葵首。徐鍇繫傳：杼取上。謂削取其上也。周禮作杼。考工記玉人：大圭，長三尺，長終葵首。注：或謂之珽，終葵，椎也。爲椎於其杼上，明無所屈也。杼，殺也。禮玉藻注：於杼上。又廣其首如椎頭。荀子大畧篇注：珽，大圭，長三尺，杼上終葵首，謂剡上至其首而方也。

棃，老也。燕之北鄙曰棃。方言一。

按：方言：燕之北鄙曰棃。郭注：言面色似凍棃。郭説非其本誼，蓋棃爲黎之叚借字，黎之言黑。説文：老人面凍黎若垢。漢書鮑宣傳注：棃、黔，皆黑也。此棃、黎訓黑之左證。釋詁孫炎注：耉面凍棃，色如浮。説亦不與郭同。一本凍上有如字，衍文。考詩南山有臺、書大誓正義所引孫炎説可證，本無如字。釋名：凍棃皮有斑點，如凍棃色也。荀子注：棃謂面色，凍棃之色也。凡此皆與郭説同。引伸之，棃、黎，又叚作犂。如尚書：犂，老。三公碑：羣犂百姓是也。又通作𨞾，如書：西伯戡黎。説文邑部云：西伯戡𨞾是也。又叚作𥝩，如漢書匈奴傳贊集注：𥝩，古黎字。韓勑後碑□□𥝩民是也。

台，養也。燕曰台。方言一。

按：方言：台，郭音怡。注云：台，猶頤也。漢書地理志上集注：台，養也。與方言合。説文：𠯑，説也，从口，㠯聲。史記太史公自序：虞舜不台。索隱：台，悦也。今審方言，台亦有悦誼，憂能傷人，非悦胡養。以方言陶養也例之，其誼益見。禮檀弓：人喜則斯陶。注：陶，鬱陶也。文選七發注引韓詩章句：陶，暢也。

傑倯，罵也。方言七。燕之北郊曰傑倯，方言七。玉篇同，惟傑作傑。謂形小可憎之貌。玉篇。

按：方言七郭注：羸，小可憎之名也。廣雅釋詁：傑，罵也。傑，玉篇作傑，渠凶切，音筇。倯，廣韵息恭切，集韵思恭切，並音松。廣雅釋詁：倯，罵也。盧氏文弨方言校語：今罵人以二字合讀。

嫢盈，怒也。燕之外郊，凡言呵叱者，謂之嫢盈。方言七。

按：諸本嫢譌魏，盧本定爲嫢云。玉篇：嫢，盛貌。嫢之爲盛，猶馮之爲滿，皆盛怒意。廣雅作魏，亦誤。盧説是也。然參證未詳。集韵：嫢，津垂切，盈姿貌。是音與郭合，誼與盈又合。廣韵：嫢，姊宜切。盈，説文云滿器也，从皿、夃。盈與贏同，古字通，見文選。古詩：盈盈樓上女。注：又通逞。穀梁昭二十三年：沈子盈滅。釋文：盈本亦作逞。史記齊太公世家：晉大夫欒盈奔齊。集解引徐廣曰：盈，史記多作逞。盈、逞以聲轉，通，則嫢、魏又未始非聲轉也。

燕謂喜言人惡爲䜊集韵三十九過。

按：集韵：䜊，步卧切，燕代謂喜言人惡爲䜊。方言一：自關而西，秦晉之間，凡人語而過，謂之過。過，郭音于果切。䜊、過聲近，誼通。

班，列也。北燕曰班。方言三。

按：方言：班、徹，列也。北燕曰班，東齊曰徹。今考列、徹聲近，以班爲列，則叚借字。典籍訓頒，是其本誼，訓列，則方言。外有孟子萬章，周室班爵禄也。注：左昭二年傳，送從迎班。注：並云列也。又儀禮：既夕，明日以其班祔。注：曲禮，班朝治軍。注：左桓六年傳，使魯爲其班。注：班，次也。左文六年傳：班在九人。注：文選東京賦，尊卑以班。薛注：班，位次也。廣雅釋言：班，秩序也。凡此與廣韵所謂列，行次也，位序也，誼並合。孟子：若是班乎。注：班，齊等之貌也。今考漢韋玄成傳：恤我九列。注：九卿之位，然則同列亦有齊等誼。又通作辨，儀禮士虞禮記注：古文班或爲辨。漢王莽傳中音義，引孟康曰：辨或作班。按：班之訓列通辨，皆由班有分義，得之説文。班分瑞玉，从玨，从刀。段注：會意，刀所以分也。説文：列，分解也。段注：列之義分解，故其字从刀，引伸爲行列之義。又辨，判也。判，分也，義同。

釗，遠也。燕之北郊曰釗。方言七。

按：方言：釗、超，遠也。燕之北郊曰釗。郭注：釗，居遼反。説文：釗，刓也，从刀、金。段注：金有芒角，摩弄泯之。説文：刓，剸也，从刀，元聲。一曰齊也。玉篇：刓，削也。六書故削去廉隅也。然則訓遠，叚借字。釗、超聲近，以遠爲超，因又以遠爲釗，又叚借爲絽。爾雅釋詁：昭、釗，見也。郭注引逸書曰：釗我周王。今考孟子引書曰：紹我周王。紹有繼遠誼，然則釗乃超、紹之聲轉。

噬，逮也。北燕曰噬，方言七。**北燕曰遾。**爾雅釋言郭注。集韵。

按：方言：蝎、噬，逮也。東齊曰蝎，北燕曰噬。逮，通語也。今考噬，説文：啗也，喙也，从口，筮聲。一切經音義一引三蒼：噬也。此本誼也，與逝聲同，故借作逝。詩：十畝之間，行與子逝兮。箋：日月逝不古處。傳並云，逝，逮也。詩：有杕之杜，噬肯適我。釋文引韓詩，噬作逝。逝，及也。逝，説文云：从辵、折聲，讀若誓。故噬亦从辵，作遾。爾雅釋言：遏、遾，逮也。郭注：東齊曰遏，北燕曰遾，皆相及逮。然則噬之作遾，與蝎之作遏，例同。噬乃逝之叚借，遾又噬之或體也。逮又通迨，集韵：逮與迨同。迨音隶。易：上逮也。虞注：逮，及也。説文辵部：逮，及也。唐、逮，及也。从辵，隶聲。段注曰：唐、逮，雙聲，蓋古語也。隶部：隶，及也。然則隶聲亦兼會意。

爾雅釋詁：逮及暨與也。釋言：迨，及也。説文無迨字，引詩隸天之未陰雨。段注：今詩作迨，俗字。廣韻：隸、迨同逮，又通遝。爾雅：逮，遝也。方言：迨、遝，及也。説文：遝，迨也。爾雅釋言：遝，逮也。逮、遝，誼同聲轉，故其文通。

末殺，今京師有此語。說文巾部段注。瀎泧，今京師人語如此，音如麻沙。説文水部段注。

按：説文巾部：帴，讀若末殺之殺。此當時方言也。徐鍇本云：茉榝之榝。漢書谷永傳：末榝。服虔注：左傳作末槃。今考字林，云抹榝。廣韻：抹榝，摩也。引公羊注，側手曰榝。段注説文云：末殺，卽水部瀎泧，拭滅皃也。今京師有此語。説文水部：瀎拭，滅皃，泧瀎讀若椒榝之榝。許書無拭字，故段氏據巾部，飾刷也，訂拭作飾，蓋飾、拭，古今字。段云：瀎泧，今京師人語如此，音如麻沙。釋名：摩沙猶末殺也。今驗順天人語，摩沙卽末殺之聲轉。

奏做，不直爽也。甯河關志方音。

按：今順天人謂不率真曰做作，聲若奏做。又甯河關志方音：拏卡兒，使轉動不得也。

學，讀作鴞。甯河關志方音。

按：學，唐韵：胡覺切。集韵、韵會：轄覺切。甯河人方音：學讀若鴞，一聲之轉。

京城人勤勉出力曰精其神。癸巳存稿三。

按：癸巳存稿云：道藏心印經上藥三品：神與氣精，人各有精，精合其神，神合其氣，氣合體真。太平經：人之生也，天付以神，地付以精，中付以氣。辨正論氣爲道本篇：古來名儒及河上公説，老子夷者精也，希者神也，微者氣也。初疑精其神是精氣神，既悟其非也。俞説甚辯。然道經精合其神，未云精其神也，非順天人俗語所本。

覺，讀作絞。甯河關志方音。

按：覺，説文：悟也，从見，學省聲，一曰發也。唐韵：古孝切。集韵、韵會：訖岳切。禮緇衣：有梏德行。詩大雅作覺。韵會：覺通作梏。又唐韵：古孝切。集韵、韵會：居效切，並音教。今甯河人覺讀若絞者，梏、絞聲近，絞、教同母，故聲轉。

欲，讀作愈。甯河關志方音。

按：欲，説文：从欠，谷聲。唐韵：余蜀切。集韵、韵會：俞玉切，又俞戍切。揚雄羽獵賦：壯士忼慨，殊鄉別趣，東西南北，聘嗜奔欲。與俞戍切合。今順天人讀若裕，猶俞戍切之遺音。甯河人讀若愈，則聲之轉也。

肅，讀作須。甯河關志方音。

按：書：肅慎氏，史記作息慎。肅、息古通，息、須聲近。

愛，讀作乃，去聲。甯河關志方音。

按：愛，讀若乃，去聲。三河人與甯河方音同，都人則愛讀若唉，去聲。然考唐韵：烏代切。集韵、韵會：於代切。正與乃去聲合。

慕，斂口作鼻音。甯河關志方音。

按：慕，説文：習也。唐韵、集韵、韵會：莫故切。

樂，讀作勞，去聲。甯河關志方音。

按：樂，唐韵：盧各切。集韵、韵會：歷各切，喜樂也。又唐韵：魯刀切，音勞。廣韵：伯樂，一作博勞。然則勞爲樂之叚借。甯河人讀若勞，去聲，亦非無自。〇又甯河關志方音：落勀把，喜過甚也。

㥄，哀也。燕曰㥄。方言一。

按：方言：㥄、憮、矜、悼、憐，哀也。趙、魏、燕、代之間曰㥄，或曰矜，或曰悼。郭注：㥄亦憐耳。廣雅釋詁：憐，哀也。集韵：㥄，閭承切。五音集韵：力膺切，音㥄，憐也。㥄又有驚怖誼。驚怖亦可憐皃。張衡西京賦：百禽㥄遽。薛注：㥄，猶怖也。集韵：盧登切，驚也。

咺，痛也。凡哀泣而不止曰咺。於方則燕之外鄙，少兒泣而不止曰咺。方言一。

按：方言：咺，痛也。凡哀泣而不止曰咺。燕之外鄙，少兒泣而不止曰咺。今考咺，古通喧。詩衛風：赫兮咺兮。禮記、大學引云：赫兮喧兮。釋文：喧本作咺。漢武帝悼李夫人賦：喧不可止兮。注：師古曰：朝鮮之間，謂小兒泣不止名爲喧，音許遠反。集韻：喧、叩同。

謾台，懼也。燕曰謾台。方言一。

按：方言：謾台，懼也。燕、代之間曰謾台。今考謾台，郭云：蠻怡二音。廣雅釋詁：台，懼也。蠻怡，蓋懼之轉聲，今語猶然。或曰謾台，懼其欺我也，誼亦通。說文：謾，欺也。爾雅釋詁：台，予也。

讙，讓也。凡言相責讓，北燕曰讙。方言七。

按：方言：譙讙，讓也。凡言相責讓，北燕曰讙。讙，郭音火袁反。說文：讙，譁也，從言，雚聲。段注：呼官切。本唐韻、集韻也。一切經音義九引三蒼曰：讙，言語訩訩也。今順天人謂責讓無已曰訩訩，音讀如刀。說文：訩，往來言也。正合詩大雅板老夫灌灌，毛詩欵欵也。爾雅作懽，與此義亦相足。今驗順天人語，凡相誚讓，不曰讙，曰讓。說文：讓，相責讓，从言，襄聲。唐韻、集韻：讓，人樣切。小爾雅：詰責以辭，謂之讓。左僖五年傳：公使讓之。注：譴讓之。

掬，離也。燕之外郊曰掬。方言七。

按：方言：掬，離也。燕之外郊，朝鮮洌水之間曰掬。盧文弨校本云：掬無離義，疑當作播。播，古文作𢾊，形近致誤。校正補遺云：漢幽州刺史朱君碑，𢾊徽馨。魏橫海將軍呂君碑，遂𢾊聲兮方表可證。亦有作匊字者，九歌湘夫人云：匊芳椒兮成堂。洪興祖云：匊，古播字，本作匊。其說甚辯。然匊乃離之聲轉，方言六：楚曰蠡，秦晉曰離。蠡、離亦聲近耳，方俗殊語，不必概系本誼。卽以誼論，掬、離亦通。考詩唐風：椒聊之實，蕃衍盈匊。小雅：終朝采綠，不盈一匊。毛傳並云：兩手曰匊。椒聊，釋文：匊字，又作掬。禮記曲禮：受珠玉者以掬。釋文：左宣十二年傳，舟中之指可掬也。注：唐韻、集韻、韻會並云，兩手曰掬。掬又通弆。說文：弆，兩手盛也。或曰，掬之訓離。方言蓋以反義相訓，如亂之訓治，毒之訓厚，古訓如此甚多。或曰經籍離多訓麗，詩：月離於畢。論衡引作麗。國策燕策：高漸離。論衡書離作麗。廣韻、集韻：㪻與麗通。方言三：㪻，數也。注：偶物爲麗，此誼亦可引伸。

𢪇、抌，推也。幽之語，或曰攩。方言十。

按：方言：𢪇、抌，推也。幽之語，或曰攩。攩，郭音晃，注：今江東人亦名推爲攩。列子黃帝篇：攩𢪇挨抌。張湛注引方言：抌，擊背也。古又借攩爲推。攩字，唐韻：多朗切。集韻：底朗切，音黨。此因聲同叚借之證。今俗語猶然。又唐韻：他朗切。集韻：坦朗切，音帑，擊也，俗用爲抵攩字，遮遏也。又唐韻：胡廣切。集韻：户廣切，音晃，亦擊也。此與郭音合。又集韻：止兩切，音掌，義同。又唐韻、集韻：胡曠切，黃去聲，搥打也，或作擴。

虔，殺也。燕之北郊謂賊爲虔。方言一。

按：方言：虔、劉，殺也。秦、晉、宋、衛之間，謂殺曰劉。晉之北鄙，秦、晉之北鄙，燕之北郊，翟縣之郊，謂賊爲虔。又方言三：虔、散，殺也。説文：虔，虎行皃，从虍，文聲，讀若矜。廣雅釋詁：虔，殺也。左成十三年傳：虔劉我邊陲。注：虔，殺也。文選魏都賦：席卷虔劉。劉注：虔、劉，皆殺也。玉篇：虔，强取也。漢書武帝紀集注引韋昭曰：强取爲虔。〇方言一：虔、儇，慧也。自關而東，趙、魏之間，謂之黠，或謂之鬼。今順天人謂黠爲鬧鬼，即方言遺語。

福，讀作府。甯河關志方音。

按：説文小字本：福，祐也。今本作祜。漢諱祜，許必不以爲訓。鍇本作備，與禮祭統：福者，備也，同。福之古音爲畐聲，説文可據。賈誼治安策：以福天子。乃以福爲偪之叚借字。又集韵、韵會：福，敷救切，藏也。是福有副音，其誼又別。今順天人言福祐之福，音亦若副。甯河讀若府，皆聲相轉。

摇扇，疾也。燕之外鄙曰摇扇。方言二。

按：方言：速、逞、摇扇，疾也。燕之外鄙，朝鮮洌水之間，曰摇扇。疾，説文作疾，云病也，从疒，矢聲。今考，亦會意，矢傷人甚速，疾來如矢，故俗言病急來似箭，疾、急同聲。左襄五年傳：而疾討陳。注：又十一年傳：晉不吾疾也。注：吕覽：愛士急鬬于車下。注：廣韵、廣雅、釋詁、漢書兩龔傳集注，並云急也。又方言十二：拊、撫，急也。郭注謂疾，急也。拊、撫，从手，摇例也。説文：摇，動也，从手，䍃聲。又通遥。方言六：遥，疾行也。漢禮樂志集注云：如淳，曰摇或作遥。周禮小師：持其柄摇之。釋文本亦作遥。尚書大傳：須摇，即須臾也。須臾有疾誼。漢禮樂志：神奄留臨須摇扇。説文云：扉也，从户，从翄省。今考翄，説文：翼也。然則翄省會意，言飛之疾也。方言五：扇自關而東謂之篷，自關而西謂之扇。郭注：今江東亦通名扇爲篷。盧文弨曰：篷亦作翣，篷、捷同聲，翣，古通翜，又聲近霅。文選吴都賦：鞁霅警捷。善注：鞁霅，走疾貌。説文：霅霅，震電皃。爾雅義疏：俗語一霅時，亦捷疾意也。然則疾、捷、霅、扇，一聲之轉。

額，鄂也，有垠鄂也，故幽州人謂之鄂也。釋名釋形體。

按：説文：鄂，从邑，咢聲。唐韵、韵會：五各切。集韵：逆各切。漢書揚雄傳集注：鄂，垠也。文選甘泉賦：紛披麗其亡鄂。注：景福殿賦，肅坻鄂之鏘鏘。注：並云鄂，垠鄂也。額，説文作頟，云顙也，从頁，各聲。方言十：

額，顙也。中夏謂頟，額、鄂聲轉也。今呼額曰額角。

盱、揚，雙也。燕曰盱，或謂之揚。方言二。

按：方言：顙、盱、揚、滕，雙也。燕代朝鮮洌水之間曰盱，或謂之揚。盱，郭音香于反。注：謂舉眼也。又注揚下云：詩曰美目揚兮是也。此本論雙耦，因廣其訓，復言目耳。方言諸本，雙作隻。戴據玉篇、廣韵，定作雙，盧本从之。今考郭注，雙耦是，郭見本作雙盱，説文作旴，云張目也，从目，亏聲。一曰朝鮮謂盧童子曰旴。玉篇：盱，舉目也。列子：黄帝而盱盱。釋文引蒼頡曰：盱，張目皃。又釋文：盱，仰目也。説文：揚，飛舉也。从手，昜聲。敭，古文。詩猗嗟：抑若揚兮。傳：揚，廣揚。疏：揚是顙之別名。詩：君子偕老，揚且之晳也。傳：揚眉上廣，又子之清揚。傳：揚，廣揚而顏角豐滿。疏：揚者，眉上之美名，既名眉爲揚，因謂眉之上，眉之下皆曰揚。揚又通陽。易夬虞注：乾爲揚。詩：清揚婉兮。説苑：尊賢云清陽婉兮，以雙爲盱揚。蓋盱、揚爲雙之聲轉，説文：雙，佳二枚也，从雔，又持之。

目，斂口作鼻音。甯河關志方音。

按：説文：目，人眼，象形，重童子也。唐韵、集韵：莫六切。

血，讀作捨。甯河關志方音。

按：血，唐韵、集韵、韵會：呼決切。劉向九歎：晉申生離讒兮，荆和氏之泣血。吴子胥之抉眼兮，王子比干之横廢。此則韵補。所謂胡林切者是，從無，捨音。今順天人血讀若寫去聲。

色，讀作曬上聲。甯河關志方音。

按：色，廣韵：所力切。集韵、韵會：殺測切，並音嗇。甯河人讀若曬上聲，亦嗇聲之轉。今順天人讀色與麝同。

白，讀作拜平聲。甯河關志方音。

按：白，説文云，西方色也，陰用事。唐韵：旁陌切。集韵、韵會：薄陌切。又集韵：步化切。又詩小雅：裳裳者華，或黄或白。我覲之子，乘其四駱。據知又有薄音。古無讀拜平聲者，然驗之今順天，白讀若拜平聲，與甯河同，亦聲相轉。

䟫𨄻、隑企，立也。北燕之郊，跪謂之䟫𨄻，委痿之隑企，方言七。**北燕之郊謂跪曰䟫。**集韵。

按：方言，北燕之郊云云，郭注：今東郡人亦呼長跽爲䟫𨄻。又隑企，注：腳𨄻不能行也。廣韵：䟫，直良切。集韵：䟫，仲良切。玉篇：䟫𨄻，拜也。廣雅釋詁：䟫，拜也。𨄻，郭音務。廣韵、集韵：並亡遇切，音與郭同，爲務。玉篇：長跪也。説文：跪拜也。廣韵：隑，五來切，音獃。云隑，企立也。集韵：隑，魚開切，音獃。廣雅釋詁：隑，立也。企，郭音欺鼓切。今校方言，郭氏音義作反，此獨作切，疑有誤。唐韵、集韵：去智切，音器，舉踵望也。廣韵又音跂，誼同。爾雅：鳧雁醜其足，蹼其踵。企，集韵，跂與企同，然則隑、企乃躄之聲轉。禮王制作躃。釋文：兩足不能行也。

燕人言趮摻，善趍者謂之訬。許慎淮南子修務訓注。高注。

按：淮南修務訓：越人有重遲者，而人謂之訬。高注：訬讀若燕人言趮操，善趍者謂之訬，同也。説文：訬訬，擾也。一曰訬獪，从言，少聲，讀若毚。玉篇：訬，健也，疾也。漢班固敍傳：江東訬輕。注：訬謂輕狡也。後漢馬融傳注：訬，輕捷也。唐韵：楚交切。集韵：有數音，一，初交切，音抄；一，鋤交切，音巢；一，弭沼切，音眇；一，楚教切，抄去聲。誼並同。又云：七肖切，音峭，輕也。江東語。晉書音義中，訬，健也。皆與許説合。

腳，讀作絞。甯河關志方音。

按：腳，唐韵：居勺切。集韵、韵會：訖約切，並音蹻。今順天人腳讀若教，與甯河人讀若絞者，有去、上之別。然蹻、絞聲近，教、絞母同，亦一聲之諧。

凡飲藥、傅藥而毒，燕謂之癆。方言三。

按：方言：凡飲藥、傅藥而毒，南楚之外謂之瘌，北燕、朝鮮之間謂之癆，自關而西謂之毒。郭注：癆、瘌，皆辛螫也。蓋俗有辛螫語。説文：朝鮮謂藥毒曰癆。廣韵：癆瘌，惡人。廣雅：癆毒，瘌痛也。郭氏方言音義：癆音澇。諸本澇作聊，與宋本異。唐韵、集韵：癆，郎到切。今順天人謂飲藥而毒爲癆，癆，語若勞，去聲，傅藥中毒，今無此語。又遇毒曰毒瘌。瘌，語瘌，聲若臘，去聲，與方言毒瘌合。

燕人謂勞爲𧮫。史記司馬相如傳索隱。

按：史記司馬相如傳：徼𧮫受屈。索隱司馬彪云：徼，遮也。𧮫，倦也，謂遮其倦者。𧮫，音劇。説文云：𧮫，勞也。燕人謂勞爲𧮫。今考説文，無燕人句，蓋小司馬説。説文心部：㑭，勞也。人部：㑭徼，㑭，受屈也。然則卻、㑳一字，谻爲㑳之叚借。史記集解引郭璞曰：谻，疲極也。漢書司馬相如傳注，蘇林曰：谻，音倦谻之谻。方言：㑳，倦也。史記匈奴傳：使趙充國傳徼極極，亦㑳之聲轉。

躴躿，大不潔也。甯河關志方音。

按：廣韻：躴，魯當切，躿，苦岡切。集韻：躴，盧當切，躿，丘岡切。玉篇：躴躿，身長皃。甯河人語大不潔爲躴躿，方言之異古誼者。

𧮷苲，不謹飭也。甯河關志方音。

按：集韻：𧮷，弋灼切，風吹水皃；苲，側下切，土苴也。甯河人謂不謹飭爲𧮷苲，誼亦通。又按：今順天人謂游蕩子曰流離。

𧪘，口吃也。甯河關志方音。

按：集韻：𧪘，訖力切，訥言也。吃，居乙切。説文有吃無𧪘，云吃，言蹇難也。俗言謂口吃爲𧪘，蓋𧪘即吃之聲轉。方言十作極，云謇極，吃也。楚語注：亦北方通語也。列子力命篇：謇㥛，即方言謇極。

瞥，乍見也。甯河關志方音。

按：説文：瞥，過目也。一曰財見。甯河人乍見曰瞥，正合古誼。集韻：𧡮亦作𧡮覞。

落，讀作勞去聲。甯河關志方音。

按：落，唐韻：虛各切。又唐韻：古音讀路。今甯河人讀若勞去聲，亦洛聲之轉，不當云讀作。

指手，拱手也。甯河關志方音。

按：説文：拱，斂手也。徐曰兩手大指相拄。

攙，相扶也。甯河關志方音。

按：廣雅：攙，鋭也，將扶也。謂扶曰攙，世俗通語。

摜，擲地也。甯河關志方音。

按：摜，説文訓習，引春秋傳：摜瀆鬼神。今以慣易摜，失摜本誼。然以擲地爲摜，世俗通語。

搡，推擊也。甯河關志方音。

按：集韵：搡，寫朗切，搷也。四浪切，摚也。搷，擊也。廣雅：摚，距也。然則甯河人語推擊曰搡，猶存古誼。

蹬蹬，小兒學立也。甯河關志方音。

按：集韵：蹬，都騰切，蹬蹬，立皃。此亦方言之存古誼者。今順天語亦然。

踏踏，小兒學步也。甯河關志方音。

按：踏，玉篇：足著地。集韵：踐也。説文：蹋，亦訓踐。釋名：蹋，榻也。榻，著地也。

嗄，驚也。甯河關志方音。

按：嗄，玉篇云聲破，集韵云聲變也，或作[illegible]。據此皆有驚意，此方言之近古誼者。

唧查，耳語也。甯河關志方音。

按：唧，廣韵：資悉切，音[illegible]。玉篇：啾唧也。集韵：啾唧，衆聲也。廣韵：又子力切，唧，聲也。集韵：節力切，並音卽。本字當作咠。説文：咠，聶語也，從耳、口，耳部，聶，附耳私小語也。查今俗用代詧字。説文：詧，言微親詧也。又通作察。爾雅：明明斤斤，察也。釋文云：樊讀居覲切，是樊光讀斤爲僅。釋名：斤，謹也。是斤有微小義，察爲謹慎。覆審之察，詧爲言微之詧，唧查、咠詧、啾唧，皆一聲之轉。

粘瑣，言之多也。甯河關志方音。

按：粘，廣韵：女廉切。集韵：尼占切，並音黏。説文：相著也，卽連屬不斷之義。瑣，唐韵：蘇果切。集韵、韵會：損果切，並音[illegible]。韵會：瑣，細也，小也。又瑣瑣，繁碎猥屑之皃。博雅：瑣，連也。凡此皆有多義。又考方言：嘣哰、謰謱，拏也。南楚曰謰謱，或謂之支注，或謂之詁謕。今南人謂凡牽連不斷曰詁謱，音微近哰，似詁爲粘之本字。又説文：囁，多言也。亦粘之轉音。

姑都著，蹲踞也。甯河關志方音。

按：姑都二字，於義無取，蓋骨朶之轉音也。宋儀衛志：殿之東西曰朶殿。又鹵簿用骨朶，以骨飾之，或範金爲之。輟耕録：骨朶讀如脈都。朶又通作垜。説文：垜，堂塾也。唐六典吴方言：左右个爲垜頭。玉篇：垜，射垜也。今順天人謂花之含苞亦曰姑都，蓋卽朶也。今淮南北人謂之骨堆，蓋皆敦字之轉音。爾雅：敦丘俗作墩。詩：敦彼獨宿。傳以墩釋之，皆是蹲踞也者。説文：蹲，居也。居，蹲也，是爲轉注。左傳：蹲甲而射之，復引伸爲居積之義。

㥾，小睡也。甯河關志方音。

按：㥾，説文：精戇也，从心、毳聲。又廣韵、集韵：並呼骨切，音忽。玉篇：寢熟也。又集韵：呼八切，音昒，卧覺也。

幽州謂老嫗爲媪。史記高紀集解引文穎。

按：史記高祖紀：母曰劉媪。集解文穎曰：幽州及漢中皆謂老嫗爲媪。説文：嫗，母也。媪，母老稱。訓可互見。禮樂記：煦嫗覆育萬物。鄭注：以氣曰煦，以體曰嫗。史記趙世家：左師觸龍説太后曰：媪之愛燕后，賢於長安君。此燕、趙人謂嫗爲媪之證。廣雅釋親：媪，母也。日下舊聞引舊京遺事：京師婦人，每候問親戚，遇有吉席，作使女婢，卽賃衣家姥嫗。廣韵、集韵：媪，並烏皓切，音襖。又集韵，音醖，誼同廣韵。嫗，衣遇切。集韵、韵會：威遇切，又委羽切，是媪母之别稱，嫗之聲轉。

娥、㜲，好也。燕曰姝，或曰妦。方言一。

按：方言：娥、㜲，好也。秦曰娥，宋、魏之間謂之㜲，秦、晉之間凡好而輕者謂之娥。趙、魏、燕、代之間曰姝，或曰妦。考娥，郭音盈。注：言娥娥也。集韵：好也。廣雅釋詁：美也。又釋訓：娥娥，容也。列子周穆王：娥媌靡曼者。注：娥媌，妖好也。㜲，郭注：言㜲㜲也。説文：嬴，从女，嬴省聲。廣韵：嬴，秦姓，美好皃。正字通：㜲，俗嬴字。盧文弨曰：凡籯、羸、瀛等字，未有從㜲者。㜲，説文所無，廣韵以㜲爲美好皃，知方言之作㜲，其來已久。廣雅作㜲，从女。嬴，他書卻未見，今從衆家本，仍作㜲。姝，郭云昌朱反，又音株，舊脱。又據戴本，説文：姝，好也，从女，朱聲。廣雅釋詁：姝，好也。太玄經：視無姝。注：姝，好也。一切經音義引字林：姝，好貌也。集韻：春朱切，音樞，美好也。女之美者曰姝。又音株。方言：姅，郭音蜂。注言姅，容也。廣韻：姅，敷容切。集韻音同廣韻，引方言作姅，或作㛪姝，姅聲轉。

燕養馬者謂之娠，官婢女廝謂之娠。方言三。

按：方言：燕、齊之間養馬者云云。郭注：今之温厚也。女廝婦人給使者，亦名娠。後漢文苑杜篤傳：虜傲侲。注引方言：侲，養馬人也。是娠作侲，與今方言文異。廣韻引字林：侲，養馬者。集韻：侲音震，童子也。又音真，誼同。張衡東京賦：侲子萬童。薛綜注：侲之言善也。續漢書禮儀志：先臘一日大儺，選中黄門子弟十歲以上、十二以下百二十人爲侲子。然盧氏校方言，最後得宋李孟傳刊本，不云作侲，則宋本與明大典曹、吴諸本皆作娠，明矣。娠，郭音振，一曰官婢、女隸謂之娠。左昭元年傳注：娠，女姙身動也。廣雅釋言：曹憲音娠，疑卽身也。禮月令疏引漢書音義：娠，音身。然則女妊身動，是本誼，訓女隸，是叚借。方言：官婢女廝謂娠，从女。爲是。

臧、獲，奴婢賤稱也。燕之北郊，凡民男而壻婢，謂之臧，女而婦奴，謂之獲，亡奴謂之臧，亡婢謂之獲，皆異方罵奴婢之醜稱也。方言三。

按：方言：臧、甬、侮、獲，奴賤稱也。荆、淮、海、岱、雜齊之間，罵奴曰臧。齊之北鄙，燕之北郊云云。漢書司馬遷傳注，應劭引方言云云，無凡男二字。莊子駢拇釋文引張揖曰：壻婢之子謂之臧，婦奴之子謂之獲。漢司馬遷傳：臧獲婢妾。注引晉灼曰：臧獲，敗敵所被虜獲爲奴隸者。凡此皆與方言誼合。文選報任少卿書：臧獲婢妾。注引韋昭曰：羌人以婢爲妻，生子曰獲；奴以善人爲妻，生子曰臧。胡本考異曰：羌當作善。説文：臧，善也，从臣，戕聲，[臧+土]，籒文。考文从臣，籒加土，有臣僕誼。左宣十二年傳：載事順成，以爲臧。莊子駢拇釋文，好書曰臧，方言：因奴有臧稱，遂以臧爲醜稱，然以臧詈人，則爲醜，稱呼奴曰臧，亦欲其善耳。故周禮校人：秋祭馬社臧僕，注：臧僕謂簡練馭者，令皆善也。臧，又有藏誼，説文新坿：藏，匿也。漢書通用臧字，从艸，後人所加。詩：自獨俾臧。淮南：氾論注云：自獨俾藏。左文十八年傳：掩賊爲藏。疏：掩匿賊人是爲藏。國語：掩賊者爲臧獲，則詩其政不獲。周禮：獲者取左耳。注、廣雅、小爾雅並云得也。書乃网恆獲。鄭注：猶得也。左定九年傳：凡獲器用曰得，得用曰獲。然則婢呼獲，其以得用歟？説文：獲，獵所獲也，从犬，蒦聲。楚辭注：獲爲人所係得也。

獲，讀作槐。甯河關志方音。

按：説文：獵，所獲也。唐韻：獲，胡伯切。集韻、韵會：胡陌切。周禮夏官：射人三獲。釋文：劉音胡伯切。春官司常凡射，共其獲旌。釋文：李音胡霸反，又忽郭切，見集韻、類篇。又黄郭切，胡故切，胡化切，見集韻。並無槐音。甯河獲讀若槐，亦聲轉。

我，讀作挪上聲。甯河關志方音。

按：我，唐韻：五可切。集韻、韻會：語可切，並俄上聲。今順天人語我若窩去聲，與甯河人讀若挪上聲微異，然皆聲轉。又按廣韻、集韻：俺，我也，北人稱我曰俺。

京都語客如茄。十駕齋養新録四。

按：今都城人語客音近課，外屬有語如茄者。明史五行志：萬曆末，有道士歌於市曰：委鬼當頭坐，茄花徧地生。北人讀客爲楷，又轉音爲茄，魏忠賢、客氏之兆。養新録：明天啟，客氏、魏忠賢用事，當時有茄花、委鬼之謠，蓋京都語客如茄也。元史：怯烈氏或作克烈。英宗國語謚曰格堅皇帝，石刻有作怯堅者，蓋亦讀格爲客，因與怯相近也。自注石刻下云，泰安府東嶽廟聖旨碑，又讀格爲客，下云見母混入溪母，又與怯近。下云，客、怯、克，皆溪母，茄本羣母，北作溪母讀。

你老，尊輩稱也。甯河關志方音。

按：廣韻、集韻：你，乃里切，汝也。通雅：爾、汝、若、而，一聲之轉。爾又爲尔，俗書作你。集韻：伲，你本字。甯河人不以你呼尊輩，故加老字。你老二字，急呼之則聲近儜，故順天人相稱加敬則曰儜，否則曰你。

某，斂口作鼻音。甯河關志方音。

按：某之本義爲酸果，叚借爲泛言人物字。儀禮：某有子。鄭注：古文某爲謀。禮：少儀問品味，子食於某乎？問道藝：子習於某乎？子善於某乎？左宣十年：某氏之守臣某。玉篇：不知名者曰某。韻會：臣諱君曰某。唐韻、集韻：某，莫後切。

土豪，今人以爲土人强梁之稱，京師人或謂此輩爲土包。晉宋書故。

按：包，卽豪之聲轉。晉宋書：故土豪之名，今人混施以爲土人强梁之稱，其實不然，豪貴之族，爲鄉邦之望者，方足當之。宋書沈演之傳：勃輕薄逐利，太宗泰始中爲太子右衛率，時欲北討，使勃還鄉里募人，多受貨賄。上怒，下詔曰：自恃吴興土豪。殷炎傳：叔寶者，杜坦之子，既土豪鄉望，内外諸軍事並專之。又曰：皇甫道烈土豪。然則古之土豪，鄉貴之隆號，今之土豪，里庶之醜稱。京師人或謂此輩爲土包。包、豪，豈方俗之譌變耶？今考豪誼，不盡美稱。漢食貨志：大賈畜家，不得豪奪吾民矣。此則韻會訓彊誼也。史記：信陵君、平原君之游徒豪舉耳。此又廣韻訓俠誼也。然則土豪之名，亦鄉貴中彊者俠者耳，難可概以隆號。

燕北士庶皆自稱小人。錢氏私誌。

按：小人有母，嘗小人之食，其稱近古。然今順天人少有此言。

車科，車夫也。甯河闕志方音。

按：今順天人無此語。

北人詈婦之下劣者曰歪辣骨。京師市語曰瓦刺姑。野獲編。

按：野獲編：北人詈婦之下劣者曰歪刺姑。詢其故，則云：牛身骨皮肉以至。通體無一棄物，惟兩角內有天頂肉少許，其穢逼人，最爲賤惡，以此比之粗婢。後又問京師之熟諳市語者，則又不然。云：往時宣德間，瓦刺爲中國頻征，衰弱貧苦，以其婦女售與邊人，每口不過酬幾百錢，名曰瓦刺姑，以其貌寢而價廉也。今驗順天人語，骨若姑。

上頭，女冠笄也。甯河闕志方音。

按：女加笄曰上頭，今順天人通語。

希，摩也。燕摩鋁謂之希。方言七。

按：方言：希鑠，摩也。燕齊摩鋁謂之希鋁。郭音慮。摩、磨同。文選枚乘諫吳王書注引賈逵注：礱，磨也。廣雅釋詁：礲礪，希鑠，㼽㼽，剴扢，犂錯，鑢揩，硐攡，鋻礪，摡砥，磋磨也。釋器：鋁謂之錯。玉篇：鋁與鑢同。廣韻：希，散也。希訓散，與鑠訓消誼同。希又鋁、[illegible]之聲轉。

平均，賦也。燕之北鄙，凡相賦斂，謂之平均。方言七。燕北賦斂平曰均。玉篇。

按：方言七，燕之北鄙下有東齊北鄙四字，是謂賦爲平均古語，不獨北燕爲然。今考書堯典：平秩東作。傳、史記樂書：教民平好惡。正義並曰均也。均，說文云：平徧也。周禮大司徒以土均之灋注、小司徒平地注，並云平也。又周禮地官序官均人注、土均注：均，猶平也。荀子富國：忠信調和均和，均辨之至也。此平均互訓也。又考漢書食貨志：再登曰平，三登曰泰平。周禮：司稼掌均萬民之食。注：均，謂度其多少。漢百官表：大司農屬官有均輸、平準、令丞。鹽鐵論：平準則民不失職，均輸則民齊勞逸。爾雅釋詁：平，易也。以孟子易其田疇之易例之，易訓治，治田疇正以治賦。廣雅言：平、均並訓賦。爾雅釋言：賦，量也。郭注：賦，税所以評量也。説文：量，稱輕重也。禮運：月以爲量。鄭注：量，猶分也。華嚴經音義上引國語賈逵注：量，分齊也。是量亦有平均誼。量，有出有入。詩烝民、傳：賦，布也。爾雅：班，賦也。吕覽分職篇：賦，予也。是賦之出。説文：賦，斂也。與郭注賦，税。是賦之入。爾雅不專主量入言。郭注未該方言平均，則就凡相賦斂言之。

耕讀作經。甯河關志方音。

按：耕，説文：从耒，井聲。井、經疊韵字。今順天人謂犂地曰耕地，語耕若經，與甯河同。

積柴水中搏魚爲罧，幽州名之爲涔。淮南説林高注。積柴水中捕魚爲罧，幽州名之爲槮。爾雅正義。積柴養魚謂之下溺。懷柔吴志。

按：爾雅：槮謂之涔。涔，潛之叚音。毛詩作潛，韓詩作涔。釋文引韓詩云：涔，魚池。又釋文：槮。爾雅舊文并詩、傳，並米旁，惟小爾雅木旁。郭音改米从木。詩潛，釋文略同。爾雅正義云：毛傳，潛，糝也。然則槮，古本作糝，故御覽引舍人云：以米投水中養魚爲涔也。詩正義引李巡同。惟米作木爲異。是爾雅所謂糝也。後人不知糝字之義，改米从木，因生積柴之説。故詩正義引孫炎曰：積柴養魚曰槮。是郭注本孫炎。陸德明謂郭始改米从木，非也。槮乃罧之叚音。説文：罧，積柴水中以聚魚也。淮南説林：罧者，扣舟。高注：罧者，以柴積水中以取魚，魚聞擊舟聲，藏柴下，壅而取之。説文罧字，義本淮南，而非爾雅義。爾雅自以作糝爲是。邵説甚辨。淮南罧或作㴸，莊校㴸當作罧。今懷柔人謂積柴養魚曰下溺，溺疑罧、涔之變轉。

牧，斂口作鼻音。甯河關志方音。

按：説文：牧，養牛人也，从攴、牛。廣韵、集韵、韵會：莫六切。又集韵：莫候切，音茂。

燕俗名湯熱爲觀。周禮司爟注。

按：周禮司爟注：故書爟爲燋。杜子春云：燋當爲爟。書亦或爲爟。爟爲私火。玄謂爟讀如予，若觀火之觀。今燕俗名湯熱爲觀。則觀火謂熱火，與陸氏音義，爟，古喚反。燋，哉約反。李又音灼。觀，古喚反。賈疏，子春不從古書燋還從爟，爲私火者。民間理爨之火爲私火，亦如後鄭爲熱火也。後鄭讀如予，若觀火者。盤庚告其羣臣，不欲徙而匿情者。予，若觀，熱也。我有刑罰，如熱火可畏。故引燕俗以湯熱爲觀，亦取熱火之義。釋文：觀、爟，古喚反。然則觀爲爟之同聲叚借字。説文：舉火曰爟。熱，説文：温也。釋名：爇也。如火所燒爇。觀，疑卽説文涫字云，涫，𤃮也。涫、觀聲近。

飯，讀作泛。甯河闗志方音。

按：飯，今分上、去二聲。廣韵：扶晚切。集韵、韵會：父遠切。卽玉篇所謂餐飯也。唐韵：符萬切。集韵、韵會：扶萬切，指炊穀爲飯言。然飯古止反聲，説文可據，篆文列饔養下，據知，飯食也，與餘盡食餔，申食之食同。儀禮少牢注：或言食，或言飯，食大名，小數曰飯。不必如段注説文加之字，其誼自明。徐切符萬，非許意。禮曲禮：飯黍，文王世子一飯再飯。類此，皆用本誼。曲禮：毋摶飯。是引申意。甯河飯讀若泛，非古音，猶與唐音合，泛誼自異，不當云讀作。

北燕謂麴爲𪍿。集韵五支引方言。今方言本云北鄙曰𪍿。幽州謂麴曰𪍿。集韵五支。𥹋𪍖燕曰𪍖麪。事物紺珠。

按：集韵：𪍿，班糜切。幽州謂麴曰𪍿。又頻彌切，引方言，北燕謂麴曰𪍿。又賓彌切，引博雅，𪍿，麰𪌭也。今方言十三云：𣪁、𪌭、𥹋、麰、𪍿、𪎊、𪍖，麴也。自關而西秦豳之間曰𪎊。晉之舊都曰𪌭，齊右河濟曰𥹋，或曰麰，北鄙曰𪍿。麴，其通語也。鄙字無著，當依集韵訂正，曰北燕引其辭也。曰幽州本其旨也。𪍿，郭音脾。𥹋，郭音于八反。𪍖，郭音餜。各本誤餛。郭注：小麥麴爲𪍖，卽䴷也。各本䴷誤𪎍，今依宋本説文。麴，酒母也。

引酵，發麪糟也。甯河闗志方音。

按：廣韵酒酵，卽集韵所謂酒滓也。蕭子顯齊書：永明九年正月詔：太廟四時祭薦宣皇帝起麪餅。注：發酵也。韋巨源食單，有婆羅門輕高麪，今俗籠蒸饅頭，發酵浮起者是也。金天會九年，額外課，其十八曰酵。泰和四年，定糟酵錢。遼、元志有酵課。又按：順天人謂發酵曰麪酶。語酶音如肥，與集韵莫杯切聲近。集韵：酒本曰𥻨，或作酶。韵會：酶通作媒。漢李陵傳師古注：齊人名麴餅曰媒。

曬、晞，㬥也。燕之外郊，凡㬥肉，發人之私，披牛羊之五藏，謂之膊。㬥五穀之類，北燕之郊謂之晞。方言七。

按：方言七：膊、曬、晞，㬥也。東齊及秦之西鄙，言相㬥僇爲膊。燕之外郊，朝鮮洌水之間，凡㬥肉，發人之私，披牛羊之五藏，謂之膊。㬥五穀之類，秦、晉之間謂之曬。東齊、北燕海岱之郊謂之晞。膊，郭音脯，舊本又有普博反三字，盧本删。然考膊，卽脯也。膊、脯，或是注非音，音字疑有譌。普博反，乃郭音也。與唐韵、集韵、韵會膊匹各切亦合。廣雅：膊，脯也。釋名釋飲食：膊，沮也。薄椓肉，迫著物使燥也。説文：膊，薄脯，膊之屋上，从肉、尃聲。段注：膊之屋上，當作薄之屋上。薄，迫也。釋名説與許同。左傳：龍人囚盧蒲，就魁殺而膊諸城上。周禮：斬殺賊諜而膊之。皆謂去衣磔其人，如迫脯於屋上也。據段説，則舊訓膊爲磔，誼猶未盡。淮南説林一：膊，炭熯。廣雅：膊，𣊰也。𣊰與㬥同。又與爆同。墨子親士篇：靈龜近灼，神蛇近㬥。説文：爆，灼也。㬥之同爆，亦猶晞之通烯。膊、㬥聲轉。王氏廣雅疏證云：今俗語亦云薄曬。然則薄亦膊之聲轉。晞，説文：乾也，从日，希聲。詩東方未明疏：晞日之光氣。又白露未晞。傳：匪陽不晞。傳、禮玉藻：髮晞用象櫛。注：一切經音義十八引字林、廣雅、釋詁，並云晞，乾也。方言十三：晞，燥也。玉篇：晞，燥也，或作烯。又方言十：晞曬，乾物也，揚楚通語也。郭注亦皆北方通語。

熬，讀作鐃。甯河關志方音。

按：熬，説文云乾煎也。从火，敖聲，或从麥。方言：火乾也。凡以火而乾五穀之類，自山而東，齊、楚以往，謂之熬。後漢邊讓傳：少汁則敖，而不可熟。唐韵：五牢切。集韵、韵會：牛刀切，與説文敖聲合。甯河人讀若饒，則敖聲之轉。

膂，儋也。燕之外郊謂之膂。方言七。

按：方言七：攍、膂、賀、𦫼，儋也。燕之外郊，越之垂甌，吴之外鄙謂之膂。今考説文：儋，何也，从人，詹聲。釋名釋姿容：儋，任也。任，力所勝也。國語齊語注：負任儋。何注：肩曰儋。史記貨殖傳：漿千儋。注：一儋，兩罂也。漢羊竇道碑：騎馬負𠑡。𠑡卽儋字，儋通擔。漢書高紀集注引服虔曰：儋音負擔之擔。是不知儋卽擔本字也。膂卽説文吕字云，脊骨也，象形。昔大嶽爲禹心吕之臣，故封吕侯。膂，篆文吕，从肉，旅聲。段注：吕，象顆顆相承，中象其系聯也。沈氏彤釋骨曰：項大椎之下二十一椎，通曰脊骨，曰脊椎，曰膂骨。或以上七節曰背骨，第八節以下乃曰膂骨。古文無膂，秦文乃有膂。急就篇：尻寬脊膂，要背僂骨，脚膝臏脛爲柱。云要背僂曰脛，爲柱。辭意相對。皇象碑不誤。若顔本，膂、吕重出，師古不得不以脊内肉、脊骨分釋之。今考膂、旅同，廣雅釋詁：旅，擔也。膂又作膐。方言六：𨄅，膐力也。東齊曰𨃗。宋魯膐膐田力也。然則用力於田，與用力於儋，皆以力名，膂故方言郭注，擔者曰膂力，故名云。

濽，今京師驅車者呼之，其音如荐。説文釋例。

按：説文：濽，污灑也。一曰水中人也。一切經音義三引説文：污上有相字，與玉篇符，與今本異。王氏釋例：一曰校異文苟不爲其中人，安問其灑乎？然驗之今京師驅車人呼濽泥必曰泥者，知濽正用水中人誼。段氏所謂兼指不污者言，是也。如用污灑誼，又可第呼濽矣。濽通濺、㖃、淺、湔。一切經音義三：濽又作濺、㖃。史記藺相如傳：請得以頸血濺大王。楊泉物理論：恐不知味而唾㖃。集韵：濽或作淺、湔、濺。鄭注：士虞禮槃以盛棄水爲淺，洿人也。通俗文：旁沾曰湔。齊策：臣請以臣之血湔其旃。高注：湔，污也。又一切經音義云：江南言濽，子旦反。山東言湔，子見反。然則濽本與湔、濺音義互通。釋例僅云其音如荐，似未之深考。

樀，讀作債。甯河關志方音。

按：樀，説文云：拓果樹實也。一曰指近之也。唐韵、集韵、韵會：他歷切，音剔。又唐韵：竹戹切。集韵、韵會：陟革切，音謫。甯河人樀讀若債。謫，債聲之轉。

更，讀作經。甯河關志方音。

按：今順天人語更改之更，音作庚，語嚴更之更，則音若經。張衡西都賦：衛以嚴更之署。注：督夜行鼓也。

霍，讀作火。甯河關志方音。

按：今世輕財曰揮霍。廣韵：虚郭切。集韵、韵會：忽郭切。又集韵：曷各、靂各二切。史記周勃世家注正義曰：霍音瑣，又蘇寡切。師古曰：山寡切。類此皆與火音近。甯河人讀若火，不當云讀作。

訛，讀作挪。甯河關志方音。

按：訛，玉篇云：與譌同。説文引詩：民之譌言。宋五行志引同説文。今小雅本作訛，平秩南訛。史五帝紀作譌。漢王莽傳：以勸南僞。師古注：譌讀曰訛。集韵：訛通作吪。詩：尚寐無吪。傳：吪本亦作訛。淮南天文介蟲：不爲，爲卽譌省，當依。爾雅、方言、玉篇訓化。廣韵：訛，五禾切。集韵、韵會：吾禾切。又集韵：牛何切。今甯河方音讀若挪，聲相轉也。

樹植，立也。燕之外郊，凡言置立者謂之樹植。方言七。

按：説文：樹，生植之總名也，从木，尌聲。尌，籀文。植立之樹，當爲侸、尌。豎，叚借作樹，故説文：侸，立也，从人，豆聲，讀若樹。玉篇侸云：今作樹。廣韵：侸同尌。又説文：尌，立也，从壴，从寸。寸，持之也。讀若駐。侸、樹聲同，尌、樹，聲近，故叚作樹。然樹實有侸、尌誼。許云：尌聲者，以聲而包象形、會意也。説文：壴，从屮，屮木初生也。象|，所謂|者，引而上行，有植立意。尌从寸，卽説文所謂持之也。持有手植意。漢嚴助傳集注、

西域傳集注、文選西京賦修旃薛注，並云樹，植也。左成二年傳，樹德而濟同欲焉注，又襄四年傳，樹之詐慝注，昭元年傳引其封疆而樹之官注，並云：樹，立也。又植古通殖。方言十二：蒔，殖立也。宋曹毅之本，殖字作植，諸本作殖。漢景紀集注、韓安國傳集注：樹，殖也。周語以殖義方，其殖訓立。玉篇：殖，生也，種也。廣雅釋詁：殖，立也。此植、殖誼同文通之證。說文豆部：豎，堅立也。柵，編樹木也。一切經音義十四引說文：樹作豎。今順天人猶語立曰樹植，或曰豎植。

摳揄，旋也。凡物樹稼早成熟，燕謂之摳揄。方言六。

按：方言：摳揄，旋也。秦、晉凡物樹稼早成熟謂之旋。燕、齊之間謂之摳揄。摳揄者，即旋之聲轉。說文：旋，周旋，旌旗之指麾也。指麾有遠誼，故叚借爲語早熟字。漢書董仲舒集注：旋，速也。

策、杪，小也。木細枝謂之杪，燕之北鄙謂之策。方言二。

按：方言：私、策、纖、茷、稺、杪，小也。凡草生而初達謂之茷，稺年小也。木細枝謂之杪。青、齊、兗、冀之間謂之葼。燕之北鄙朝鮮洌水之間謂之策。故傳曰：慈母之怒子也，雖折葼笞之，其惠存焉。今考說文：策，馬箠，从竹、朿聲。經籍書策，籌策，皆叚借字。方言呼杪爲策，亦殊語叚借字。然許云：朿聲則聲包形誼，亦與杪誼通。說文：朿，木芒也，象形，讀若刺。考刺、朿古通，芒朿即杪也。

凡草木刺人，北燕謂之茦，或謂之壯。方言三。爾雅注云燕北。

按：方言：凡草木刺人，北燕、朝鮮之間謂之茦，或謂之壯。自關而西謂之刺。江湘之間謂之棘。一切經音義引方言：凡草木㓨人，關西謂之㓨，燕、朝鮮洌水之間謂之茦。今校㓨即茦之或體。郭注方言引爾雅：茦，刺也。今校茦，諸本作策，宋李文授本，茦从艸，足資訂正。郭注爾雅：草刺針也。關西謂之刺，燕北、朝鮮之間曰茦。見方言。是郭見本从艸。廣雅釋詁：茦刺，壯箴也。茦一作策。景宋本、皇甫本作茦，正與郭見本、李本、方言合。說文：刺，直傷也。又茦、莿互訓，雙聲又疊韵也。繫傳引爾雅舊注，即草木之莿也。集韵：茦同莿，草芒。又說文：朿，木芒也，讀若刺。又云：梗山枌榆有朿。然則朿、刺、茦、莿，並文異誼同。又郭注方言云：今淮南人亦呼壯，壯，傷也。山海經謂刺爲傷也。易大壯，馬融、虞翻注並云：壯，傷也。

癟，不飽滿也。甯河關志方音。

按：玉篇：癟，枯病也。甯河人方言謂不飽滿爲癟，蓋本枯誼。今順天人謂穀屬實不飽滿曰癟殼，又謂高粱取米，餘皮曰癟花。

牡，斂口作鼻音。甯河關志方音。

按：説文：牡，畜父也，从牛，土聲。唐韵、集韵、韵會：莫后切。又集韵、韵會：滿補切。

凡六畜勞傷，則鼻中常流膿水，謂之嗓病。又愛訐人之短者，亦謂之嗓。陶宗儀輟耕録二十三。

按：輟耕録：王和卿，滑稽挑達，中統初，燕市有一蝴蝶，其大異常。王賦醉中天小令，其名益著。時有關漢卿者，王常以譏謔加之，關答不能勝。王忽坐逝，鼻垂雙涕尺餘。關詢其由，或對曰：此釋家所謂坐化也。後問鼻懸何物，又對：此玉筯也。關云：不是玉筯，是嗓。咸發一笑。凡六畜勞傷，則鼻中常流膿水，謂之嗓病。又愛訐人之短者，亦謂之嗓。正字通：俗以馬病鼻流涎曰嗓，今驗順天馬醫猶有此語。

突，讀作覩。甯河關志方音。

按：突，廣韵、韵會：陀骨切。集韵：他骨切，又他括切，又徒結切，又陁没切，均無覩音。然突、覩亦聲之近。

郁，讀作於。甯河關志方音。

按：郁，集韵：地名。唐韵：於六切。集韵、韵會：乙六切。今甯河讀若於，聲之轉。

不當價，如吴語云罪過。帝京景物畧。

按：順天人今語猶然。價，語助辭，故言弗若是，曰不價。

給，讀作紀。甯河關志方音。

按：説文：給，相足也。廣韵：居立切。集韵、韵會：訖立切。集韵：又極業切，又於業切，又轄夾切，然並無紀音。甯河人讀若紀，聲相轉耳，不當云讀作。

小兒羣歌，尾聲作以，八聲作巴。帝京景物畧。

按：帝京景物畧：凡歲時不雨，家貼龍王神馬於門，小兒塑泥龍，張紙旗，擊金鼓，焚香各龍王廟。羣歌：青龍頭，白龍尾，聲作以。小孩求雨天歡喜。麥子麥子焦黃，起動起動龍王，大下小下，初一下到十八。聲作巴。摩訶薩。初雨，小兒羣喜而歌曰：風來了，雨來了，禾場背了穀聲作古。來了。今驗順天人語尾，語八猶然。穀另詳。

窄，讀作齋上聲。甯河關志方音。

按：窄，廣韻：側柏切。集韻、韻會：側格切。並音責。甯河人讀若齋上聲者，齋之上聲爲宰，宰、責聲轉。

闊，讀作渴。甯河關志方音。

按：闊，説文作闊，疏也，活聲。廣韻：苦括切。集韻、韻會：苦活切。今順天人羡人奢曰闊，語闊若渴，與甯河同。

略，讀作料。甯河關志方音。

按：略，唐韻：離灼切。集韻、韻會：力灼切。並音掠。今順天人語少少曰略薄。略音若料，與甯河同。料蓋掠之聲轉。

瑞，讀作蕤。甯河關志方音。

按：説文：瑞，以玉爲信也。玉篇：信節也。唐韻：是僞切。集韻、韻會：樹僞切。甯河方音讀若蕤，聲相轉耳，不得云讀作。

燕人謂多曰𡖓。類篇。集韻八戈。𡖓，燕人云多。廣韻。

按：𡖓，从委，从多，多亦聲。集韻：委，音萎。委積，牢米、薪芻之總名。少曰委，多曰積，然則𡖓之爲言委，積也。類篇：鄔毁切，又鄔果切。玉篇：𡖓，於果切。此𡖓、𡖼聲轉之證。𡖼，廣雅：多也。𡖼同夥。史記陳涉世家：夥頤。今湖州人亦謂幾多曰幾夥。又類篇：𡖓，若禾切。廣雅釋詁：𡖓，多也。廣韻：烏禾切。燕人云多，然則𡖓又多之聲轉。

夠，多也。甯河關志方音。

按：夠，廣韻、集韻作够，集韻云：多也。

幽州人語，謂耿爲簡。蜀志注。

按：三國志：簡雍，涿郡人也。裴注：或曰雍本姓耿，幽州人語，謂耿爲簡，遂隨音變之。今考古有簡姓，周大夫簡師父，魯大夫簡叔是也。簡雍姓氏，變自耿，則初與漢耿弇，耿況同姓氏矣。廣韵：耿，介也。馮衍顯志賦：獨耿介而慕古兮。禮王制注：簡，誠也。謚法：一德不懈曰簡。是簡、耿誼亦通。耿，唐韵、集韵：古幸切。簡，唐韵：古限切，集韵：賈限切，音近，故聲變。

燕語呼亾爲無，水經漯水注引地理風俗記。燕語呼毛爲無。戴本水經漯水注引地理風俗記。

按：亾、無同。不獨燕語爲然。書：無教逸，欲有邦。漢書王嘉傳引咎繇曰：亾敖佚，欲有國書，咸秩無文。漢書翟方進傳云：咸秩亾文。説文：𣞤，亾也。从亾，無聲。經傳亾訓無者，難可枚舉，呼亾爲無，非殊語也。戴本作毛，是也。趙本作亾，而注釋則云無鄉似呼爲毛鄉。酈故引地理風俗記之文以釋之，佩觿云：河朔謂無曰毛。漢書高惠高后文功臣表：靡有孑遺耗矣。注：今俗語猶謂無爲耗，音毛。後漢馮衍傳：饑者毛食。章懷注：案衍集作無，今俗語猶然者，豈古語亦通乎？當讀如模。井觀瑣言：南人謂毛曰膜，見今驗，毛讀如模，謂毛曰膜，即爾雅義疏所謂今人言無有曰没有之没也。無讀若模，又轉爲没，又轉爲毛。毛，莫袍切，不讀如模。

燕言鉏。淮南説林高注。

按：淮南説林：使但吹竽。注：但古不知吹竽人，但讀燕言鉏同也。

燕人言胡。淮南説山高注。

按：淮南説山高注：荷讀如燕人言胡，同也。今驗順天人言胡若虎平聲，與湖州人言胡若吴則異矣。

燕人言勅。淮南覽冥高注，淮南本經高注。

按：淮南覽冥：澤受瀷而無源者。注：瀷讀燕人强春言勅同也。又本經淌游瀷域注：瀷讀燕人强春言勅之勅。

俗讀作須。甯河關志方音。

按：俗，説文谷聲。唐韵：似足切。集韵、韵會：松玉切。今甯河人則讀若須，音近聲轉耳。

膩，胒胒，味厚也。甯河關志方音。

按：説文：膩，土肥也。廣韵：肥，膩。今順天人亦有此語。䏌䏌未詳。

𤎨𤎨，火盛也。甯河關志方音。

按：𤎨，集韵：户孔切。類篇：胡動切。𤎨𤎨，火皃。

喌喌，呼雞也。甯河關志方音。

按：説文：喌，呼雞，重言之，从吅，州聲，讀若祝。左傳：州吁。穀梁云：祝吁。博物志：祝雞翁善養雞，故呼祝祝。集韵或作喌。廣韵亦作咮。夏小正：雞桴粥粥也者，相粥粥呼。風俗通：呼雞朱朱。今順天人呼喌喌，聲若朱。

頤頤，呼鴨也。甯河關志方音。

按：今順天人呼鴨亦曰頤頤，疑頤頤即鴨鴨之聲轉。埤雅：鶩一名鴨，蓋自呼其名曰鴨也。禽經：鴨鳴呷呷，其名自呼。〇甯河關志方音又云：都都，呼馬驢也；犨犨，呼牛也；敷敷，呼豬也；簇簇，呼犬也。頭口，牲口也。

爹，父稱也。甯河關志方音。

按：廣韵：爹，北人呼父也。可爲甯河方言之證。然驗之今順天人呼父曰爸爸。集韵引説文：爹，父也。今本無爸。疑爹之聲轉。廣雅：爸、爹，父也。

媽媽，母稱也。甯河關志方音。

按：集韵、類篇並引廣雅：媽，母也。今廣雅本脱。王氏疏證據補是也。玉篇：媽，莫補切，母也。然今順天人呼母曰媽，則爲馬平聲。

爺，祖稱也。甯河關志方音。

按：玉篇：俗呼爲父，爺字甯河屬之祖稱。疑爺爺急言之則爲爺。今順天人呼祖曰爺爺，可證。

嬭嬭，祖母稱也。甯河關志方音。嬭原作奶，今訂正。

按：甯河志：奶疑嬭之俗字。廣雅：嬭，母也。廣韵：嬭，楚人呼母也，奴蟹切。集韵：女蟹切，並音疬。然則甯河方言，呼嬭嬭音如乃，遂加女作乃。

老爺，外祖稱也。甯河關志方音。

按：呼外王父爲老爺，順天人亦然。

姥姥，外祖母稱也。甯河關志方音。

按：甯河人稱外王母曰姥姥，其音如老。然考姥，古同姆。廣韵、集韵：姆，莫補切。集韵：莫候切。並無老音。且姆，女師也，㛂也，以稱外王母，誼亦未符。姥姥疑是媪媪。媪有母誼。母之母，故呼媪媪。漢外戚傳：地節三年求得外祖王媪。廣韵、集韵：媪，烏皓切，音襖。今言如襖，卽姥之聲轉。康熙字典亦云：北人呼祖母爲嫽。嫽一曰盧皓切，音老，與媪通。

郭，讀作葛。甯河關志方音。

按：郭，説文作𩫏，又从邑，𩫏聲。唐韵：古博切。集韵、韵會：光鑊切。然則甯河人讀若葛，與諸韵書合。

廡，幽謂之庌。一切經音義十四。二十同。

按：一切經音義十四：庌，五下反。説文：堂下周屋曰廡。幽冀之人謂之庌。今言聽庌是也。又二十：庌，顔假反，幽冀之人謂之庌。經文作雅，非體也。釋名則云：并冀人謂之庌，與玄應説微異，當是各據所聞。庌古音户，與廡聲相近，誼亦通，雅則同聲相叚也。

閣，讀作稿。甯河關志方音。

按：説文：閣，从門，各意兼聲。唐韵：古洛切。集韵：剛鶴切。韵會：葛鶴切。並與説文各聲合。而甯河人讀作稿，則各聲之轉。

翟、宅，並讀作齋。甯河關志方音。

按：翟，廣韵：徒歷切。集韵、韵會：亭歷切。國語：自竄於戎翟之間。注：翟或作狄，此翟、狄同聲之證，不獨鳥名音狄矣。又廣韵：場伯切。集韵、韵會：直格切。史記項羽紀注：陽翟河，陽翟縣，唐有陝州刺史翟璋。姓纂、姓苑，本音翟，改音宅。是翟又有宅音。宅，唐韵：場伯切。集韵、韵會：直格切。順天人宅讀作齋，故翟亦因以聲轉。

京師人呼巷爲衚衕。疑耀。

按：京師呼街爲某大街，巷與街通，則謂之衚衕。篇海云：衚衕，街也。正字通云：京師街道曰衚衕，殊未之晰，疑耀衚衕世以爲俗字，不知山海經已有之：食鸓鳥可以止衕。郭璞注：治洞下也，音洞。又飛魚食之已痔衕。獨衚字未經見。今考説文：衕，通街也，从行，同聲。段氏云：衕、通疊韵。今京師衚衕字如此作。玉篇：下也，亦通街也。唐韵：徒紅切。集韵、韵會：徒東切。並音同。廣韵：徒弄切，音洞。誼同。衚衕二字，元人入詩。巷，古同衖，唐韵、集韵：衖並同巷。玉篇：衖亦作巷。韵會引三蒼云：衖，宫中別道也。離騷：五子用失乎家衖。廣雅：閭謂之衖，廣韵亦作鄉，韵會、篇海又作閧。詩鄭風：俟我乎巷兮，悔予不送兮。巷，古音胡貢切。今衚衕字，即巷字雙聲，疾讀爲巷，緩讀爲衚衕。〇又按：衚衕爲衙衕之聲轉。説文：衙，行皃，從行，吾聲。然則衙、衚聲近。楊慎曰：今之巷道，名爲衙衕，又作衖衕。南齋書：西弄。注：弄，巷也。南方曰弄，北曰衖衕。

道，讀作刀。甯河關志方音。

按：道，唐韵：徒皓切。集韵、韵會：杜皓切，又大到切。詩衛風：道醜。易林：道苦。古音所諧，異矣。然無刀音。甯河人道讀若刀者，道、刀同母，故聲轉耳。

聿，所吕書也。燕謂之弗，説文聿部。燕謂句，集韵、玉篇同。燕謂之拂。初學記二十一引説文。

按：説文：聿，所吕書也，楚謂之聿，吴謂之不律，燕謂之弗，从聿，一聲。又云：聿，手之疌巧。本或云从聿，一聲，桂氏沿之，非也。爾雅釋器：不律謂之筆。郭注：蜀人呼筆爲不律也，語之變轉。今考，不律合聲爲筆，聲亦近聿。唐韵：聿，余律切。集韵：聿，允律切。可證。弗亦聿之聲轉。唐韵、集韵：弗，分勿切。爾雅釋詁：弗，治也，與華嚴經音義引漢書音義：筆，謂增益也，其誼通。易：拂經于邱頤。釋文引子夏傳作弗，注：弗，輔弼也。禮曲禮：史載筆徐廣車服。雜注：古者貴賤皆執笏，有事則書之，常簪筆。簪筆，載筆，皆所吕輔弼也。其誼又通。初學記二十一引説文：燕謂之拂，以拂爲弗。與釋文引子夏傳同。又文選顔延年、應劭讌曲水詩：滯瑕難拂。注：拂亦作弗，古字通。一切經音義十四引聲類：拂，扶也。廣雅釋詁：拂，弼也。皆與弗誼同。段注説文：弗同拂拭之拂，猶隔一誼。

筆，讀作彼。甯河關志方音。

按：筆，廣韵：鄙密切。韵會：逼密切。今甯河人筆讀若彼，蓋聲之變轉。彼誼與筆難通，不得云讀作。

墨，讀作密。甯河關志方音。

按：説文：墨，書墨也，从土、黑，大徐本有黑亦聲三字。唐韵：莫北切。集韵、韵會：密北切。今順天人墨讀若莫。甯河人讀若密。皆聲之轉，非蒙本誼，不得云讀作。

錫，讀作西。甯河關志方音。

按：説文：錫，銀鉛之間，从金，易聲。唐韵：先擊切。集韵、韵會：先的切。又集韵：斯義切，予也，他歷切，髲也。今順天人呼錫曰錫蠟，語錫若西，去聲，甯河讀若西，皆聲之變轉，不得云讀作。

葉褕，毳也。燕之北郊曰葉褕。方言二。

按：方言二：褕鋪、襤𧝓、帗縷、葉褕，毳也。荆揚江湖之間曰揄鋪。燕北之郊，朝鮮洌水之間曰葉褕。郭注：皆謂物之扞蔽也。今名短度絹爲葉褕也。褕，郭音臾，與唐韵：羊朱切，韵會：容朱切合。葉褕舊本云葉輸。考漢江充傳：曲裾後垂交輸。是輸亦通扞蔽誼。然玉篇云：葉褕，度絹也。郭説同此，故戴氏校方言本，據以改定。説文：毳，獸細毛也。

補帄，補衣布角也。甯河關志方音。

按：説文：靪，補履下也。徐鍇傳：今履下以綫爲結，謂之釘底是也。廣雅：靪，補也。疏證：靪之言相丁著也。今俗語猶言補丁。

京師稱婦人所帶冠爲提地。野獲編。

按：野獲編：提地，蓋鬏髻兩字俱入聲，北音無入聲者，遂訛至此又云：元人命婦所帶笄曰罟罟，蓋虜語也。今驗提地卽笄之聲轉。

鞋，讀作蛇。甯河關志方音。

按：廣韵、集韵：鞋，户佳切。又集韵：懸圭切。玉篇本作鞵。今考鞋、蛇雖同母字，然甯河人鞋不聞讀若蛇，今順天人鞋語若寫平聲。

盂，北燕或謂之⿱𢍏皿。方言五。

按：方言：盂，海岱、東齊、北燕之間或謂之⿱卷皿。郭氏音義：盂，音亐，⿱卷皿，書卷考亐卽于。御覽引方言：⿱𢍏皿作捲。丁公著孟子音亦同，丁音引海岱之間，謂盌爲⿱卷皿，與今本小異。集韵：⿱卷皿與棬、⿱卷皿、圈、⿱𢍏皿同。⿱卷皿，居願切，音桊，又古倦切，義同，又逵員切，音權。廣雅：⿱卷皿，盂也。孟子：以杞柳爲桮棬。禮玉藻：母没而杯圈不能飲焉。注：圈，屈木所爲，謂卮、匜之屬。棬卽⿱卷皿。然則⿱卷皿之言卷曲也。説文：⿱卷皿，飲器也。小徐後漢書注，御覽引並作飲。大徐篇韵、急就篇：飲作飯。説文又云：盌，小盂也。廣雅：盂謂之槃。又通杅。説文：杅，木也。可屈爲杅者。文選答客難：安於覆盂。注：盂與杅通。

罃，燕之東北謂之瓺。方言五。

按：方言：罃，燕之東北、朝鮮洌水之間謂之瓺。説文：備火長頸缾也。急就篇：甀、缶、盆、盎、甕、罃，壺。五經文字：罃與甖同。爾雅釋器注：瓿甊，小甖。釋文：甖字亦作罃。公羊昭五年傳注作甖。廣雅釋器：瓺，罃瓶也。瓺，方言郭音暢，亦腸。廣韵：瓺，直良切。集韵：仲良切，音長，又直亮切，音仗，又丑亮切，音悵。

北燕謂瓶爲㼙。集韵 類篇。

按：類篇：㼙，詁結切，又結計切。玉篇、廣韵並云㼙，瓶受一斗者。廣雅釋器：㼙，瓶也。

瓹，幽州曰瓦。許慎淮南氾論訓注。

按：淮南氾論訓：抱瓹而汲。許氏注：兖州小武爲瓹。幽州曰瓦。一本曰：幽剡曰瓦，譌也。今曰瓦者，專指集韵所云施瓦於屋，抱朴子所云燒泥爲瓦也。古則爲陶器通名。説文：瓦，土器已燒之總名，象形也。坯，一曰瓦，未燒，然則土器未燒曰坯，已燒曰瓦。釋名：瓦，踝也。踝確，堅皃也，亦言腂也，在外腂見也。詩：載弄之瓦。傳：瓦，紡塼也。儀禮聘禮：瓦大一。注：瓦大，瓦尊。又燕禮：公尊瓦大。注：瓦大，有虞氏之尊也。物異皆得瓦名。瓹呼爲瓦，亦瓦中之一也。許注或即甗也，並與㼧、甒通。方言五：甗、瓹，甖也。周、魏之間謂之甗，大者謂之瓹。廣雅：瓹、甗，瓶也。

璺，器破未離也。甯河闗志方音。

按：璺，廣韵：許覲切。集韵：許慎切。韵會：許刃切。同釁，隙罅也。龜瓦裂曰璺。甯河人方言亦存古誼。

鍑，北燕或謂之錪，或謂之鉼。方言五。北燕謂釜曰鉼。集韵。

按：方言：鍑，北燕、朝鮮洌水之間或謂之錪，或謂之鉼。自關而西，或謂之釜，或謂之鍑。郭氏鍑音富，錪音腆，鉼音餅。説文：鍑，如釜而大口。漢匈奴傳：多齎鬴鍑薪炭。注：鍑音富，釜之大者也。一切經音義二引三倉云：鍑，小釜也。與許説異。然考博古圖，周獸耳鍑，容五斗八升，口徑八寸六分，兩目連環似釜，而口斂，口上載鬲，以熟物。漢獸耳鍑容一斗四升八合，口徑五寸，兩耳環與周鍑同。鍑似二甌俯仰，合甌邊稍著，上有小口。然則鍑小口，豈許所見形製或異與？急就篇：鐵、鈇、鑽、錐、釜、鍑，鍪。廣雅釋器：鉠、鉼、鍑，釜也。說文：朝鮮謂釜曰鉠。玉篇：鉠，小釜也。集韻：鉠，他典切。集韻：鉼，卑正切，音摒。廣雅：鉼，鬴也。

鍫，燕之東北謂之𣂑。方言五。**今燕以插地起土者爲鐵鍬。**爾雅義疏。

按：方言：鍫，燕之東北，朝鮮洌水之間謂之𣂑。趙、魏之間謂之喿。郭云：𣂑，湯料反。此亦鍫聲轉也。喿字亦作鍫字，江東又呼鍫刀爲鍫。盧文弨曰：鍫，舊本皆作臿，下𣂑字，郭云：亦鍫聲轉，鍫又兩見，若上不出鍫字，則文無所承。正字通引方言云：鍫，江淮南楚間謂之臿。此書雖出近世，亦必有所本。今改从之，七消反。說文：𣂑，斛旁有𣂑，从斗，𣂑聲，一曰突也，一曰利也。爾雅曰：𣂑謂之疀。古田器也。然則𣂑从斗，會意，曰田器，叚借字也。爾雅：庣謂之疀。郭注：皆古鍬、鍤字。廣韻：鍫，臿也，亦作𣂑。爾雅釋文：𣂑，古鍫字。此𣂑、鍫字同之確證。鍫又同喿，玉篇作鐰，同鍫，與郭注喿亦作鍫合。廣雅：喿，臿也。庣，𣂑聲，銚，兆聲，故𣂑又爲銚叚借字。詩：庤乃錢鎛。毛傳：錢銚也。說文：錢銚也，古者田器。銚一曰田器。段氏說文注：𣂑、銚、喿三字同，即今鍫字也。今考鐰、鍬皆同。新序刺奢篇：許綰負樔鍤入。樔疑即鐰。說文：疀，𣂑也。釋名：鍤，插也，插地起土也。或曰銷，或曰鏵。是鏵與方言之梩，郭音駭。即疀、臿之聲轉，銷即杙、鍫之聲轉。爾雅義疏：今燕、齊間以插地起土者爲鐵鍬，登萊間謂之钁頭。古今異名耳。

橛，燕之東北謂之椴。方言五。

按：方言：橛，燕之東北、朝鮮洌水之間謂之椴。椴，郭音段。注：揭杙也，江東呼都。今考木形之直而短者曰橛，橛同橜。詩兔罝正義引李巡云：杙，謂橜也。說文：弋，橜也。又云：橜，弋也，从木，厥聲。橜之言厥，是聲亦會意，故橛或省作厥。荀子大略篇：和之璧，井里之厥也。厥即橜字。列子黃帝篇：若厥株駒。張諶、崔譔莊子注云：厥株駒斷樹也。釋文云：厥，說文作耳，木本也。株駒亦枯樹本也。廣雅釋宮：椴，杙也。疏證：椴之言段也，今人言木一段、兩段也。郭注方言：呼都者，都、櫫聲近，以揚櫫急呼之，則爲都。說文：揭，揭櫫也。周官：蜡氏置楬。鄭衆注：今時楬櫫是也。廣雅：楬櫫，杙也。爾雅：橜謂之闑。注：門閫也。玉藻正義：闑謂門之中央所豎短木也。晏子春秋：井里之困也。困，即說文門梱之梱，省作困。說文：樴，弋也。爾雅：樴謂之杙。注：橜也。內則正義引李巡曰：樴，謂橜杙也。爾雅：在牆者謂之楎。考工記匠人注引爾雅云：在牆者謂之杙。禮內則鄭注：楎，杙也。又爾雅：在地者謂之臬。郭注：臬，即門橜也。

牀，其杠，北燕謂之樹。方言五。

按：方言：牀，其杠，北燕、朝鮮之間謂之樹。自關而西秦、晉之間謂之杠。然則樹亦高牀名。益部耆舊傳：刺史每自坐高牀，爲從事設單席於地。此高牀之證。古制，牀、几略同，故說文云：牀，安身之几坐也，从木，爿聲。

牀制同几，可坐，有足。牀亦可卧。服虔通俗文：八尺曰牀。劉熙釋名：人所坐卧曰牀。牀，裝也，所以自裝載也。此牀爲可卧、可坐之證。樹之言豎，又立也。説文：樹，从木，尌聲。然則謂杠爲樹，叚借字也。説文：杠，牀前横木也。與樹誼異。然考爾雅：素錦韜杠。説文丨部：㫃，旌旗杠皃。考工記：輪人爲蓋，達常圍三寸，桯圍倍之。注：達常，斗柄下入杠中者，桯，蓋杠也。此杠亦有直誼之證。高士傳：老萊子枝木爲牀。與樹誼亦通。今順天人呼木榻曰牀。

車釭，燕謂之鍋，或謂之錕。方言九。

按：方言：車釭，燕、齊、海岱之間謂之鍋，或謂之錕。自關而西謂之釭，盛膏者乃謂之鍋。鍋，郭音戈。錕，郭音衮。依一切經音義十一引方言：燕、齊、海岱之間名釭爲錫。又十九引方言：自關而西謂之釭。燕、齊、海岱之間曰鐹。均與今本異。後漢班彪傳注：釭，轂鐵也。玉篇：錕，車釭也。〇又按：順天人呼盛膏者爲鍋。

劍削，燕謂之室。方言九。

按：方言：劍削，自河而北，燕、趙之間謂之室。自關而東或謂之廓，或謂之削。自關而西謂之鞞。説文：削，鞞也，从刀，肖聲。徐曰：今人音笑，刀之匣也。詩公劉正義：古之言琫，猶今之言鞘。集韵：仙妙切，本作鞘，或作鞘、韒。一切經音義十五引説文：鞞上有刀字。又云：陳思王寳刀賦，豐光溢削，是也。蒼頡篇作削。玉篇：削，所以貯刀劍刃。釋名：刀其室曰削。削，峭也，其形峭殺，裹刀體也，凡刀劍削通謂之室，國策燕策：拔劍，劍長，操其室。此燕呼削爲室之證。史記刺客傳索隱：室謂鞘也。廣雅釋器：室，劍削也。

佻，縣也。燕郊縣物於臺之上謂之亅。方言七。

按：方言：佻、伉，縣也。趙、魏之間曰佻。燕、趙之郊縣物於臺之上謂之佻。佻，郭音丁小反。注：了佻，縣物皃。正文及注：佻字並當依一切經音義集韵所引作亅，亅，象形，佻，後人妄改也。王延壽王孫賦：亅瓜縣而瓠垂。今順天人呼門邊縣鐵可加鎖者曰了弔。

櫪，北燕或謂之樎，或謂之皁。方言五。

按：方言：櫪，梁、宋、齊、楚、北燕之間或謂之樎，或謂之皁。郭注：養馬器也。皁隸之名於是乎出。匡謬正俗六：以牡馬壯健、堪駕及軍戎者，皆伏櫪芻養之。廣雅：樎，皁櫪也。集韵：樎本作槭。玉篇：樎，櫪也。皁即説文草字，云草斗，櫟實也，从艸，早聲。段氏曰：俗作皁，作皂，於六書不可通。周禮大司徒：其植宜皁物。叚借早晚字爲之，然則呼櫪爲皁，亦叚借字。史記鄒陽傳集解引漢書音義：皁，以木作，如槽。

飤馬橐，燕謂之帳。方言五。

按：方言：飤馬橐，燕、齊之間謂之帳。舊本飤作飲。集韵類篇引方言亦作飲。盧氏校定作飤。飤通作飼。郭注方言云：廣雅作振，音同耳。然則廣雅今本作帳，後人从方言改也。廣雅：帳，囊也。疏證：帳之言振也。

㫰子，酒帘也。甯河關志方音。

按：篇海：㡆子，呼廣切，音慌，酒家望子。㡆、望，一聲之轉。

索，讀作鎖。甯河關志方音。

按：説文𣎵部：索，艸有莖葉可作繩。索，从𣎵、系。杜林説，𣎵亦朱木字。系部：繩索也。小爾雅：大者謂之索，小者謂之繩。急就篇注：索，總謂切，撚之令緊者也。漢書地理志集注引如淳曰：索，音繩索之索。廣韵：蘇各切。左昭十二八索釋文：索本作素。離騷：憑不厭乎求索。注：索音素。公羊宣十二年：多索丁夫。釋文：索本作策。水經河水注：索郎，反語爲桑落，然從無鎖音。甯河人讀若鎖，聲相轉耳。

定遠方孝傑校　武進屠寄覆校

地理志十五

德清傅雲龍纂　江陰繆荃孫覆輯

方言下

雹，讀作包。甯河關志方音。

按：雹，唐韵：蒲角切。集韵、韵會：弼角切。又集韵：蒲沃切，並與讀作包者異。然説文：雹，从雨，包聲。是甯河方音猶存古聲。釋名：雹跑也。韵會補：洮岷間雨雹曰白雨，又曰硬頭雨。

北燕謂滐曰泂，或从水。集韵四十一迥。

按：集韵泂下云：北燕謂滐曰泂。洞下云：寒謂之泂。或从水。説文無泂，有洞，云洞滄也，从水，同聲。廣雅釋詁：滄、溉、冷、洞、清、涇、凍、淬，寒也。洞不从冫。經籍纂詁引之泂下誤。説文滄、滄同訓寒。然則訓滄之洞，誼亦同泂。玉篇：泂，冷也。滐，寒極也。唐韵：滐，渠飲切。泂，古迥切。据知，泂、滐聲近誼通。詩：泂酌彼行潦。爾雅釋詁：泂，遠也。泂爲迥叚借字，别一誼。

今京師人謂日跌爲晌午趓。説文段注。

按：趓，説文：走意，从走，坐聲。廣韵：蘇和切。花間詞：荳蔻花間趓晚日。今順天人謂日午爲正晌午，少西曰晌午趓。午語若火，趓語若錯。説文無晌有餉，云餉，晝食也。今俗謂日西爲晌午，頃刻爲半晌，猶餉之遺語也。

暮，斂口作鼻音。甯河關志方音。

按：暮，説文作莫，云日且冥也。从日在茻中。茻亦聲。又云：茻讀與冈同。唐韵：莫，慕各切。集韵：末各切。

北，讀作卑上聲。甯河關志方音。

按：北，唐韻：博墨切。集韵、韵會：必墨切。順天人語無此音，其語北若背，與集韵補妹切，韵會蒲妹切適合。諺云：雲跑北，發大水。蓋讀水若雖，去聲，故與讀北若卑去聲協也。甯河方音轉爲卑上聲，則又微異。

國，讀若鍋。甯河關志方音。

按：國，唐韵：古或切。集韵：骨或切。甯河人讀國若鍋者，國、鍋同母，一聲之轉。

畝，斂口作鼻音。甯河關志方音。

按：畝，説文作畮，每聲，或从十、久，据知畞爲畮之或體。周禮作畮，與許合。唐韵：莫厚切。集韵、韵會：莫後切。詩豳風：饁彼南畝，田畯至喜。据知畝有米音。班固西都賦：士食舊德之名氏，農服先疇之畎畝，商循族世之所鬻，工用高曾之規矩。此正與豳風合。今順天人讀畝，斂口作鼻音，亦每聲之轉。

墳，地大也。幽凡土而高且大者謂之墳。方言一。

按：禮檀弓：墓而不墳。注：土之高者曰墳。郭注：方言云，卽大陵也。考爾雅釋地：大阜曰陵。又釋丘：後高陵丘。釋名：陵，崇也，體崇高也。並與郭誼合。又方言：冢，秦、晉之間謂之墳。説文：冢，高墳。書正義引舍人曰：冢，封之大也。今考冢土、冢君、冢宰、冢子、冢祀，皆大也。墳又通賁。周禮：司烜共墳燭，通賁。詩：賁鼓維鏞。書：用茲賁。賁，皆大也。

墓，斂口作鼻音。甯河關志方音。

按：墓，説文：从土，莫聲。廣韵、集韵、韵會：莫故切。又集韵：蒙晡切。漢班固敘傳注：墓音模。

燕京之音呼谷爲鼓。二申野録。

按：呼谷，聲若鼓，今順天人猶然。二申野録：北京童謡云，馬倒不用喂，鼓破不用張。馬永成、張永、谷大用、魏彬四宦，耑權害政，後皆廢出。鼓卽谷也。燕京之音爲鼓云。

甯河方音，阜讀作富。甯河丁志。

按：阜，説文作𨸏。云山無石者。釋名：土山曰阜，言高厚也。詩小雅：如山如阜。誼取厚也。爾雅：既阜傳阜。猶多也。鄭風：火烈具阜。傳：阜，盛也。説文：富，備也。一曰厚也。論語集解引孔注皇疏：富，盛也。然則阜、富，誼可通矣。其音亦近。阜，唐韻、集韻：房九切。韻會：抉缶切。富並方副切。

濼，陂濼也。幽州名澱。玉篇。濼，幽州名淀。一切經音義一。陂池，幽州呼爲淀。一切經音義十二。

按：玉篇：濼，陂濼也。山東名濼，幽州名澱。一切經音義一：陂濼，大池也，山東名濼，幽州名澱，今亦通名也。又十二：陂池，山東名爲濼，鄴東有鸕鷀濼是也。幽州呼爲淀，音澱。又十四：陂，池也，今關中亦名濼，幽州名淀。淀，徒見切。顏氏家訓：江陵向幽州淀中捕魚。文選魏都賦：掘鯉之淀。劉注：淀者，如淵而淺也。水經注：淀，陂水之異名也。今驗淀通澱。爾雅釋器：澱，謂之垽。注：澱，滓澱也。今江東呼垽。説文土部：垽，澱也。黑部：⿰黑殳，謂之垽。蓋⿰黑殳即澱之異文。文選江賦：栫澱爲涔。注：澱與淀古字通。一切經音義二、字林：淤，澱滓也。今謂水中淤爲淤也。淤疑垽之譌。淀又省叚作定。水經注巨淀，漢志齊郡云巨定。

穀，聲作古。帝京景物略。

按：帝京景物略：小兒歌，禾場背了穀來了。穀下注：聲作古，餘詳尾下。説文：穀，續也。此以疊韻字爲訓。又云：从禾，㱿聲，此制字時之本音。唐韻、集韻、韻會，並古祿切。又集韻：居候切。今順天人穀通呼若古，聲相轉也，不當云作。

今京師人謂穄爲穈，爾雅義疏。稷，今呼爲穈子。甯河丁志。

按：穄，乃黍之一種，穄、稷音近，實非一物，故説文以穄、穈轉注，不以稷、穄互訓。玉篇：關西穈似黍而不黏。穆天子傳郭注：穄似黍而不黏。一切經音義十一引倉頡篇：穄，大黍也。又云：似黍而不黏，關西謂之穈。吕覽本味篇高注：穄，關西謂之縻，冀州謂之穈。齊民要術引廣志：穄有赤、白、黑、青、黄凡五種。隋書禮儀志：北齊藉千畝種赤黍、黑穄。三國志注：烏丸宜青穄。今驗順天人通呼穄爲穈子。甯河志指穄爲稷，誤矣。然誤不自甯河志始。唐蘇恭云：本草載稷不載穄，稷卽穄也。楚人謂之稷，關中謂之穈。九穀考已辨其誤。又九穀考云：今太原以東呼不黏者爲穈子，武邑人亦呼之曰穈子。穈之米曰穈米。廣雅疏證：今北人呼穈爲穈黍，亦稱穄子。今江淮間亦呼穄米，無作稷稱。恐楚人自是呼穄，蘇氏誤聽爲稷。至李時珍，以穄爲稷，以穈爲黍，穄、穈一物而二之，此不⿺辶止深辨者也。爾雅義疏：秠，蒙黑黍之名，卽今之穄，京師人謂穄爲穈，登州人通謂之黍。

黍，甯河人謂之爲黄米。甯河關志。

按：齊民要術引氾勝之書：黍者，暑也。種者必以暑。説文：黍，禾屬而黏者也。以大暑而種，故謂之黍。从禾，雨省聲。据知與稷種，孟春月令謂之首種者，異矣。九穀考：今太原以東呼黏者爲黍子，不黏者爲穈子。武邑人亦呼之曰黍子、糜子，而呼黍之米曰黃米，糜之米曰穄米。此説最晰。湖州府志：黍，北方人呼黃米，亦曰黃穄。誤也。黃穄者，糜子之黃種。齊民要術所謂穄有黃色者是。説詳糜注。今順天人亦呼黍爲黍子。

麥，讀作買。甯河關志方音。

按：麥，唐韵：莫獲切。韵會：莫白切。又集韵：訖力切。詩鄘風麥北，可證。今順天人麥語若買，甯河亦然，乃聲相轉耳，不得云讀作。

鹿藿，甯河人謂之⿱𤇾豆豆。甯河關志。

按：爾雅：蔨，鹿藿，其實莥。注：今鹿豆也，葉似大豆，根黃而香，蔓延生。説文：蔨，鹿藿也。廣雅：蔨，鹿藿也。据知蔨、蔨，物同名異，與爾雅蔨、鹿注苺也，異物同名。鹿、⿱𤇾豆聲轉。廣韵：⿱𤇾豆，魯刀切。集韵、韵會：郎刀切。玉篇或作𧀳。古今注：⿱𤇾豆一名治豆，葉似葛而實長尺餘，可蒸食，一名⿱𤇾豆菽。本草：鹿藿。唐本注：名鹿豆。唐書夏侯端傳：擷⿱𤇾豆豆以食。然則謂鹿藿爲⿱𤇾豆豆，匪自甯河人始，俗又呼爲野緑豆。

王瓜，固安人謂之黃瓜。固安陳志

按：今順天人通呼黃瓜者，種有二，一深緑，一淡黃，生熟可食，卽湖州人所謂胡瓜也。以王瓜當之則誤。爾雅：鉤，藈姑。郭注：鉤，⿰婁瓜也，一名王瓜。實如瓝瓜，正赤、味苦。釋文引字林：⿰婁瓜⿰婁瓜，王瓜也。廣雅：藈姑，⿰句瓜⿰婁瓜，王瓜也。本草：王瓜一名土瓜。陶注：土瓜生籬院間，亦有子，熟赤如彈丸。吕覽孟夏紀王菩生高注：菩或作瓜，⿰舌瓜⿰婁瓜也。又注淮南時，則訓括樓也。又按鄭注月令：王瓜，草挈也。草挈與菝葜同。正義云：王瓜，草挈，魯本草文。廣雅：菝挈，狗脊也。然則鄭注之王瓜，與郭注之王瓜，同名異物。爾雅：菲、芴。郭注：卽土瓜也。廣雅：土瓜，芴也。此又與王瓜之一名土瓜非一物矣。

王瓜，今京師名赤雹子。爾雅義疏。

按：王瓜詳上。今順天人所謂赤雹子者，蔓生，葉無叉，其實生青、熟赤，而小於雞卵，與郭注爾雅實正赤，陶注本草子熟時赤如彈丸，唐本注蔓生葉無叉缺，子生青、熟赤正合。郝以王瓜當之，近是，然無瓜名。華黃，葉實並有毛。順天人亦呼刺包子。

菲似葍，幽州人謂之芴。詩谷風疏引陸璣疏。爾雅釋草疏引。

按：詩采葑采菲，疏引陸疏云：菲似葍，莖麤，葉厚而長，有毛，三月中蒸鬻爲茹，甘美可作羹，幽州人謂之芴，爾雅又謂之蒠菜，今河内人謂之宿菜。續方言蒠謂蒠。爾雅：菲、芴。郭注：卽土瓜也。又菲，息菜。郭注：菲草生下溼地，似蕪菁，華紫赤色，可食。据郭，似非一物，然菲、芴、葸菜、宿菜、土瓜五者，實一。特土瓜非神農本草所謂王瓜，一名土瓜者也。廣雅：土瓜，芴也。郭説本此。御覽引崔實四民月令云：二月盡，三月可采土瓜根。此可補陸疏之漏。菲非葍，故云似葍。詩谷風鄭箋，以菲爲葍類，左傳疏引孫炎云：葍，類也。本鄭義，芴、葸、宿，聲相轉也。

葈耳，菜名也。幽謂之檀菜，淮南覽冥訓高注。生子如婦人耳中璫，今或謂之耳璫，幽州人謂之爵耳。陸璣詩疏。

按：淮南覽冥訓：位賤尚葈。高注：葈耳，幽冀謂之檀菜，雒下謂之胡葈。陸璣疏：葉青白色，似胡荽。白華細莖，蔓生，四月中生子。爾雅：菤耳，苓耳。郭注：江東呼爲常枲，或曰苓耳，形似鼠耳，叢生如盤。義疏云：今未見蔓生者。郭注：叢生亦未見。説文：苓，菤耳也。離騷王逸注：葹，葈耳也。本草：葈耳，一名胡葈，一名地葵。別録：一名葹，一名常思。陶注：常思菜，一名羊負來。陳啓源曰：卷耳卽藥中蒼耳子。今考列子釋文引倉頡篇：葈耳，一名蒼耳。廣雅：苓耳，蒼耳，葹常葈，胡枲，枲耳也。然則陳説其信，常思卽常枲之變轉。

苕，苕饒也。幽州人謂之翹饒。詩陸璣疏。史記魏世家注。翹摇，幽州謂之苕摇。本草拾遺。

按：詩：卭有旨苕。陸疏：苕蔓生，莖如登豆而細，葉似蒺蔾而青，其莖緑色可生食，如小豆藿。爾雅：柱夫摇車。郭注：蔓生，細葉，紫華，可食，今俗呼曰翹摇車。本草拾遺：翹摇，幽州謂之苕摇，俗呼翹車是矣。爾雅正義：翹摇，俗謂之野蠶豆，小名小巢菜。六書故引項安世曰：今之野豌豆，蜀人謂之小巢菜，豌豆謂之大巢也。爾雅義疏：苕饒，卽翹摇，方音有輕重耳。

葑，蕪菁。幽州人或謂之芥。詩疏引陸璣疏。

按：蕪菁非菘，亦非芥，芥味辛，秋以前葉可蔬，都中人謂之小芥菜，秋後醃食之曰芥菜，其根曰芥菜吃嗒。語吃音若格，平聲，語嗒音若答，平聲。其子研食曰芥末，辛可墮淚。續博物志云：食芥墮淚。方言：蘴蕘，蕪菁也。關之東西謂之蕪菁，趙、魏之郊謂之大芥。小者謂之辛芥，或謂之幽芥。此以蔓菁爲芥，説如陸疏，非也。爾雅：須，葑蓯。説文：葑，須從也。詩谷風：傳葑，須也。鄭箋及坊記注並云：葑，蔓菁也。書禹貢傳寅引鄭注：菁，蔓菁也。急就篇顏注：菁，蔓菁也，一曰冥菁，一曰蕪菁。又曰芴菁。本草陳藏器云：蕪菁，北人名蔓菁。通鑑七十二補注：三蜀江陵之人呼蔓菁曰諸葛菜。爾雅義疏：蔓菁味甜。要術引廣志：蕪菁有紫花、白花，今驗紫花是蘆菔。字林又以葑爲蕪菁苗，亦非。御覽引爾雅舊注：江東呼蔓菁爲菘。釋文謂郭誤。

葍，一名蔒。幽州人謂之燕葍。詩我行其野疏引陸璣疏。爾雅疏引陸疏。幽謂之燕蔒，一名爵弁，一名蕧根。齊民要術十引陸疏。按：蕧一譌蔓，今正。

按：詩言采其葍疏，又爾雅釋草疏引陸璣疏云：葍，一名蔒，幽州人謂之燕葍，其根正白，可著熱灰中温噉之，飢荒之歲，可蒸以禦飢。漢祭甘泉或用之。其葉有兩種，葉細而花赤，有臭氣也。毛晉本幽州上有河内謂之蓑五字云，一本作花葉有兩種，一種葉細而花赤，一種葉大而花白，復香。魏賈思勰齊民要術十引陸璣疏云：河東關内謂之葍，幽兖謂之燕蔒，一名爵弁，一名蕧根。丁晏校陸疏本謂一名蔓根，誤矣。儀禮士冠禮：爵弁服纁裳。注：爵弁色赤而微黑，如雀頭，然此草既借以立名，則詩疏兩種中，可斷爲赤莖之一種，葍蕧，茅蓑，雀弁。郭注：一類而二種也。葍華有赤者爲蕧，蕧、葍一種耳，其説與陸合，何于雀弁云未詳耶？説文：蕧，葍也，一名舜。楚謂之葍，秦謂之蕧。

藟，一名巨荒。幽州人謂之蓷虆。易困釋文引詩草木疏、藟，一名巨苽。幽州人謂之蓷藟。陸疏丁氏校本。

櫐，苣荒也。幽州謂之椎櫐。齊民要術引詩義疏。櫐一作虆。

按：易：困于葛藟。釋文引毛詩草木疏：藟，一名巨荒，似燕薁，連蔓而生。幽州人謂之蓷虆。陸疏丁本云：藟，一名巨苽，似燕薁，亦延蔓生，葉如艾，白色，其子可食，酢而不美，幽州謂之蓷藟。齊民要術引詩義疏曰：櫐，苣荒也。苣一作巨。幽州謂之椎櫐。今考草種曰虆，曰藟。説文：藟，草，从艸，畾聲。詩：葛藟纍之。廣雅：藟，藤也。又木種曰櫐，曰虆。爾雅釋木：諸慮，山櫐。欇，虎櫐。説文：虆，木也，从木，藟聲。詩義疏卽陸璣草木疏也，或引作虆，又作藟、櫐。蓋古通用字。蓷、藟疊韵，緩讀之爲蓷藟，急讀之則爲藟，方語有輕重耳。椎則蓷之叚借字，蓷非藟，蓷亦因聲叚借。

蔐苗，荻秀。幽謂之荻苕也。淮南説林訓高注。

按：淮南説林訓：蔐苗類絮，而不可爲絮。高注：蔐苗萑秀。楚人謂之蔐。蔐讀若敵戰之敵，幽冀謂之荻苕也。蔐一作藡，荻一作萑，蓋荻、蔐、藡，古通。集韵：藡或从狄。玉篇：藡同荻。易萑葦注：藡也，本作荻。周官司几筵注：萑，如葦而細者，藡或作荻，萑之未秀者也。齊民要術引陸璣疏云：薍或謂之荻，至秋堅成卽刈，謂之萑。三月初生，其心挺出，其下本大如箸，下鋭而細，一名蓫薚，揚州人謂之馬尾。詩正義引陸疏云：蒹，水草也，堅實，牛食之，令牛肥彊。青、徐州人謂之蒹。兖州、遼東通語也。爾雅：蒹，薕。郭注：似萑而細，高數尺，江東呼爲薕薍。又爾雅菼薍郭注：似葦而小，實中，江東呼爲烏蓲。又郭注子虛賦云：薕，荻也，似萑而細小。陸、郭之説並歧，陸誤以荻與蓫薚爲一，故遂以荻與薍爲二，蓫薚卽下所謂旨苹也。郭曰似萑，是又以藡與菼薍爲二物矣。蒹之堅實，薍之實中，一也。故説文云：菼，萑之初生一曰薍，一曰鵻。蒹，萑之未秀者。夏小正傳云：菼，未秀爲菼，是説文所本。荻苕則蔏苗之聲轉。雲龍驗藡與葦實爲二物，藡小而實中，詩正義引孫炎及爾雅郭注皆不誤。詩毛傳：菼，蘆之初生者也。蘆當作萑。説文可證。李巡舍人、樊光俱沿厥誤。

蓫薚，幽州謂之旨苹。 齊民要術引詩義疏。

按：齊民要術引詩義疏：薍荻根下白而甜脆者，一名蓫薚，揚州謂之馬尾，幽州謂之旨苹。今考旨苹恐非。爾雅所謂蓫薚，馬尾也。郭注云：廣雅曰馬尾，蔏陸。本草云别名薚。今關西亦呼爲薚，江東呼爲當陸。説文：薚作蓫，云蓫草，枝枝相值，葉葉相當。易：莧陸。董遇云：陸，商陸也。本草：商陸一名薚根，一名夜呼開。實本一名白昌，一名當陸。蜀本注：葉大如牛舌而厚脆，赤花者根赤，白花者根白。蘇頌圖經：商陸俗名章柳，春生，苗高三四尺，葉青，如牛舌而長，莖青赤，至柔脆，秋開紅紫花，根如蘆菔而長。爾雅義疏：此草俗名王母草，所見赤華，今以玉篇葦柳、當陸别名證之，是蓫薚舊有柳稱，蓫薚聲合爲當，俗謂對當草，此其一也。説文可證。然皆與要術所引陸疏旨苹異。

今羊蹏似蘆菔，幽州謂之蓫，一名蓨。 齊民要術十引詩義疏。

按：齊民要術十引詩義疏云：今羊蹏似蘆菔，莖赤，煮爲茹，滑而不美，多噉令人下痢。揚州謂之羊蹏，幽州謂之蓫，一名蓨，亦食之。爾雅義疏郝本阮本並幽揚二字互舛。詩：我行其野。疏引陸疏云：今人謂之羊蹏。爾雅：蓧蓨又云苗蓨。郭注未詳。今考蓫，古通苗，或作堇，或作蓄。蓨古通蓧。説文蓨、苗互訓。集韵：堇，或作苗，通作蓫，羊蹏也。説文：堇，里聲，讀若釐。此蓫、堇通用之證。詩：言采其蓫。箋：蓫，牛蘈。釋文：蓫，本又作蓄。圖經云：詩蓫字或作蓄。名醫别録：羊蹏味苦寒，一名蓄。陶注：今人呼爲禿菜。郭音：苗，他六反。則禿、蓄爲苗、蓫之變轉。蓫又通蓨。易逐逐，漢書叙傳云攸攸。釋名：篴，滌也，篴古音讀如攸。蓧、滌古音皆讀如脩。詩：嘆其脩矣。釋文：脩，本或作蓨。周官司尊彝凡酒脩酌注脩讀如滌。史記周勃世家：封爲條侯。表，條作蓨。漢地理志脩縣注：脩音條。括地志作蓨。漢劉衡碑：除蓨令。北魏高植墓誌：植勃海蓨人。魏地形志作脩。高肇傳云：渤海蓨人。東魏高湛墓誌銘：湛，勃海滌人。以滌爲條，與漢蔡湛頌以蕭滌爲蕭條同。

芄蘭，一名蘿藦。幽州人謂之雚瓢。 詩陸璣疏。

按：爾雅：雚，芄蘭。郭注：雚芄，芄字疑衍。蔓生，斷之有白汁，可啖。説文，雚作莞，云：芄蘭，莞也。引詩芄蘭之枝。緊傳：芄蘭，蘿藦也，葉似女青。本草陶注：蘿藦作藤，生摘之，有白乳汁，葉厚而大。唐本注：雚瓢是女青别名，蘿藦葉似女青，故亦名雚瓢。爾雅義疏：葉似馬蹏，六月中開紫華，蔓延籬落，子綴如鈴，秋霜裂作小瓢，中出絮，然今不名蘿藦，人無啖之者。有小草，細葉，色兼青白，枝蔓柔弱，其瓢圓鋭，中亦出絮，輭時兒童摘啖，有白汁，味甜，疑此是蘿藦，俗呼苦蔓，與果蠃之實同名。爾雅釋文：雚，郭音灌，雚、蘭聲轉，即苦蔓矣。苦蔓與雚蘭爲雙聲，恐此是也。

菠薐，通州人謂之赤根菜，通州高志。甯河人呼菠菜。甯河關志。

按：今順天人通呼菠薐爲菠菜。玉篇：菠薐，菜名。畿輔唐志：菠菜一名赤根。劉賓客嘉話：菠薐菜自西方僧將來，韋絢以爲頗陵國種，譌爲波，復加草。

木饅頭，京師謂之無花果。倦遊録。

按：歐餘漫録：木饅頭，其枝梗粗，其葉比貼牆草更大，約以三言辨之：貼牆無花而無子，木饅頭有子而無花，薜荔有花而無子。今驗京師人呼薜荔曰巴山虎。

玫瑰，甯河方言謂之離孃花。甯河關志。黄玫瑰，京師目爲刺梅。日下舊聞。

按：遵生八箋：玫瑰有二種，其一種色黄，出燕中，花少小於紫玫瑰。

蜀葵，京師呼秫稭。爾雅釋草義疏。

按：爾雅：菺，戎葵。郭注：今蜀葵也，似葵，華如木槿華。疏：戎、蜀，蓋其所自來，因以名之。爾雅翼引古注：戎葵，似木槿，而光色奪目，有紅，有紫，有青，有白，有黄，莖葉不殊，但花色異耳。爾雅義疏：蜀葵似葵而高大，戎、蜀皆大之名，非自戎、蜀來。或名吴葵，胡葵。胡、吴亦皆謂大也。蜀葵葉如葵而大，莖高丈許，江南呼爲丈紅華，京師呼秫稭，登萊又呼秫齊華，並蜀葵之聲轉。黄者名黄蜀葵，葉如龍爪，雖冒葵名，實非葵類。崔豹、羅願並以此爲蜀葵，誤矣。廣韻戎作茙，其三十五馬⿱雙禾字下云：⿱雙禾穀南人食之，或云茙葵，丑寡切。是戎葵又名⿱雙禾。郝説甚辨。然蜀固有大誼，邢疏似非無本，今四川特多呼爲大蜀鞠，或曰棋盤華，今順天此華有淡黄者，又有黑者，莖葉及子與它色同，郭未之見，遂謂崔、羅爲誤耳。廣韻：⿱雙禾乃穀名，當是穀類。與戎葵同名者蜀葵，非穀也。郝据以爲又名⿱雙禾，誤。

荍，蚍衃。爾雅。今順天人呼回回秫稭。爾雅義疏。

按：爾雅郭注：今荆葵也。似葵，紫色。謝氏云：小草，多華少葉，葉又翹起。説文：荍，蚍衃也。詩陳風傳：荍，芘芣也。疏引舍人云：荍，一名蚍衃。陸璣疏：一名荆葵，似蕪菁，華紫緑色，可食，微苦。廣雅：荆葵，荍也。

古今注：一名荆葵，一名戎葵，一名芘芣，有紅，有紫，有白，有黄，一曰蜀葵。羅願曰：其説戎葵、蜀葵之狀可也。混荆葵、芘芣之名於内，非也。爾雅義疏：莪之言翹，今順天人呼回回秫稭，高二三尺，葉頗不似蜀葵，其實如蜀葵之實，惟形小耳。羅、郝説是也。今順天人又呼小秫稭，花紫紅，又有白。

藥讀作耀 甯河闕志方音。

按：説文：藥，治病艸。史記三皇本紀：神農氏嘗百草，始有醫藥。急就篇注：艸木，金石，鳥獸，蟲魚之類，堪愈疾者，總名爲藥。唐韻：以灼切。韻會：弋約切，音躍。唐韻：古音醫藥之藥去聲，音効。今順天人藥讀若耀，甯河音同，不得云讀作。

蘞，似括樓，幽州人謂之烏服。 詩葛生引陸璣疏。

按：詩：蘞蔓于野。釋文引陸疏云：蘞，似括樓，葉盛而細，其子正黑如燕薁，不可食也。又詩疏引陸疏云：幽州人謂之烏服，續方言補，烏譌鳥。其莖葉鬻哺牛除熱。蘞，爾雅釋草作蘞，曰蘞，菟荄者。荄、核通，蘞、柤，形似核，故名曰烏服。又有白，有赤。玉篇：蘞，白蘞也。説文作薟，云白薟也，或作蘞。繫傳云：本草，白蘞，藥也。本草嘉祐圖經：赤莖，葉如小桑，七月結實，根如雞卵，三五枚同窠，皮赤黑，肉白。

馬舄，一名車前，一名當道，喜在牛跡中生，幽州人謂之牛舌草。 陸璣疏。

按：今順天人呼馬舄曰車前草，不曰牛舌草，蓋古今異語。爾雅：芣苢，馬舄，馬舄，車前。郭注：今車前草，大葉長穗，好生道邊，江東呼爲蝦蟆衣。詩周南毛傳，用爾雅疏引陸璣疏：馬舄，一名車前，一名當道，喜在牛跡中生，故曰車前、當道，今藥中車前子是也。幽州人謂之牛舌草，其子治婦人難産。毛詩釋文雖云，山海經及周書王會皆云，芣苢，木也，實似李，食之宜子，出於西戎，衛氏傳及許慎並同，王肅亦同，而後則云，王基已有駮難也。御覽九百九十八引爾雅郭注：蝦蟆衣下有周書所載同名耳，非此芣苢十字，可以爲辨誤之證。文選注引薛君章句，芣苢，澤瀉也，亦誤。蓋澤瀉，蕍瀉也，非馬舄。本草别録：車前，一名蝦蟆衣，一名牛遺，一名勝舄。蘇頌圖經：春初生苗，葉布地如匙面，累年者長及尺餘，抽莖作長穗如鼠尾，花甚細，青色微赤，結實如葶藶，赤黑色。莊子至樂篇：鼃蠙之衣，生於陵屯則爲陵舄。司馬彪云：物根在水上，布在水中，就水上視不見，抄之可得。楚人謂鼃蠙之衣，屯阜也，物因水成而陸産，生於陸屯，化作車前，改名陵舄。

荷，芙渠。其根爲藕，幽州謂之光，旁爲光如牛角。 陸璣疏，丁氏校本。毛本，牛作斗。 **藕，幽州人謂之光，**

爲光如牛角。御覽九百九十九，引毛詩義疏。荷，水菜夫渠也。其莖曰茄，其本曰蔤，其根曰藕，其花曰夫容，其秀曰菡萏，其實曰蓮。蓮之茂者花，花之中心曰薏，幽州謂之光。淮南説山訓高注。

按：陸疏云：荷，芙蕖。江東呼荷，其莖茄，其葉蕸，莖下白蒻。其花未發爲菡萏，已發爲芙蕖。其實蓮，蓮青皮，裏白子爲的，的中有青，長三分如鉤，爲薏，味甚苦，故俚語曰苦如薏是也。的五月中生，生啖脆，至秋表皮黑，的成實，可磨以爲飯，飯，藝文類聚作散，初學記、御覽作飯。如粟也，輕身益氣，令人强健。幽州揚豫取備飢年。其根爲藕，幽州謂之光，旁爲光如牛角，毛晉本牛作斗。御覽九百九十九引詩義疏云：其根爲藕。幽州人謂之光，謂一譌爲。爲光如牛角，似御覽脱旁字，旁俗語之借字也，今俗謂滑潤爲光。爾雅：荷，其根藕。説文作𧁾，云芙蕖根，从艸、水，禺聲。韵會：凡芙蕖行根，如竹行鞭，節生，一葉一華，華葉相偶，故謂之藕。又郭氏爾雅音義云：北方人以藕爲荷，亦以蓮爲荷。此語今不謂然，順天人呼白華藕。白華者，其味美，故名。

蓌，雞頭也。北燕謂之蓌。方言三。雞頭，水中芡。幽州謂之雁頭。淮南子説山訓高誘注。

按：方言三：蓌、芡，雞頭也。北燕謂之蓌，青、徐、淮、泗之間謂之芡，南楚、江湘之間謂之雞頭，或謂之雁頭。郭注：今江東亦名蓌耳。各本蓌譌葰，宋曹毅之本及御覽九百七十五引不譌。淮南子説山訓：雞頭已瘻。高注：雞頭，水中芡。御覽九百七十五引芡譌草。幽州謂之雁頭。與揚説異者，各述所聞也。廣雅蓌作葰，云葰、芡，雞頭也。吕覽恃君篇高注：芡，雞頭也，一名雁頭。崔豹古今注同。又漢書龔遂傳：果實菱芡。注：師古曰，芡，雞頭。周禮籩人注：芡，雞頭也。疏：雞頭俗有二名，今人或謂雁頭也。神農本草：雞頭一名雁喙。陶注：即今蔿子。蘇頌圖經：盤花下結實，形類雞頭，故以名之。其莖蔌之嫩者名蔿菜。齊民要術：芡一名雞頭，即今芰子是也。然則蔿子，芰子，亦方俗殊語。今順天人謂之雞頭米，或曰芡實。

杏仁，味苦。一種甘者，謂之巴旦杏，或謂之八達杏，又或爲八丹杏，長安客話。日下舊聞引脱末句。京師稱巴旦杏仁。通雅。

按：八達、八丹，乃巴旦之聲轉。通雅：答烈，古大宛也，有蒲萄、巴旦杏。永樂七年，麼賚等朝貢。

銀杏，涿州人謂之白果，或呼鴨脚子。涿州吴志。北人稱爲白果。温革瑣碎録。

按：今順天人通呼白果，夜花，有光。格物論：銀杏一名鴨脚，因葉相似也。温革瑣碎録：北人稱爲白果，南人稱爲靈眼，宋初始入貢，改名銀杏。

羊棗，涿州人謂之軟棗，或呼丁香柹。畿輔唐志，涿州吴志。參房山人呼黑棗。房山佟志。

按：順天人呼梬棗爲黑棗，軟當作㮕。説文：梬，梬棗也，似柹而小，一曰㮕。古今注：㮕棗，實似柹而小，味亦甘美。師古曰：梬棗卽今之梬棗也，内則芝栭。賀氏曰：芝木椹栭軟棗。釋文：栭本又作檽，然則栭爲㮕之叚借。又按爾雅：遵，羊棗。郭注：實小而圓，紫金棗，今俗呼之爲羊矢棗。引孟子，曾子嗜羊棗。何氏焯曰：羊棗非棗也，乃柹之小者，初生色黄，熟則黑，似羊矢，其樹再接卽成柹矣。亦呼牛奶柹，亦呼㮕棗，此以柹得棗名，孟子正義不得其解。何説甚辨。段氏玉裁亦从之。然言㮕棗非棗是也。以羊矢棗爲羊棗，則非厥誤，蓋沿之郭。不知釋木自壺棗至捻棗，皆棗也，如羊棗是梬，則非棗矣。羼入何爲？説文：棗，羊棗也。正爾雅所謂遵者是。爾雅正義：羊棗，北人俗呼爲羊㚷棗。段以梬爲羊棗，則不得不疑羊棗之羊爲衍文，以自圓其説。何氏以羊棗爲㮕，不得不疑正義。畿輔涿州、房山諸志，所謂羊棗，皆當云梬棗，今俗曰㮕棗，曰羊矢棗，曰羊㚷棗，曰黑棗，曰牛奶柹，曰丁香柹，皆梬棗之别名。左思吴都賦：桾櫏。注：劉成曰。君遷之樹，子如瓠形。玉篇：桾櫏出交趾，子如雞卵。司馬光名苑：君遷子似馬奶，卽今牛奶柹也。正字通：桾櫏卽梬。段謂不當以羊棗當之，其云羊棗者，羊矢棗也。意以如瓠如卵，疑其非與？釋木：棗，壺棗。郭注：壺猶匏洗，大棗。郭注：如雞卵。梬棗雖非壺棗、大棗，而形圓微長，亦難遽斷爲非呼棗也。

樝，今順天人呼之鐵梨。爾雅義疏。

按：爾雅，樝梨曰鑽之，卽内則所謂柤梨者，鑽之也。鄭注：梨之不臧者。説文：果似梨而酢。與爾雅郭注同。張揖子虚賦注：樝似梨而甘。齊民要術引風土記曰：柤，梨屬，肉堅而香。王楨農書：樝似小梨，西山唐鄧間多種之，味劣於梨，與木瓜入蜜魚湯，則香美過之。爾雅義疏：卽今鐵梨，黄赤而圓，肉堅酸澀，煮熟則甜滑。今順天人呼之鐵梨。

蘋婆，房山人謂之頻果。房山佟志。

按：蘋婆，今順天人通呼頻果。婆、果，一聲之轉。採蘭襍志：燕地頻婆，夜置枕邊微香，卽佛書所謂頻婆，華言相思也。王世懋學圃餘蔬：北方頻果，卽花紅之變也。餘詳下。

蘋婆，一種小而色紅，房山人謂之來賓。房山佟志。涿州人謂檳子，曰虎喇檳。涿州吴志。

按：虎喇檳云者，今順天人亦呼火裏檳。永清周志云唬喇檳。涿州吴志云虎喇檳。房山佟志云來賓，皆聲相變轉。其形類頻婆果而微長，色微紅，味亦遜。其晚出味澀者曰檳子。順天人亦呼聞香果。日下舊聞謂卽赤棠，引詩毛傳：

甘棠，杜也。鄭注：北人謂之杜梨，南人謂之棠梨，可證。謂卽陸疏之赤棠，非也。赤棠卽今所謂棠梨，徽州最多，北方亦多有之，與頻果絕不相似。

木，歛口作鼻音。甯河關志方音。

按：説文：木，冒也。蓋以疊均爲訓冒，作鼻音。甯河人讀木，猶近古音。

穀，幽州人謂之穀桑，或曰楮桑。詩鶴鳴疏引陸璣疏。

按：詩：其下維穀。疏引陸疏云：穀，幽州人謂之穀桑，或曰楮桑。荆揚交廣謂之穀，中州人謂之楮。殷中宗時，桑穀共生，是也。説文穀、楮互訓。五經文字：榖，穀。上説文是。説文：篆舊作榖。集韵：關中謂楮爲穀。廣雅：穀，楮也。南山經：招摇有木如穀。注：穀，楮也。西山經：鳥危之山，其陰多檀楮。注：卽穀木。史記貨殖傳集解：穀，木名，皮可爲紙。書咸乂序釋文：穀，楮也。漢郊祀志：有桑穀生於庭。注：師古曰：穀，卽今之楮樹也。此皆穀卽楮之證。六書故又云：楮、穀，兩種，一種高大皮駁，實如楓實，熟則紅，書所謂桑穀並生者也。一種皮白葉長，實小似覆盆子，其木不能高大，俗謂扁穀，所謂楮也。日華子本草又謂皮斑者是楮，皮白者是穀，其説互異，皆隨俗呼而强別也。然穀，古讀若構，今順天人語猶然，構遂爲穀叚借字。故陶宏景別録注云：穀，卽今構樹也。埤雅引物類相感志云：其膠可以團丹砂。語曰構膠爲金石之漆，是也。蓋俗所謂構漿也。㠯書竹帛，類膠，故亦曰構膠。本草：楮實一名穀實。陶注：此卽今穀樹，穀音構，南人呼穀紙亦爲楮紙，武陵人作穀。齊民要術：今世名之曰角楮，非也。角、穀聲相近，因訛耳。蘇頌本草圖經：楮有二種，一種皮有斑花，謂之斑穀，一種皮無花，枝葉大相類，然則斑穀、角楮、扁穀，亦方俗殊語。

固安呼樗曰臭椿。固安陳志。

按：今順天人通呼樗曰臭椿。説文：樗，木也。今本與椁互譌。詩、爾雅、釋文、五經文字可證。詩陸璣疏：樗，樹及皮皆似漆，青色耳，其葉臭。豳風小雅毛傳：樗，惡木也。唐本草：椿、樗二樹形相似，樗本疏椿，木實。蘇頌圖經：椿葉香可啖，樗氣臭，北人呼爲山椿，江東人呼爲鬼目。

今順天人呼竹篾爲竹筤，聲如泯，又轉而爲篛，音彌。廣雅疏證。

按：説文：筤，竹膚也，从竹，民聲。玉篇：筤，竹表也。集韵：泯盡切。篾者，筤之聲轉，篾又轉爲篛。説文：篛，筡也。一切經音義十二引字林：篛，竹篾也。又十五引字林：篛，析竹筤也。聲類篛，篾也。今中國蜀土謂竹篾爲篡。又云：篾，篡也。今蜀土及關中，皆謂竹篾爲篡。今驗順天人呼竹笢爲竹篾，或呼竹青。徐鍇繫傳：笢，竹青也。書顧命：敷重篾席。鄭注：篾，析竹之次青者。說文引周書：布重莧席。許用孔壁古文，孔安國以今文字易篾，衞包又改篾。又按笢名別有七：一曰茶，說文：茶，析竹笢也，讀若絮。二曰筡，廣韻：筡，篾也。三曰筠，禮器正義：筠，是竹外青皮。四曰筍，書顧命鄭注：筍，析竹青皮也。引禮記如竹箭之有筠。五曰箁。六曰膚。集韻：箁，音敷，聲與膚同。七曰㐁，說文：㐁，古文𠀀，一曰竹上皮，讀若沾，一曰讀若誓。

螗燕，謂之蛥蚗，或名之蜓蚞，詩陸璣疏釋文引。土人呼爲蝍蟧。三伏鳴者，聲躁以急，曰伏天。入秋而涼，鳴則淒短，曰秋涼。帝京景物略。固安志不云伏天，餘略同。蛣蟟，順天謂之蝍蟟。蚻，順天人呼咨咨。爾雅義疏。蜓蚞，順天人謂之夫爹夫娘。

按：蝍蟧，蛣蟟，蝍蟟，即廣雅蟜蛣之聲轉。方言十一：蟬，海岱之間謂之蟜。郭注：齊人呼爲巨蟜。爾雅義疏：今黃縣人謂之蛣蟟，棲霞謂之蟜蟟，順天人謂之蝍蟟。今驗順天人語蝍聲若雞，湖州志所謂俗名蛀蟟，亦作遮了，亦作知了者即此。了、蟟依聲叚借。又蛥蚗、蜓蚞、伏天、夫爹夫娘，此爲蟬之一種，古今語別耳。陸璣詩疏：螗，蟬之大而黑色者，一名蝘虭，一名虭蟟，青徐謂之螇螰，楚人謂之蟪蛄，秦謂之蛥蚗，或名蜓蚞，此屬之螗，與爾雅、說文方言異。爾雅：蜓蚞，螇螰。郭注：即蝭蟧也，一名蟪蛄。齊人呼螇螰。說文：蛥蚗，蛁蟟也。方言十一：蛥蚗。齊謂之螇螰，楚謂之蟪蛄，或謂之蛉蛄，秦謂之蛥蚗，自關而東，謂之虭蟧，或謂之蜓蚞，西楚與秦通語也。郭注：江東人呼蟂蟧。宋本蟂作蠔，此即夏小正傳蝭蠑。廣雅：蹄蟧。淮南道應篇注：貂蟟也。玉篇：蛥蚗，亦蟪蛄也。楚辭九思：吚吷兮噍噍。注：或作蛥蚗。爾雅義疏：今東齊人謂之德勞，或謂之都盧，揚州人謂之都蟟，順天人謂之夫爹夫娘，今驗此，即帝京景物略所謂伏天者是。今順天人亦呼伏涼，言聲聞伏中有涼意，或曰涼即不鳴，自呼伏涼。夫爹夫娘，即伏天伏涼之聲轉，蓋順天人語伏聲若夫也。又按：秋涼如蟬而小，色青。爾雅：蜺，寒蜩。郭注：寒螿。說文：蜺，寒蜩也。方言：䖿，謂之寒蜩。蜩，瘖蜩也。廣雅：闇，蜩䖿也。今考䖿之言瘖，闇、瘖古通，瘖則不鳴，指秋深寂默言。月令：孟秋寒蟬鳴。夏小正：七月寒蟬鳴。指未瘖言。郭璞据月令以駁方言，未之審耳。爾雅義疏：此蟬青綠色，鳴聲幽抑，俗人呼之秋涼者也。楚辭九辯曰：悲哉，秋之爲氣也，蟬寂寞而無聲。然則瘖蟬，非本草注瘂蟬，雌蟬不能鳴者。又按：順天人呼咨咨，即爾雅蚻，蜻蜻。郭注：如蟬而小。方言云：有文者謂之螓。夏小正曰：鳴蚻虎懸。今方言十一：蟬，有文者謂之蜻蜻，其䘀蜻謂之尐。夏小正：四月鳴札。傳：札者，寧縣也，蜻蜻作螓。寧作虎，郭見本異矣。詩碩人傳：螓首，顙廣而方。箋：螓，謂蜻蜻也。正義引孫炎曰：方言云，有文者謂之螓。是孫見本與郭同。正義又引舍人曰：小蟬色青青者。某氏曰鳴蚻。蚻者，夢溪筆談蛁蟟之小而綠色者，北人謂之螓，然則蚻蚻，急讀則爲螓，輕讀、緩讀則爲咨咨。盧校方言云：䘀亦作蚻，今杭人呼蚩蜩者，意卽此與，蛰非蛥蚗。廣雅：蛥蚗，蛰也。文有脫竄，疏證已辨之矣。

蟋蟀，幽州人謂之趣織。里語曰，趣織鳴，嬾婦驚。陸璣疏。御覽九百四十九引趣作促。續方言引奪州字。蟋蟀聲如織，故幽州謂之促織。帝京景物略。京師呼促織爲趨趨。野獲篇。今順天人謂之趨趨。爾雅義疏。蟋蟀別種三：肥大色澤如油，曰油葫蘆，首大者曰梆子頭。鋭喙曰老米嘴。帝京景物略。

按：陸璣疏：蟋蟀似蝗而小，下正黑，有光澤如漆，有角翅，一名蛬，一名蜻蛚。幽州人謂之趣織，督促之言也。里語曰：趣織鳴，嬾婦驚，是也。野獲編：京師呼促織爲趨趨，亦入聲之誤。今南客聞之，習久不察，亦襲其名，誤矣。今考順天人語，趣與趨同，古音本無平入之別，促、趣、趨，古通用，何云誤耶？爾雅義疏：僅謂趨趨卽促織、蟋蟀之聲轉，亦未之詳。陸疏：趣織之趣，一本作趨。御覽引作促。集韵：趣，趨玉切，音促。趨，趨玉切，同促。詩：左右趣之。賈子連語云：左右趨之。漢書高紀、成紀注並云：趣讀曰促。漢書賈誼傳注：趣讀曰趨。廣韵釋名：疾行曰趨。史記天官書索隱：趨，謂促也。此促、趣、趨誼通之左證。然則趨趨云者，其亦取紀時趨務意與？善鬭，順天人謂之鬭趨趨。据甯河丁志，知甯河人呼蟋蟀。爾雅：蟋蟀，蛬。郭注：今促織也，亦名青蛚。說文：蟋，悉蟋也，蛚，蜻蛚也。又云：偲，聲也，讀若屑。据知悉爲偲之省叚字。

蜻蜓大而青者，曰老青。紅而黄者，曰黄兒。赤者曰紅兒。帝京景物略。蜻蛉一種最大，京師名爲馬大頭。本草衍義。今呼赤色者爲火壺盧，大而青者順天人呼老琉璃，亦曰馬郎。爾雅義疏。今人通呼蜻蜓，順天人謂之流離，或謂之馬郎。廣雅疏證。

按：爾雅義疏：今呼赤色者爲火壺盧，卽紅胡梨之聲轉也。大而青者，順天人呼老琉璃，亦曰馬郎。馬，古讀如姥，姥、負音近，郎、勞聲轉，然則馬郎卽負勞之遺語，今驗順天人呼馬郎，馬讀馬平聲，卽爾雅所謂虰蛵，負勞也。郭注：或曰卽蜻蛉也。江東呼狐梨，所未聞。釋文引字林曰：蜻蛉，一名桑根。與說文蛉，蜻蛉也，一名桑根同。說文又云：丁蛵，負勞也。與爾雅合。列子天瑞篇厥昭釋文：會子云，孤梨一名厥昭。廣雅：蜻蛉，蝍蛉，倉螘也。方言：蜻蛉謂之蝍蛉。郭注：六足四翼蟲也。江東名爲狐黎。淮南人呼蠊蛜。埤雅：蝍蜓飲露，六足四翼，一名蜻蛉。古今注有青、赤、黄三種，青而大者曰青亭，小而黄者曰胡黎，一曰胡離，小而赤者曰赤卒，總曰蜻蛉。本草衍義：京師呼馬大頭者，身緑色，然則蜻蛉之與虰蛵、桑根、蜻蜓、蝍蛉、蝍蜓、諸乘，老琉璃之與流離、火壺盧、紅胡梨、倉螘、蠊蛜、赤衣，馬郎之與蟌葸、負勞，皆聲轉。蜻蜓之與青亭，狐梨之與胡梨、胡黎、胡蜜、胡離，蝍蛉之與蟿蛉皆異文。餘皆方俗異語也。

絡緯，便腹青色，以股躍，以短翼鳴，其聲聒聒，名之曰聒聒兒。帝京景物略。草蟲一種青色善鳴者，順天人謂之聒聒，音如哥。爾雅義疏。

按：今順天人所謂聒聒者，色青，翼或緑或黑，善躍，振翼鳴，其聲清滑，亦謂之叫聒聒。雌不鳴，呼爲緑駒子。文選善注：促織一名絡緯。帝京景物略以聒聒當之，誤。爾雅義疏：登萊人謂之聒子，濟南人謂之聒聒，並音如乖。

螻蛄，今順天人呼拉拉古。爾雅義疏。

按：爾雅義疏：拉拉古亦螻蛄之聲相轉耳。今驗順天人呼拉拉蛄。釋文：蛄，古乎切，正與今語合。俗又謂之土狗，取食土誼。土、古、蛄，一聲之變轉。爾雅：螜，天螻。郭注：螻蛄也。夏小正曰：螜則鳴。説文：螻，螻蛄也，一曰螜，天螻，蟈，螻蛄也。然則蠹、螜一物。廣雅：炙鼠津蛄螻蜮，蝎蛉，蛞螻，螻蛄也。考蜮、蟈同。見説文。蟈、蛄聲轉字通，而舊説多異。月令：螻蛄鳴。釋文引蔡邕章句，以螻爲螻蛄，蟈爲蛙。月令鄭注，以螻蟈爲蛙。淮南吕覽高誘注，並以爲蝦蟇，其説不同。孟子釋文，蚋諸本或作螜，一説云螬姑卽螻蛄也。

莎雞，幽州人謂之蒲錯。陸璣疏。

按：陸璣疏：莎雞如蝗，班色，毛羽數重，翅正赤，或謂天雞，六月中飛而振羽，孛孛作聲，幽州人謂之蒲錯。爾雅義疏：今謂趿踏蟲，卽孛孛語聲之轉。爾雅：螒，天雞。郭注：小蟲，黑身，赤頭，一名莎雞。釋文本螒作翰，與釋鳥翰天雞混。引字林作螒。今考宋本作螒。豳風疏引李巡云：一名酸雞。樊光謂小蟲，黑身，赤頭，一名莎雞。御覽引孫炎説同樊，是郭所本。莎、酸，蒲、錯，皆聲轉，諸説陸較長。

螽斯，幽州人謂之春箕。詩陸璣疏。

按：詩正義引陸璣疏：螽斯，幽州人謂之春箕。春箕卽春黍，蝗類也。長而青，長角，長股，股鳴者也。或謂似蝗而小，班黑，其股似瑇瑁文，五月以兩股相切作聲，聞數十步。爾雅：蜤，螽，蜙，蝑。郭注：蜙，䗥也，俗呼蝽蟝。説文：蝑，蜙蝑也。蜙蝑以股鳴者。蜙，蜙或省。考工記：以股鳴者。鄭注：蜙蝑，動股屬。詩豳風：五月斯螽動股。周南：螽羽。毛傳並云蜙蝑也。然則斯螽卽螽斯，斯同蜤，釋文：蜤亦作蟴。詩疏引舍人曰：蜙蝑卽所謂春黍也。方言：春黍謂之䗥蝑。郭注：又名蜙䗥。江東呼虴蛨。一切經音義二十五：今江北通謂螽蝗之類曰蝩，一曰簌蝩，一名螽斯，一名蜙蝑，俗名春黍。今驗虴蛨俗以呼皇螽，亦以呼春箕，玄應説簌蝩，與漢書文紀注今俗呼爲簌蝩同，蝩、螽聲同字通，䗇蝩，疑蝗螽聲轉，非斯螽也。

𧑒螽，涿州固安人俗呼螞蚱。涿州吳志，固安陳志。

按：𧑒，説文作𠂤，云𠂤蠜也。爾雅作𨸏，又作負，詩作阜。玉篇作蛗。集韻：𧑒同𨸏。𧑒或從䖵。詩正義引李巡曰：𧑒螽，蝗子。釋文引陸疏：阜螽，蝗子，一名負蠜。然則𧑒螽爲螽總名。涿州志：俗呼螞蚱者。今順天人通呼蚱蜢，即方言所謂蟅蟒也。郭注：蟅音近詐，亦呼虴蛨。又郭注春黍下云：江東呼虴蛨。蓋春黍亦蝗類，故俗呼同耳。爾雅義疏：今登萊人呼蛨虴，音如禡詐。揚州人呼抹托，班黑者爲土抹扎也。

螳蜋，燕謂之食肬。藝文類聚九十七引鄭志。

按：藝文類聚王瓚問曰：爾雅云莫貈，螳蜋，同類物也，今沛、魯以南謂之蟷蜋，三河之域謂之螳蜋，燕、趙之際謂之食肬，齊、濟以東謂之馬敫，然名其子則同云螵蛸，是以注云螳蜋，螵蛸母也。此蓋鄭志之文。禮記疏引作方言，誤也。爾雅云：不過，蟷蜋。郭注：蟷蜋，螗蜋別名。爾雅又云：其子蜱蛸。郭注：一名𧓍蟭，蟷蜋卵也。又云：莫貈，蟷蜋，蛑。郭注：螗蜋有斧蟲，江東呼爲石蜋。説文：蠰，蟷蠰也，蟷蠰，不過也。𧑒，𧑒蛸也。𧑒蛸，螳蜋子。𧑒或作蜱。又云：堂蜋一名蚚父。淮南高注：蟷蜋世謂之天馬，一名齕肬。吕覽高注：蟷蜋一名天馬，一曰齕疣，然則食肬與蝕疣。齕肬、齕疣同。今順天人呼螳蜋曰刀蜋。

蚰蜒，或謂之入耳，北燕謂之䖡蚭。方言十一。蛉窮也。淮南泰族篇。幽謂之蛸蚳。高注。䖡蟲，名蚰𧌘也，北燕謂之䖡蚭。集韻一屋。

按：方言：蚰蜒，自關而東謂之螾𧌘，或謂之入耳。北燕謂之䖡蚭。郭注：江東又呼蛩，今校諸本，蜒作𧌘，宋本作蜒。盧本校語云：今人倒呼蜒蚰，見爾雅翼考工記鄭注，卻行螾衍之屬。釋文：此蟲能兩頭行，是卻行也。淮南高注：蛉窮，幽翼謂之蛸蚳，入耳之蟲也。邢疏：此蟲象蜈蚣，黃色而細長，呼爲吐古。

馬蚿，北燕謂之蛆蟝，其大者謂之馬蚰。方言十一。商蚷，北燕謂之馬蚿。莊子秋水篇司馬彪注。類篇。集韻九魚。

馬蚿，幽州謂之秦渠。吕覽季夏紀高注，淮南時則訓高注。又説林訓注。

按：方言郭注：蛆蟝，蝍蛆。莊子秋水篇：夔憐蚿，蚿憐蛇。釋文引司馬彪云：蚿，馬蚿。夔一足，蚿多足，蛇無足。秋水篇又云：使商蚷馳河，必不勝任。淮南時則訓：腐草化爲蚈。高注：蚈，馬蚿也。幽、冀謂之秦蟝。蚈讀奚徑之奚也。説林訓：善用人，若蚈之足，衆而不相害。高注：蚈，馬蚿。幽州謂之秦蠂。蚈讀蹊徑之蹊也。爾雅：蛝，馬䗄。郭注：馬蠲蚼，俗呼馬蠽。釋文引字林曰：蠽馬。説文：蠲，馬蠲也。引明堂月令：腐草爲蠲。御覽引許慎淮南時則篇注：蚈，馬蠸。又引吴普本草云：一名馬軸。又謂之馬陸。博物志：馬蚿，一名百足，中斷則首尾異行。本草：馬陸一名百足。陶注引李當之云：狀如大蛩，夏登樹鳴，冬則蟄，今人呼爲飛蚿蟲。本草云：馬蚿，觸即側卧如環，故又名刀環。唐本注：此蟲大如細筆管，長三四寸，班色，一名蚰蜒。襄陽人名爲馬蚿，亦呼馬軸，亦名刀環蟲。宋書隱逸王素傳：蚿聲清長而形甚醜，素乃爲蚿賦自況。然則秦渠，蛆蝨，蛆渠，商蚷，皆蛆蠂之變轉。馬蚿，馬䗄，馬蠲，馬蠽，蠽馬，馬蠸，馬軸，馬陸，馬蚈，皆馬軸之變轉。百足、刀環則以形稱。唯高誘淮南時則訓注：馬蚿一名螢火。氾論訓注：馬蚈一名螢火，非也，腐草化生爲螢，與百足皆有蠲名，百足蟲有蠲名，無螢名。本草綱目：螢有三種，一種能飛有光，茅根所化，吕氏月令腐草爲螢是也；一種長如蠶，尾後有光無翼，竹根所化，亦名蠲。明堂月令：腐草爲蠲是也；一種水螢，居水中，此螢名蠲之證，目驗良然。高因螢有蠲名，遂謂馬蚿一名螢火耳。鄭注戴記螢作熒。方言郭注蝍蛆，亦與爾雅注異。或曰，今順天人呼百脚蟲。

蛷，今順天人謂之錢龍。廣雅疏證。

按：説文：蠼，多足蟲也。廣雅作蛷，云蛷、蝬、蠽，蛷也。一切經音義九引通俗文：務求謂之跂蛷。關西呼蛷蝬爲蚑蛷。周官赤龙氏：隙屋除其貍蟲。注：貍蟲，䗪肌蛷之屬。博物志：蛷，螋，溺人景，隨所著處生瘡。廣雅疏證：揚州人謂之簑衣蟲。順天人謂之錢龍。今驗順天人呼蠼爲錢串子，壁上獵蠅蚊食之。

蠭，燕謂之蠓螉，其小者謂之蠮螉，或謂之蚴蜕，其大而蜜者謂之壺蠭，方言十一。蜂之小者，燕謂蚴蜕，集韻。涿州人呼土蜂、蜜蜂、馬蜂。涿州吴志。

按：方言：蠭，燕趙之間謂之蠓螉。郭云：蒙、翁二音。説文：蠭，飛蟲螫人者。蒼頡篇：𧖟，蜂字，或作𧒒。廣韻：蜂讀如蓬，又音峯。唐韻：蜂、蠭同。集韻：蠭通作蜂。玉篇：古文作𧖟。韻會又作𧒒。然則蠭爲正字，餘皆别體。蠓螉合聲卽爲蠭，有土蠭，有木蠭。木蠭蜜，土蠭間亦有蜜。土蠭而啖其子者，馬蠭也。郭注爾雅土蠭云：今江東呼大蠭。在地中作房者爲土蠭，啖其子卽馬蠭。今荆巴間呼爲蟺。本草：土蠭一名蜚零。陳藏器云：赤黑色，穴居，最大，螫人至死。又按方言所謂蠮螉，蚴蜕者，卽爾雅果蠃蒲盧。郭注：細腰蠭也。俗呼爲蠮螉。爾雅：螟蛉，桑蟲。郭注：俗謂之桑蟃，亦曰戎女。説文：𧕎蠃，蒲盧，細要土蠭也。天地之性，細要，純雄無子。引詩：螟䗍有子，𧕎蠃負之。𧕎或作蜾。詩鄭箋：蒲盧取桑蟲之子養之，以成其子。陸疏：螟蛉者，桑上小青蟲也，似步屈，其色青而細小，或在草萊上。蜾蠃，土蜂也，似蜂而小，要取桑蟲負之於木空中，筆筒中，七日而化爲其子。里語曰：

祝云象我象我。法言學行篇：螟蛉之子殪逢蜾蠃，祝之曰：類我類我。淮南説山訓：貞蟲之動，以毒螫。高注：貞蟲，細要蜂，蜾蠃之屬。無牝牡之合，曰貞。廣雅：蚴蜕，土蜂，蠮螉也。集韵：蠮同蠮。爾雅：翼黄色，細要者，稺蜂。又按方言：壺蠭卽爾雅木蠭，説文𧕫蠭也。説文𧕫蠭，甘蝕也，或作蜜。郭注爾雅木蠭云：似土蠭而小，在樹上作房，江東亦呼爲木蠭，又食其子。注：方言云，今黑蠭穿竹木作孔，亦有蜜者，或呼笛師。本草陶注：瓠瓡蜂云者，今順天人呼瓠瓡蠭，卽壺蠭之聲轉。又順天人呼𧕫土蠭者，亦有蜜。爾雅：翼北方地燥，多在土中，故曰土蜜。

蛾，一種拂燈火，甯河人謂之燈蛾。甯河關志方音。

按：今順天人呼燈蛾亦曰撲鐙蛾。説文作𧖟。古今注：飛蛾善拂鐙，一名火花，一名慕炎。

蚍蜉，燕謂之蛾蛘，其場謂之坻，或謂之垤。方言十一。北燕人謂蚍蜉曰蟻蛘，爾雅釋文引字林。集韵三十六養，無蟻字。北燕謂蚍蜉爲蛘，類篇。今順天人呼馬螘，爾雅義疏。馬螘，螻蟻也。甯河關志方音。

按：方言：蚍蜉，燕謂之蛾蛘。郭注亦呼螿蜉，建平人呼蚳。蛾蛘，郭云：蟻，養二音。説文：蚍或作𧖸，蜉作蠹，或从虫、从孚，大螘也。又云：螘，蚍蜉也。蚍蜉，段氏訂爲𧖸蠹是也。爾雅：蚍蜉，大螘。郭注：俗呼爲馬蚍蜉。又云：小者螘。郭注：齊人呼蟻爲蛘。廣雅：螿蜉，螘也。集韵蛾作𧕩。學記：蛾子時術之。鄭注：蛾，蚍蜉也。此不以蚍蜉爲大螘，與爾雅義異。爾雅義疏：蚍蜉，今順天人呼馬螘，棲霞，人呼馬蛘蟻。又云：棲霞，人呼螘蛘，音如几養，今驗順天人呼蟻聲亦若几，馬之言大也。又按爾雅：蠪，朾螘。郭注：赤駁蚍蜉。説文：蠪，丁螘也。山海經：朱蛾，其狀如蛾。郭注引楚辭：赤蛾如象。今驗螘有黄者，順天人呼黄馬螘。

鼅鼄，鼄蝥也。北燕謂之蝳蜍。方言十一。甯河人呼蠨蛸曰蜘蛛。甯河關志。

按：方言：鼅鼄，鼄蝥也，自關而西，秦、晉之間謂之鼄蝥。自關而東，趙、魏之郊謂之鼅鼄，或謂之蠾蝓。蠾蝓者，侏儒語之轉也。北燕、朝鮮洌水之間，謂之蝳蜍。郭注：今江東呼蝃蝥，齊人又呼社公，亦言罔工。爾雅疏引方言蝓作蟱。廣雅：蠾蝓，蝳蜍也。爾雅：次蟗，鼅鼄，鼅鼄，鼄蝥。釋文：畫本或作蝥，郭音秋。蝃或作䗁、掇。説文：鼅鼄，鼄蝥也，或作鼅蛛。又云：蠿蟊作罔蛛，蝥也。集韵：蠿音輟。茅，蜘蛛也。玉篇：蠿，蟊也。是蠿蟊，蠿蠽，卽次畫之異文。集韵：蝳蜍，今之蜘蛛。然則蝳蜍與蠾蝓、蝃蝥、䗁蝥、蠿蟊，皆變轉。

蠨蛸，長跨，一名長脚，此蟲來著人衣，當有親客至，有喜也，幽州人謂之親客，陸璣疏。

鼅鼄一種扁薄貼壁間者，北人呼爲壁蟢。涿州吴志。

按：陸璣疏：蠨蛸，長踦，一名長脚。荆州、河内人謂之喜母，此蟲云云，亦如鼅鼄，爲羅網居之。爾雅：蠨蛸，長踦。郭注：小鼅鼄，長脚者俗呼爲喜子。詩豳風傳：蠨蛸，長踦也。舍人曰：蠨蛸名長踦。蠨，説文作蟰，云蟰蛸，長股者。玉篇：蠨蛸，喜子。御覽引劉芳詩義筌：蠨蛸，小蜘蛛，長脚者俗呼爲喜子。與爾雅郭注同。古今注：長蚑，蠨蛸也，身小足長，故謂之長肢喜。唐韵、集韵作蟢。壁蟢，北人通語也。見涿州志，故亦著録。

蠆，一名杜伯，幽州謂之蠍。御覽九百四十七引詩義疏。陸疏。

按：毛詩：卷髮如蠆。御覽九百四十七引詩義疏曰：蠆，一名杜伯，幽州謂之蠍。今驗杜伯，本草云：杜白合呼之，則聲近蠍。順天人今猶呼蠍。説文無蠍，有萬。萬卽蠆，云毒蟲也，象形，或从䖵。詩箋：或名蠆蠍，或名蝎也。桂氏説文義證云：蠍，廣雅作蝎，非也。御覽九百四十七引廣雅：蠆蠆，蠍也。一切經音義五、又七、又十五、又二十，引廣雅：蠆、蠍、蚳、蝎，蠍也。然則蝎在蠆上，蠍在蠆下，今本脱蠍、蚳、蝎三字。詩釋文引通俗文：長尾爲蠆，短尾爲蠍。左僖二十二年傳注引通俗文：蠆長尾謂之蠍，蠍毒傷人，曰蛆，張列反，字或作蜇。其説互異。今考俗呼蠍子者，尾長。順天人謂蠍蛆曰蜇，與古語合。癸辛雜識：北方火蠍，比之常蠍，極小，其毒甚酷。

今涿州人謂鼃曰蝦蟆，呼青蛙曰田雞。涿州吴志。

按：今順天人通呼蝦蟆，語蝦聲若蛤平聲，語蟆若摩。涿州志以鼃當之，非也。蛙、鼃，古今字。呼田雞，凡語也，名歧，説異。今考鼃與鼀，鼁與蝦蟆，與鼃黽，並相似而異。爾雅釋魚：鼀鼁，蟾諸。郭注：似蝦蟆，居陸地。淮南謂之圥蚥。説文：蝌，蝌鼀，詹諸，以脰鳴者。鼀，圥鼀，詹諸也。其鳴詹諸，其皮鼀鼀，其行圥圥。鼁，鼀，或从酋。䵹，鼁䵹，詹諸也。詩曰：得此鼁䵹，言其行䵹䵹。考之韓詩、毛詩云：得此戚施。薛君注：戚施，蟾蜍。然則蝌爲鼀之聲轉，鼁爲鼀之或體，戚施則鼁䵹之叚借也。湖州人俗呼癩䵹，或呼癩團。順天人呼癩蝦蟆。爾雅翼：蟾蜍今之蚵蚾，背上礧礧。集韵：蚾，蟾蜍也。一切經音義十云：山東謂之圥蚥，江南俗呼蟾蠩。而書大傳：濟中詹諸，則似指在水之鼃黽言。月令疏引李巡注：蟾諸，蝦蟆也。廣雅：圥蚥，若蘢，蝦蟆也。本草蝦蟆别録：一名蟾蜍，一名鼁，一名圥甫，一名苦蠪。陶注：此是腹大皮上多痱磊者，曰痱磊，與俗言癩合。以詹諸爲蝦蟆，此當辨者也。蝦蟆云者，卽釋蟲蟼蟆也。郭注：蛙類。曰類，非鼃可知。説文蝦蟆二篆下，並蝦蟆也。顔注急就篇：蝦蟆一名蟼，大腹而短脚。漢武紀：元鼎元年秋，鼃與蝦蟆鬬。而廣韵則云鼃，蝦蟆也。楚辭七諫王注，晉語韋注，後漢張衡傳注同此，又當辨者也。周官：蟈氏掌去鼃黽。鄭司農云：蟈，蝦蟆也。月令曰：螻蟈，鳴鼃，黽，蝦蟆屬，書或爲掌去蝦蟇。鄭注：齊、魯之間謂鼃爲蟈。黽，耿黽也。蟈與耿黽，尤怒鳴爲聒人耳，故去之。據大鄭説，是以鼃黽爲蟈，又以蟈卽蝦蟇也。後鄭知其失，故以黽爲耿黽。爾雅釋魚：蟾諸云在水者。黽，郭注：耿黽也，似青蛙，大腹，一名土鴨。郭蓋本鄭。説文：黽鼃，黽也。段注：鼃黽，非鼃也。許之鼃黽，卽鄭之耿黽。絫呼曰鼃黽，耿黽，單呼曰黽，此説是也。惟考陶注別録：鼃云大而青脊者，俗名土鴨，其鳴甚壯。説與郭璞黽注合。陶以注鼃則非，而段氏从之，何耶？耿黽聲轉爲胡蜢，胡之言大。埤雅：黽善怒，故音猛。而廣雅則云：胡蜢，蝦蟆也。疏證又从而爲之説曰：鼈蟆者，耿黽之聲轉，蝦蟆之轉聲爲胡蜢，爾雅義疏又以耿黽爲蟈，此又當辨者也。鼃非蝦蟆，故説文云蝦蟆屬，各本屬譌也，有韵會所據鍇本及廣韵可校，不專解一種者，散文則通稱鼃，對文則又有異也。鄭注考工記梓人云：脰鳴鼃黽屬。晉書音義引字林：鼃似蝦蟆。荀子注：鼃，蝦蟆類。析言之，則鼃之小而青能食蝗者，曰長股，曰青蛙，曰水雞，曰田雞，秋肥則曰稻花田雞。本草：鼃，一名長股。圖經俗謂之青蛙。釋魚疏曰：陶注本草，一種小形善鳴喚名爲䵷者，卽郭璞云青蛙者也，後脚長，故善躍。大其聲曰䵷，小其聲則曰蛤。今考陶注云，名鼃子，亦一名也。又鼃之鳴若孤格者，或曰孤格，合聲爲蟈，此所謂螻蟈也。亦曰吠蛤，鳴止水中。然考之典籍，則鼃、蟈無別。鄭注周官蟈氏云：蟈，今御所食蛙也。月令：螻蟈鳴。注：螻蟈，蛙也。廣雅：鼃，蟈長股也。顏注急就篇：鼃，一名螻蟈，色青，小形而長股。周官本亦作蜮，鄭注作蟈。考説文，蜮又从國，作蟈。然則以之名鼃、蟈、蜮，同爲叚借字。夏小正傳：商庚也者，下有長股也三字，莊氏寶琛云，當在域也者下。凡此皆鼃、蟈通稱之證。

鱮似魴，厚而頭大，幽州人謂之鴞鵅，或謂之胡鱅。陸璣詩疏。

按：陸疏：鱮似魴，厚而頭大，魚之不美者，故里語曰，網魚得鱮，不如啗茹。其頭尤大而肥者，徐州人謂之鰱，或謂之鱅。幽州人謂之鴞鵅，或謂之胡鱅。鱅，説文作鰫。集韵：鰫與鱅同。漢司馬相如傳：鰅、鰫、鰬，魠。郭注：鰫似鰱而黑，今驗順天人呼白鱅爲白鱮，與埤雅合。埤雅云：鱮魚色白，北土皆呼白鱮。集韵：鱮或作鱮。胡鱅者，大鱅之謂。鴞鵅則俗語借字。

鯙，魜也。廣雅。順天人謂之枷魚。疏證。

按：廣韵：魜，䱀魚名。集韵云：鯙，魚名。又䱀，魚名，善醒酒。埤雅：䱀，魜魚，其膽春夏近上，秋冬近下。本草：黃賴魚一名䱀魜，無鱗。李時珍云：身尾似小鮎，腹下黃，背上青黃，腮下有二橫骨，兩鬚，有胃，羣游作聲。正字通：羣游作聲軋軋然，一名黃鱨魚，又名黃顙魚。集韵：魜，乙黠切，音軋。然則魜會意兼諧聲，枷則俗語象形之叚借字。廣韵：枷，項械也。腮下橫骨似之，故名。央、加亦聲轉，故䱀之謂枷，亦猶枷之謂柍。説文：枷，柫也。淮南謂之柍。廣雅疏證：此魚長不盈尺，揚州人謂䱀。斯魚順天人謂之枷魚。

金光、綠色、甲堅、鬚勁者曰金牛兒。黑色白點者曰春牛兒。帝京景物略。蝸牛，順天人呼水牛。爾雅義疏。又廣雅疏證：今順天人謂之水牛。

按：今順天人呼蠃曰水牛兒，或曰蠃兒。士冠禮：蠃醢。鄭注：今文蠃爲蝸。又云：內則蝸醢。據以知蠃、蝸古通用。崔豹古今注：蝸牛殼如小螺，熱則自縣葉下。本草有蛞蝓。別録又載蝸牛。陶注：蛞蝓無殼，蝸牛俗呼爲瓜牛，頭形如蛞蝓，但背負殼爾。廣雅疏證：蝸牛有殼者四角而小，色近白，無殼者兩角而大，色近黑，然則王説近黑者乃螔蝓也。然蠃之與螔蝓對文異，散文則通稱，故經典無別。爾雅：蚹蠃，螔蝓。郭注：即蝸牛也。釋文云，蠃注作螺。説文：蝸，蠃也。又云：蝓，虒蝓也。又云：蠃，蜾蠃也，一曰虒蝓。又云：委虒，虎之有角者。許於通稱中以一曰別虒蝓於蠃，此説文精處。又可見虒爲螔之本字。廣雅：蠡蠃、蝸牛，螔蝓也。周官鼈人醢人，鄭注：蠃，螔蝓，此通稱之左證。爾雅義疏：今海邊人謂蠃爲薄蠃子，棲霞人謂蝸牛。廣雅疏證：揚州人謂之旱蠃。今驗湖州人呼背包蜒蚰，與日華子本草謂之負殼蜒蚰合。凡此異名，皆方語也。爾雅、廣雅列之釋魚，今从其例。

守宮，北燕謂之祝蜓。方言八。潛確類書。

按：方言：守宮，秦、晉、西夏謂之守宮，北燕謂之祝蜓，桂林之中守宮大者能鳴，謂之蛤解。郭注蜇易下云：南陽人又呼蝘蜓。又螔蝝下云：似蜇易而大，有鱗。今所在通言蛇醫耳。集韵二僊引方言：燕北謂易析曰祝蜓。爾雅：蠑螈、蜥蜴，蜥蜴、蝘蜓，蝘蜓，守宮也。郭注：轉相解博異語，別四名也。詩小雅：胡爲虺蜴。毛傳：蜴，螈也。考工記：以胷鳴者。鄭注：胷鳴，榮原屬。説文：榮蚖，蛇醫，以注鳴者。與鄭注異。又云：易、蜥易、蝘蜓，守宮也。在壁曰蝘蜓，在草曰蜥易。爾雅義疏：登萊人謂守宮爲蠍虎，青斑色，其在壁間即蝘蜓，其在草間者形細長，黄斑色，謂之馬蛇子，即蜥易矣。蜥易、蛇醫，聲轉耳。然則祝蜓乃蠦[illegible]、蠑螈、榮原、榮蚖之變轉，今順天人呼守宮爲蠍虎子。爾雅、廣雅此列釋魚。

譁、涅，化也。燕曰涅，或曰譁，雞伏卵而未孚，始化之時謂之涅。方言三。北燕謂伏雞曰抱。一切經音義十八引通俗文。爵子及雞雛皆謂之鷇。其卵伏而未孚始化謂之涅。方言八。雞伏卵，北燕謂之菢，今京師諺語猶云孚雞。説文釋例。

按：方言三：蔿、譌、譁、涅，化也。燕、朝鮮洌水之間曰涅，云云。方言八：雞，陳、楚、宋、魏之間謂之鸊鴟，北燕、朝鮮洌水之間謂伏雞曰抱。爵子及雞雛皆謂之鷇。其卵伏而未孚始化謂之涅。郭音：譁，五瓜切，化聲之轉。以涅訓化，它書未見。孚，郭音赴，與集韵芳遇切合。説文：孚，卵孚也，从爪，从子，一曰信也。繫傳：鳥之孚卵，皆如其期不失信也。一切經音義二通俗文：卵化曰孚。廣雅：孚生，謂子出於卵也。或云：孚，伏也，謂育養也。又五烏伏，謂傴伏其卵，伏雞等亦作此字。今江北謂伏卵爲菢。江南曰傴。又十八通俗文：雞伏卵，北燕謂之菢，江東呼蓲。考傴即蓲之譌文。方言：抱。注：江南呼蓲，可證。古今注：燕伏戊巳。史樂書：羽者嫗伏，毛者孕鷇。漢五行志：丞相府史家雄雞伏子。百里奚歌曾記，臨行殺伏雞。然則卵因伏而孚，或遂呼伏爲孚，聲近誼通，孚又通桴，大戴記夏小正：雞桴粥。傳：桴，嫗伏也，又通抱。說文爪部：𤓽，古文孚，从𤓽、𠈃，卽古文保字。抱，說文作袌，云褱也。集韻：去聲，有袌、菢，無抱，上聲有抱。此則保，抱聲近之證。又說文手部：捊或从包，作抱。此春秋隱八年：浮來。公羊浮作包。說文：𠊷，古文飽，从𤓽、𠈃，或从孚。衞宏詔定古文官書：抱、桴二字同體。此又孚、抱文通之證。說文：袌俗作抱。釋例：孚蓋今菢字，古包字，一聲，音變之，後人以孚讀不協，乃作菢耳。爾雅：鳥生哺雛。釋文：鳥子生而能啄者。方言八：雞雛，徐魯之間謂之𪇰子。韓詩外傳：卵之性爲雛，不得良雞，覆伏孚育，積日累久，則不成爲雛。方言鷇，卽說文鷇字。說文：鷇，鳥子，生哺者。爾雅：生哺鷇。列子湯問篇注：生而須哺曰鷇，自食曰雛。史趙世家集解：綦母邃曰鷇，爵子也。索隱：生受哺者謂之鷇。淮南氾論訓羽者爲雛鷇。一切經音義十：䪡，卵外堅也，尚在卵中，謂之䪡，出卵以後，名曰鷇。又十八：䪡又作㱿。今驗順天人通呼雞伏卵曰孚小雞，呼卵曰雞子。

鶴，讀作蒿。甯河關志方音。

按：今順天人呼鶴聲若呼號之號。唐韻：鶴，下各切。集韻、韻會：曷各切。然則蒿爲鶴之聲轉，不當云讀作。

鵻，今小鳩也，一名鶌鳩。幽州人或謂之鶻鵃。詩疏引陸璣疏。

按：陸璣疏：鵻云云，梁、宋之間，謂之隹，揚州人亦然。又云：鶌鳩灰色無繡項，陰則屏逐其匹，晴則呼之。語曰：天將雨，鳩逐婦。是也。陸疏畧本方言，而不以鶌鳩、鶻鳩爲一，是也。考鶻鳩乃爾雅所謂鶌鳩、鶻鵃也。郭注：似山鵲而小，短尾，青黑色，多聲，今江東亦呼爲鶻鵃舍人。爾雅：音鶌鳩，一名鶻鵃。今之斑鳩。廣雅：鶻鶌，鵴鳩也。又以鶻鵃爲鳩總名，以鶌鳩爲鵻鳩，卽夫不也。足正方言之失。通俗文：隹其謂之鵻鳩。爾雅：隹其鳺鴀。郭注：今鶌鳩。左昭十七年傳：祝鳩卽此。說文：鵻，祝鳩也。杜注：祝鳩，鵻鳩也。鵻乃鵻之異文。釋音：鵻爲焦。方言各本，鵻亦爲鵻，戴本改之。詩鵻，爾雅隹，一也。詩四牡傳：鵻，夫不也。南有嘉魚傳：鵻，壹宿之鳥也。詩疏引舍人曰：鵻，名其夫不。左傳疏無其字。詩疏引李巡曰：夫不，一名鵻，今楚鳩也。方言：鶌鳩。郭注：今荆鳩也。荆卽楚，皆鴀鳩也。水經濟水注引廣志：楚鳩，一名嗥啁。高唐賦：正冥楚鳩。詩疏引郭曰：今鵓鳩也。與爾雅注異。考爾雅義疏，鶌卽夫不之合聲，鶌鳩聲轉爲鵓鳩，又轉爲鴀鳩，以其棲有定所，故南方有鵓鴣定之語，以巢不完而卵易墮，故北方有鴀鳩墮卵之諺。

䳒鳩，大小如鴟，深目，目上骨露，幽州人謂之鶩。詩疏引陸璣疏。今陸疏本，露下有出字。

按：廣韻：鶩，黑色，多子。師曠曰：南方有鳥名𩾃鶩，黃頭，赤目，五色皆備。本草：鶩，悍，多力，盤旋空中，無細不覩，卽白鷳也。一作就。今考此，卽爾雅䳒鳩，王䳒也。郭注：雕類，今江東呼之爲鶚，好在江渚山邊食魚。

毛詩傳曰：鳥鷙而有别。今校毛傳，鷙作摯。陸疏本一作鷙，鷙卽摯之本字，然則陸疏作鷙，近是。左昭十七年傳：睢鳩氏，司馬也。疏引李巡云：王睢一名鵰鳩。杜注：王鳩也。鷙而有别，故爲司馬主法。淮南説林篇謂之沸波。郭注：鵰類，江南呼鶚。史記正義：王鵰，金口鶚也。説文：鵰，王鵰也。又云，鷻，雕也。又云，鵉鷙鳥也。鵉與鶚同。

鳲鳩，燕之東北謂之鶝鶔，燕之東北謂之鵖。方言八。

按：方言：鳳鳩，燕之東北、朝鮮洌水之間謂之鶝鶔。自關而東謂之戴鵀。東齊、海岱之間謂之戴南，南猶鵀也。或謂之鵉鶔，或謂之戴鳻，或謂之戴勝。東齊、吳、揚之間謂之鵀。自關而西謂之服鶝，或謂之鵖鶝。燕之東北、朝鮮洌水之間謂之鵖。爾雅疏引云：東齊、吳、揚之間謂之鶝鶔。今考鶝鶔，鵖卽爾雅所謂鶝鶔、戴鵀。方言屬之鳲鳩，非也。鳲鳩疑鶝鶔之譌。郭注爾雅：鵀卽頭上勝，今亦呼爲戴勝。鶝鶔，猶鵖鶝，語聲轉耳。疏引李巡云：戴勝，一名鶝鶔。説文：鶔，鶔鶝也。月令：戴勝降于桑。鄭注：織紝之鳥。疏引爾雅：鵖鳩，戴勝。李巡云：戴勝，一名鵖鳩，皆鶝鶔之譌。爾雅邢疏不譌，可校。邢疏引方言去鳲鳩二字，意不謂然耳。然誤不止方言，如吕覽戴任，高注：戴任，戴勝，鵖也。爾雅曰鷗鳩部生於桑。今以淮南時則篇戴鵀，高注引詩尸鳩在桑證之，知高注本以戴勝爲鳲，以爾雅鶝鶔爲鳲鳩，至鳲作鵖，又作鷗，則傳寫之譌。廣雅：尸鳩，戴勝也。後漢書注亦以布穀爲戴勝。郭注方言鳲鳩云。按爾雅，卽布穀，非戴勝也。或云，鷗皆失之。本草綱目謂卽鳻鳩，亦誤。爾雅義疏：戴鵀卽今之樓穀，小于鵓鳩，黄白斑文，頭上毛冠如戴華勝，常以三月中鳴，鳴自呼也。鳴聲亦曰搏穀，而非布穀之倫。又按廣雅：鵖鶝，戴勝也。疏證云：方言鵖下鶝字脱。爾雅音義：鶝，彼及反；鶔，皮及反；又音伏。鵖，皮逼反，鶝音逼，又音福。鵖，郭音域，一本音或廣韵，雨逼切。集韵：越逼切。鶝域，鳥名。又穫北切。然則鵖鶝，又爲鶝域，曰鶝鵖，曰鵖鶝，皆鶝鶔之變轉。

黄鸝留，或謂之黄栗留，幽州人謂之黄鸎。爾雅邢疏引陸璣疏。詩葛覃疏引鸎作鶯。御覽引詩義疏。

按：陸璣疏：黄鳥，黄鸝留也，或謂之黄栗留，幽州人謂之黄鶯，或謂之黄鳥。當葚熟時，來在桑間，故里語曰黄栗留，看我麥黄葚熟。亦是應節趨時之鳥。爾雅疏引此，鶯作鸎。方言：鸝黄，自關而東謂之鶬鶊。自關而西謂之鸝黄，或謂之黄鳥，或謂之楚雀。今考毛詩傳，以黄鳥爲搏黍，非黄鸝留也。陸沿揚失，並以搏黍屬之，誤矣。爾雅：倉庚，商庚。郭注：卽鵹黄也。又云：鵹黄，楚雀。郭注：卽倉庚也。又云，倉庚，鵹黄也。郭注：其色鵹黑而黄，因以名云。説文：離黄，倉庚也，鳴則蠶生。䳓，䳓黄也，一曰楚雀也，其色黎黑而黄，見之爾雅凡三，説文凡二，實一物也。月令疏引某氏云、鵹黄，一名倉庚。李巡云：一名楚雀。夏小正二月有倉庚鳴。黄鸝留，吕覽高注云：黄離。淮南高注云：黄流離。郭注爾雅：黄鳥云黄離留。詩鄭箋，以倉庚鳴爲可蠶之候，與説文、夏小正合。三百篇中言黄鳥無定時，倉庚則皆在春。今驗黄鶯頸毛采離陸，身毛黄而翼尾黑章，故爾雅鵹黄，説文䳓黄、離黄。方言鸝黃，陸璣鴷黃，淮南高注及晉書郭璞傳又云黎黃，皆以形色名黃鸝留、黃栗留、黃離留、黃流離、黃離、黃鶯、黃鸎、倉庚、鶬鶊、商庚，皆聲轉文借，楚雀則異名也。

摶黍，幽謂之黃鳥。呂覽高注，淮南高注。

按：呂覽高注：齊人謂之摶黍，秦人謂之黃離，幽冀謂之黃鳥。淮南時則訓高注：黎黃，楚雀也。齊人謂摶黍，秦人謂之黃流離，幽冀謂之黃鳥。一說斲木也。爾雅：皇，黃鳥。郭注：俗呼黃離留，亦名摶黍。今考爾雅黃白騜注，引詩：騜駁其馬。毛詩作皇，傳黃白曰皇。然則黃鳥名皇，非黧黑而黃矣。黍，今順天人名黃米。摶黍之名，亦取黃誼。陸疏：黃鳥或謂之黃袍，即此。詩屢言黃鳥，毛鄭皆不云黃離，可據以斷。黃離留、黃流離、黎黃、楚雀等名，皆非黃鳥，至斲木則爾雅所謂鴷也。臨海異物志云：啄木，非黃鳥也。餘詳上黃鸎。

桑飛，幽州人或謂之鸋鴂。方言八。據邢疏官本校正。鴟鴞似黃雀而小，幽州人或謂之鸋鴂，或曰巧婦，或曰女匠。詩鴟鴞疏引陸璣疏。爾雅釋鳥疏引御覽引詩義疏。桃雀狀類黃雀而小，燕人謂之巧婦，亦謂之女匠。禽經。

按：方言：桑飛，自關而東謂之工爵，或謂之過鸁，或謂之女鴎。幽州人或謂之鸋鴂。自關而西謂之桑飛，或謂之鳭爵。玉篇亦同。今本方言，幽州人或四字云自關而東，上文已有自關而東，不當重出。邢疏官本可以校正，一本脫州字。陸璣疏：鴟鴞似黃雀而小，其喙尖如錐，取茅莠爲巢，以麻紩之，如刺襪然，縣著樹枝，或一房，或二房，幽州人或謂之鸋鴂，或曰巧婦，或曰女匠。方言郭注桑飛下云：即鷦鷯也。又名鷦鸎。女鴎下云：今亦名爲巧婦，江東呼布母。其說皆是。惟鸋鴂注稱爾雅云：鸋鴂、鴟鴞，鴞屬，非此小雀明矣。爾雅注：鴟類。邢疏：先儒皆以爲今之巧婦。郭注與先儒意異。今爾雅以郭氏爲宗，且依郭氏，蓋邢爲疏，故遷就耳。郭誤會爾雅，即當以爾雅正之。爾雅自有鴞，非鴟鴞也。說文、詩傳，並从爾雅詩疏，引舍人曰鴟鴞，一名鸋鴂。文選注引韓詩傳：鴟鴞所以愛養其子者，適以病之。愛養其子者，謂堅固其窠巢。病之者，謂不知託於大樹茂林，反敷之葦蔄，風至蔄折巢覆，有子則死，有卵則破，是其病也。楊倞荀子注：蒙鳩，即鷦鷯也。引說苑客謂孟嘗君曰：鷦鷯巢於葦苕，著之以髮，可謂完堅矣，大風至，則苕折卵破者，何也？所託者然也。說與韓詩合。蒙鳩，大戴禮記云：蝬鳩。莊子逍遙遊：鷦鷯巢於深林，不過一枝。廣雅：鸋鴂，工雀也。然則此即爾雅所謂桃蟲，鷦，其雌鴱者是。郭注：鷦䳄，桃雀也，俗呼爲巧婦。疏引舍人曰：桃蟲名鷦，其雌名鴱。音義引字林曰：澤雀。說文：鷦䳄，桃蟲也，俗呼黃脰。詩小毖傳：桃蟲，鷦也，鳥之始小終大者。箋：鷦之所爲鳥題肩也。或曰：鴞，此亦桃蟲，即鴟鴞之禑左。陸璣疏：今鷦鷯是也。微小于黃雀，其雛化而爲鵰，故俗語鷦鷯生鵰。呂覽求人篇：鷦鷯作啁噍。今驗鴟鴞合聲爲鷦，其與雌䳄、鷦鷯、啁噍，皆聲轉。鸋鴂則工爵、韈雀、桃雀之變轉。

鵋，鵂也，甯河人呼貓頭鷹。（甯河縣志。）

按：甯河人猫頭鷹云者，與湖州南潯志同。揚州人謂之夜貓。郝氏爾雅義疏，以之釋茅鴟。王氏廣雅疏證，以之證怪鴟。郭注爾雅注茅鴟下云：今䳲鴟也。怪鴟下云：即鴟鵂也。然考御覽引孫炎爾雅注：茅鴟，大目鵂鶹也。一切經音義十七引舍人注：謂鵂鶹也。南陽名鉤鵅，其鳥晝伏夜行，鳴爲怪也。又二十引舍人曰：一名狂鳥，一名鵂鶹，南陽名鉤鵅，一名忌欺。然則茅鴟之與怪鴟，以目較大異，其爲貓頭則同。據甯河志云：鵋鵂則指怪鴟云。説文：鵋，䳢也，籀文作鴟。又云：舊鴟，舊，舊留也，舊或作鵂。舊，久聲，近海外，南經湯山，有鴟久。郭注：鵂鶹之屬。又大荒南經：蒼梧之野有鴟久。郭注：即鵂鶹也。莊子釋文引許慎淮南注：鴟，夜聚食蚤蝨，不失也。爾雅義疏：今貓兒頭，其頭似貓，有毛角，其鳴曰轂轆貓。故蜀人謂之轂轆鷹，善笑。又按爾雅：鵅，鵋䳢。郭注：今江東呼鵂鶹爲鵋䳢，亦謂之鵅鵅。廣韵：鵋䳢，鵂鶹鳥，今之角鴟。本草拾遺：鉤鵅入城城空，入室室空，怪鳥也。又似鴟有角，夜飛晝伏。北土有訓狐，二物相似。訓呼聲，呼其名。一切經音義：鵂鶹，關西呼訓侯，山東謂之訓狐。又爾雅：雀，老鵵。郭注：木兔也，似鴟鵂而小，兔頭，有角，毛腳，夜飛，好食雞。説文：雀，鴟屬也，有毛角，所鳴，其民有旤。雈，鴟舊，頭上角雈也。鷗，鴟也。廣雅：鷗鴟，老鵵也。今考鵵兔通鵋䳢，急讀之則聲近鴟。訓侯、訓狐，並鵂鶹變轉，此皆鴟屬。

今順天人呼鷂鷹。（爾雅義疏。）

按：郝氏爾雅義疏：鴟，今順天人呼鷂鷹，東齊人呼老鷂，亦曰老鶥。今驗順天人呼鷂鷹，非鴟也。爾雅所謂鷹、鶆鳩者是。郭注：鶆當爲鷞字之誤。左傳作鷞鳩，是也。音義引字林作鶆，云鶆鳩，鷹也。疏引樊光曰：鶆鳩，鷞鳩也。釋文云：來或作鶆。爾雅又云：鷹，隼類，其飛也翬。詩疏引陸璣疏引隼鷂屬，齊人謂之擊征，或謂之題肩，或謂之雀鷹。夏小正五月，鳩爲鷹。六月，鷹始摯。月令：季夏鷹乃學習，孟秋鷹乃祭鳥。説文作䧹，云䧹鳥也。籀文作鷹。徐鍇曰：隨人指縱，故从人。玉篇：鷙鳥。李時珍曰：鷹以膺擊，故謂之鷹。陸佃云：今謂之角鷹，項有毛，角微起，一曰題肩，一曰征鳥，一曰爽鳩。御覽引古樂府曰：豹則虎之弟，鷹則鷂之兄，鷂之與鷹，猶虎之與豹。舊説大爲鷹，小爲鷂，俗語兩虎夾一豹，兩鷹攙一鷂。

鴽，鴿也，幽州謂之鴿。（呂覽季春紀高注。）**鴽，鶉也，幽謂之鶉。**（淮南時則訓高注。鶉當作鴿。）**鵪、鶉，兩物也，今人總以鵪鶉呼之。**（甯河縣志。）

按：呂覽季春紀高注：鴽，鴿也，青州謂之鴾鴾，周雒謂之鴽，幽州謂之鴿。御覽九百二十四引云：幽州謂之䳺。淮南時則訓：田鼠化爲鴽。高注：鴽，鶉也。青徐謂之鴾，幽冀謂之鶉。今校淮南注：鶉乃鴿之譌。鴿、鵪同䳺，邵氏正義鵖作鵲，誤。鴾鴾卽鴾母之借體，舊謁鴹鴹。考鴹乃廣韵鴹羊。家語：商羊非鴽也。鴽，說文作䳘，云牟母也。或作鴽。據知，鴽，古从奴，不从如也。爾雅：鴽，鴾母。郭注：鵪也，青州呼鴾母。釋文：母，李音無，舍人本作無。禮月令疏引舍人：母作無。鄭注：鴽母無。夏小正：田鼠化爲鴽。鴽爲鼠。傳：鴽，鵪也。月令疏引李巡云：鴽鵪，一名鴾母。爾雅義疏：鴽鳴以嘴插地，如牛鳴窌中，故曰鴾母。今棲霞人卽呼爲鴾子。鶉、鵪二鳥，本非同類，故公食大夫以鶉、鴽並列，内則鶉羹與鴽釀異名，是皆以爲二物。今鶉黃黑雜文，大如秋雞，無尾。鵪較長大，黃色無文，又長頸長嘴。鵪之言闇，鶉之言純，純亦文也。郝說是也。又爾雅：鶉子鳼，鴽子鸋，蓋種既非一，雛亦異名。說文云鵪，鶉屬。不云卽鶉。周禮鄭注，以爲鶉，鴽之屬，不云卽鴽。玉篇：鴾、鴾母，卽鵪。廣雅：雛，鶉也，鴽，鵪也，今本脱雛字，見一切經音義十五。類此，並可爲淮南注鶉當作䳺之證。正字通：鴽卽鶉也。誤。禮記疏引皇侃疏義，用賀瑒說，謂鴽爲蝙蝠，殆因鼠化蝙蝠，田鼠亦化爲鴽而誤爾。

鷽斯，鵯鶋，順天人呼寒鴉，（爾雅釋鳥義疏。）**鴉白頭者，涿州人呼寒鴉。**（畿輔唐志，涿州吴志。）

按：爾雅：鸛鷒，鶝鶔，如鵲短尾，射之，銜矢射人。郭注：或說曰鸛鷒，鶝鶔，一名㜮羿。音義：鸛音歡。鷒，徒端反。鶝音福，字亦作福。鶔，而由反，本亦作柔，或作蹂，音同。㜮字又作隋，徒課反。字書云：古以爲懈惰字，言此鳥捷勁，雖羿之善射，亦懈隋不敢射也，故名。疏引郭圖讚云：鸛鷒之鳥，一名㜮羿，應弦銜鏑，矢不著地，逢蒙縮手，養由不睨。說文：雗專，畐蹂，如雗短尾，射之，銜矢射人。廣韵：鸛鷒。釋文：福柔。爾雅義疏：俗說雅鳥，一名大觜鳥，善避短繳，人以物擲之，從空銜取，還以擲人。此卽鷽斯，鵯鶋，順天人呼寒鴉。

鵁鶄，涿州人呼青莊。（涿州吴志。）

按：涿州人呼青莊，卽湖州志俗名茭雞者是。皆鵁鶄之聲轉。爾雅：鳽，鵁鶄。郭注：似鳧，脚高，毛冠，江東人家養之，以厭火災。說文：鳽，鵁鶄也，一曰鵁鸕。白帖引禽經：交目其名鳽。上林賦：交精旋目。

蝙蝠，北燕謂之蟙蠌。（方言八。）

按：方言：蝙蝠，自關而西秦隴之間謂之蝙蝠。北燕謂之蟙蠌。爾雅釋鳥：蝙蝠服翼。郭注：齊人呼蟙蠌，或謂之仙鼠。據知燕呼同齊，仙鼠卽僊鼠。僊蓋仙之省文。說文：蝙蝠，服翼也。又云：魁蛗老服翼所匕。御覽引孝經援神契云：蝙蝠服匿，故夜食。類聚引服作伏，本草亦云伏翼。伏、服，字通。郭注方言：蝙蝠，邊蝠，兩音。職墨，兩音。爾雅音義：蟙，章戈反。蠌，亡北反。集韵：蠌，密北切。廣雅蟙作蚮，然則蠌蟙之與蝙蝠、服翼，語聲轉耳。今順天人呼夜蝙蝠，蝠聲若府，亦燕服翼之變轉。爾雅義疏：今東齊人謂之燕蝙蝠，登州謂蟞蚨。

貔，方言八。狸別名也。郭注。北燕謂之貊。方言八。

按：方言：貔，陳、楚、江、淮之間謂之貅，北燕、朝鮮之間謂之貊，關西謂之狸。郭注貊下云：今江南呼爲貊貍。又狸下云：此通名耳，貔，未聞語所出。盧文弨曰：戴云貔，猛獸，古今無以名狸者，貔當狸字誤。郭所見本已作貔，故注亦疑之。今考郭注，貔下明云狸別名，又云，未聞語所出者，未聞語出何方耳。蓋方言同名異物者，往往而有，貔非貔貅之貔，乃貔貍之貍。爾雅：貍子𧳜。郭注：今或呼豾貍。説文：貍，伏獸，似貙。淮南子：狸頭似鼠。御覽九百十二引許慎注：狸食鼠。又引尸子曰：使牛捕鼠，不如猫狌之捷。莊子秋水篇：捕鼠不如貍狌。廣雅：貔，貍猫也，豾，貍也。此皆貍、猫通稱之證。而郭以貔爲貍別名，蓋本廣雅大射儀鄭注，貍之言不來也，丕與豾，貍與來，古皆同聲，然則貔、貊、貍之聲轉。

今順天人猶呼鼢鼠。廣雅疏證。

按：今順天人呼地老鼠，即爾雅鼢鼠。郭注：地中行者。説文：鼢，地中行鼠，伯勞所化也。一曰偃鼠。鼢或从虫，作蚡。莊子：偃鼠飲河。廣雅：鼹鼠，鼢鼠。廣韵：鼢，田中鼠。爾雅疏方言云：名犂鼠即此，起地若耕因名。今考釋文亦作犂。今方言本作𪖈。本草：一名田鼠。別録：鼹鼠，在土中行。陶注：一名隱鼠。然則𪖈與犂通，鼹與偃通，隱即偃之聲轉，蚡乃鼢之或體。爾雅釋文：鼢，扶粉、扶云二反。

今俗通呼黄鼠狼。爾雅釋獸義疏。順天人呼黄鼬，廣雅疏證。地猴，一名黄鼠狼。涿州吴志。

按：爾雅：鼬鼠。郭注：今鼬似鼦，赤黄色，大尾。啖鼠，江東呼爲鼪，音牲。音義：鼬，餘又反。字林云：如鼠赤黄而文鼦。字書云：古貂字。鼪音性，説文：鼬如鼠赤黄而大，食鼠者。廣雅：鼠，狼鼬。本草：鼬，一名黄鼠狼，又名⿰鼠安鼠，又名⿰鼠殳鼠，又名地猴。

豬，北燕謂之豭。方言八。

按：方言：豬，北燕、朝鮮之間謂之豭，吴揚之間謂之豬子。郭注：豭下云猶言豭斗也。爾雅無豭。考説文㱿下云：讀若爾雅麔豭。今爾雅豭作麚。麚，牡鹿；豭，牡豕，聲同，古通用。牟廷相謂，爾雅牡豝上當脱牡豭一句，其説近是。説文：豭，牡豕也。易姤注：羣豕之中，豭强而牡弱。左隱十一年傳：卒出豭。定十四年傳：宋野人歌，既定爾婁豬，曷歸我艾豭！韵會或作猳。史記秦始皇紀，豭，衛康叔世家作猳。今順天人通呼豬。爾雅：豕子，豬。郭注：今亦曰彘，江東呼豬皆通名。

今漁陽呼豬，大者爲豟。釋畜郭注。漁陽以豬爲豟。爾雅音義引纂文。

按：爾雅釋畜：彘，五尺爲豟，即釋獸所謂其跡刻絶有力豟者也。郭注引尸子曰：大豕爲豟，五尺也。音義：豟，於革反，大豕也。小爾雅：豕之大者謂之豜。豟，玉篇作豟。集韵䝈通作豟，或作犯。

定遠方孝傑校　武進屠寄覆校

地理志十六

天文表

元和汪鳳藻青浦席淦胡玉麟宛平陳壽田同纂

談天測驗之法，古疏今密。求太陽高度，太陽方位，晝夜時刻，昏旦更點時刻，皆以黄赤大距本處北極高度爲立算之本。是書遵考成後編黄赤大距爲二十三度二十九分，順天府北極出地度爲三十九度五十五分，斯測量所得，與推算所得，無不吻合。又推算所得太陽之高度，自地心計算，立表取影，則在地面，而不在地心。故必減去逐度地半徑差角，斯爲實測之視高，表影所至，立表則齊太陽上邊，卧表則齊太陽下邊，故必於視高内加逐度太陽視半徑，爲太陽上邊視高，減視半徑，爲太陽下邊視高。每日太陽出入之先後，尚有朦影刻分，考成定地平下十八度，每日昏旦更點時刻分，則遵協紀辨方，以日入後八刻起更，日出前九刻攢點。日入後加朦影刻分，爲初昏；日出前減朦影刻分，爲平旦；餘刻五分之，爲二、三、四、五更之時刻分。如法布算，列五表如左，而以分野附於後。作天文表。

表一 南北緯度東西經度

		順天府城	良鄉縣城	固安縣城	永清縣城	東安縣城	香河縣城	通州城	三河縣城
北極高度	十度十分十秒	三九 五五 〇〇	三九 四四 〇〇	三九 二四 三〇	三九 二一 三〇	三九 二五 〇〇	三九 四六 三〇	三九 五五 〇〇	四〇 一〇 〇〇
距府城緯度	南北度十分十秒		南〇 一一 〇〇	南〇 三〇 三〇	南〇 三三 三〇	南〇 三〇 〇〇	南〇 〇八 三〇	無距緯度	北〇 一五 〇〇
距省城緯度	南北度十分十秒	北一 〇〇 〇〇	北〇 四九 〇〇	北〇 二九 三〇	北〇 二六 三〇	北〇 三〇 〇〇	北〇 五一 三〇	北一 〇〇 〇〇	北一 一五 〇〇
偏府城經度	東西度十分十秒		西〇 〇三 〇〇	西〇 〇三 三〇	東〇 〇六 〇〇	東〇 一九 〇〇	東〇 三四 〇〇	東〇 一四 〇〇	東〇 三九 〇〇
偏省城經度	東西度十分十秒	東〇 五一 〇〇	東〇 四八 〇〇	東〇 四七 三〇	東〇 五七 〇〇	東一 一〇 〇〇	東一 二五 〇〇	東一 〇五 〇〇	東一 三〇 〇〇

武清縣城	三九三二〇〇	南〇二三〇〇	北〇三七〇〇	東〇二八三〇	東一一九三〇
寶坻縣城	三九四五〇〇	南〇一〇〇〇	北〇五〇〇〇	東〇五三〇〇	東一四四〇〇
寧河縣城	三九四〇三〇	南〇一四三〇	北〇四五三〇	東一一六三〇	東二〇七三〇
昌平州城	四〇一三五〇	北〇一八五〇	北一一八五〇	西〇〇九〇〇	東〇四二〇〇
順義縣城	四〇〇九〇〇	北〇一四〇〇	北一一四〇〇	東〇一三〇〇	東一〇四〇〇
密雲縣城	四〇二三三〇	北〇二八三〇	北一二八三〇	東〇二六〇〇	東一一七〇〇
懷柔縣城	四〇一九〇〇	北〇二四〇〇	北一二四〇〇	東〇一二〇〇	東一〇三〇〇
涿州州城	三九三一三〇	南〇二三三〇	北〇三六三〇	西〇二三〇〇	東〇二八〇〇
房山縣城	三九四四〇〇	南〇一一〇〇	北〇四九〇〇	西〇二三三〇	東〇二八三〇
霸州州城	三九〇八三〇	南〇四六三〇	北〇一三三〇	無偏經度	東〇五一〇〇
文安縣城	三八五四三〇	南一〇〇三〇	南〇〇〇三〇	東〇〇五〇〇	東〇五六〇〇

大城縣城	三八四四〇〇	南一一一〇〇	南〇一一〇〇	東〇一四〇〇	東一〇五〇〇
保定縣城	三九〇一〇〇	南〇五四〇〇	北〇〇六〇〇	西〇〇一〇〇	東〇五〇〇〇
薊州州城	四〇〇五〇〇	北〇一〇〇〇	北一一〇〇〇	東〇五九〇〇	東一五〇〇〇
平谷縣城	四〇一三〇〇	北〇一八〇〇	北一一八〇〇	東〇四五〇〇	東一三六〇〇

表二 七十二候日，午正太陽高度及立表、卧表、景長。〇表高五尺。

節候			冬至日	蚯蚓結	冬至後五日
日躔	宮	十度	丑	〇初	丑
實高	十度	十分十秒	二六	三六〇〇	二六
半徑	差角	秒	八		八
視高	十度	十分十秒	二六	三五五二	二六
視半	徑	十分十秒		一六二二	
上邊視高	十度	十分十秒	二六	五二一四	二六
立表平景	丈尺	寸分釐毫	〇九	八六八一	〇九
下邊視高	十度	十分十秒	二六	一九三〇	二六
卧表倒景	丈尺	寸分釐毫	〇二	四七三九	〇二
日躔	宮	十度	丑	〇初	寅
節候			冬至日	蚯蚓結	大雪後十日

麋角解	〇 五	四一 四一		四一 三二	一六 二三	五七 五六	八二 七七	二五 一〇	四八 四一	二 五	荔挺出
冬至後十日	丑	二六	八	二六		二七	〇九	二六	〇二	寅	大雪後五日
水泉動	一 〇	五八 四〇		五八 三二	一六 二三	一四 五五	七〇 八七	四二 〇九	五一 五〇	二 〇	虎始交
小寒日	丑	二七	八	二七		二七	〇九	二七	〇二	寅	大雪日
雁北鄉	一 五	二六 四四		二六 三六	一六 二三	四二 五九	五一 七〇	一〇 一三	五六 六四	一 五	鶡旦不鳴
小寒後五日	丑	二八	八	二八		二八	〇九	二七	〇二	寅	小雪後十日
鵲始巢	二 〇	〇五 三五		〇五 二七	一六 二二	二一 四九	二六 一四	四九 〇五	六三 八二	一 〇	閉塞而成冬
小寒後十日	丑	二八	八	二八		二九	〇八	二八	〇二	寅	小雪後五日
雊雉	二 五	五四 四六		五四 三八	一六 二二	一一 〇〇	九五 二六	三八 一六	七三 〇四	〇 五	天氣上騰地氣下降
大寒日	子	二九	八	二九		三〇	〇八	二九	〇二	寅	小雪日
雞乳	〇 初	五三 四四		五三 三六	一六 二二	〇九 五八	六〇 二六	三七 一四	八四 二八	〇 初	虹藏不見

大寒後五日	子	三一	八	三一		三一	〇八	三〇	〇二	卯	立冬後十日
征鳥厲疾	〇五	〇一五五		〇一四七	一六二一	一八〇八	二三二八	四五二六	九七五五	二五	雉入大水爲蜃
大寒後十日	子	三二	八	三二		三二	〇七	三二	〇三	卯	立冬後五日
水澤腹堅	一〇	一八三五		一八二七	一六二〇	三四四七	八二四四	〇二〇七	一二八六	二〇	地始凍
立春日	子	三三	七	三三		三三	〇七	三三	〇三	卯	立冬日
東風解凍	一五	四三〇三		四二五六	一六二〇	五九一六	四一六二	二六三六	三〇二三	一五	水始冰
立春後五日	子	三五	七	三五		三五	〇七	三四	〇三	卯	霜降後十日
蟄蟲始振	二〇	一四三二		一四二五	一六一九	三〇四四	〇〇六六	五八〇六	四九六九	一〇	蟄蟲咸俯
立春後十日	子	三六	七	三六		三七	〇六	三六	〇三	卯	霜降後五日
魚陟負冰	二五	五二一六		五二〇九	一六一八	〇八二七	六〇一四	三五五一	七一三〇	〇五	草木黃落
雨水日	亥	三八	七	三八		三八	〇六	三八	〇三	卯	霜降日

獺祭魚	○ 初	三五 二七		三五 二○	一六 一七	五一 三七	二○ 五四	一九 ○三	九五 一二	○ 初	豺乃祭獸
雨水後五日	亥	四○	七	四○		四○	○五	四○	○四	辰	寒露後十日
候雁北	○ 五	二三 一七		二三 一○	一六 一六	三九 二六	八二 一八	○六 五四	○六 五六	二 五	鞠有黃華
雨水後十日	亥	四二	六	四二		四二	○五	四一	○四	辰	寒露後五日
草木萌動	一 ○	一五 ○一		一四 五五	一六 一四	三一 ○九	四五 二九	五八 四一	四九 八六	二 ○	雀入大水爲蛤
驚蟄日	亥	四四	六	四四		四四	○五	四三	○四	辰	寒露日
桃始華	一 五	○九 四九		○九 四三	一六 一三	二五 五六	一○ ○一	五三 三○	八一 ○二	一 五	鴻雁來賓
驚蟄後五日	亥	四六	六	四六		四六	○四	四五	○五	辰	秋分後十日
倉庚鳴	二 ○	○六 五六		○六 五○	一六 一二	二三 ○二	七六 四一	五○ 三八	一四 九五	一 ○	水始涸
驚蟄後十日	亥	四八	六	四八		四八	○四	四七	○五	辰	秋分後五日
鷹化爲鳩	二 五	○五 三五		○五 二九	一六 一一	二一 四○	四四 五三	四九 一八	五一 八四	○ 五	蟄蟲壞户

春分日	戌	五〇	六	五〇		五〇	〇四	四九	〇五	辰	秋分日
元鳥至	〇初	〇五〇〇		〇四五四	一六〇九	二一〇三	一四三六	四八四五	九一九三	〇初	雷始收聲
春分後五日	戌	五二	五	五二		五二	〇三	五一	〇六	巳	白露後十日
雷乃發聲	〇五	〇四二五		〇四二〇	一六〇八	二〇二八	八五八七	四八一二	三五四八	二五	羣鳥養羞
春分後十日	戌	五四	五	五四		五四	〇三	五三	〇六	巳	白露後五日
始電	一〇	〇三〇四		〇二五九	一六〇六	一九〇五	五九〇五	四六五三	八二七〇	二〇	元鳥歸
清明日	戌	五六	五	五六		五六	〇三	五五	〇七	巳	白露日
桐始華	一五	〇〇一一		〇〇〇六	一六〇五	一六一一	三三八四	四四〇一	三三九七	一五	鴻雁來
清明後五日	戌	五七	五	五七		五八	〇三	五七	〇七	巳	處暑後十日
田鼠化爲鴽	二〇	五四五九		五四五四	一六〇三	一〇五七	一〇二三	三八五一	八九四〇	一〇	禾乃登
清明後十日	戌	五九	四	五九		六〇	〇二	五九	〇八	巳	處暑後五日

虹始見	二五	四六四三		四六三九	一六〇二	〇二四一	八八一六	三〇三七	四九一八	〇五	天地始肅
穀雨日	酉	六二	四	六二		六二	〇二	六二	〇九	巳	處暑日
萍始生	〇初	三四三三		三四二九	一六〇一	五〇三〇	六七六三	一八二八	一三五七	〇初	鷹乃祭鳥
穀雨後五日	酉	六三	四	六三		六三	〇二	六三	〇九	午	立秋後十日
鳴鳩拂其羽	〇五	一七四四		一七四〇	一五五九	三三三九	四八六三	〇一四一	八二六〇	二五	寒蟬鳴
穀雨後十日	酉	六四	四	六四		六五	〇二	六四	一〇	午	立秋後五日
戴勝降於桑	一〇	五五二八		五五二四	一五五八	一一二三	三一一四	三九二六	八〇三一	二〇	白露降
立夏日	酉	六六	四	六六		六六	〇二	六六	一一	午	立秋日
螻蟈鳴	一五	二六五七		二六五三	一五五七	四二五〇	一五一九	一〇五六	三三七三	一五	涼風至
立夏後五日	酉	六七	四	六七		六八	〇二	六七	一二	午	大暑後十日
蚯蚓出	二〇	五一二五		五一二一	一五五六	〇七一七	〇〇七八	三五二五	一二五一	一〇	大雨時行

立夏後十日	酉	六九	三	六九		六九	○一	六八	一二	午	大暑後五日
王瓜生	二五	○八○五		○八○二	一五五五	二三五七	八七九五	五二○七	九三六七	○五	土潤溽暑
小滿日	申	七○	三	七○		七○	○一	七○	一三	午	大暑日
苦菜秀	○初	一六一六		一六一三	一五五四	三二○七	七六七二	○○一九	七四一三	○初	腐草爲螢
小滿後五日	申	七一	三	七一		七一	○一	七○	一四	未	小暑後十日
靡草死	○五	一五一四		一五一一	一五五三	三一○四	六七一三	五九一八	五一一五	二五	鷹始摯
小滿後十日	申	七二	三	七二		七二	○一	七一	一五	未	小暑後五日
麥秋至	一○	○四二五		○四二三	一五五二	二○一四	五九二一	四八三○	二一五○	二○	蟋蟀居壁
芒種日	申	七二	三	七二		七二	○一	七二	一五	未	小暑日
螳蜋生	一五	四三一六		四三一三	一五五一	五九○四	五三○一	二七二三	八一五七	一五	温風至
芒種後五日	申	七三	三	七三		七三	○一	七二	一六	未	夏至後十日

鵙始鳴	二〇	一一二〇		一一一七	一五五一	二七〇八	四八五六	五五二六	二七六九	一〇	半夏生
芒種後十日	申	七三	三	七三		七三	〇一	七三	一六	未	夏至後五日
反舌無聲	二五	二八一九		二八一六	一五五一	四四〇七	四五八八	一二二五	五六八一	〇五	蜩始鳴
夏至日	未	七三	三	七三		七三	〇一	七三	一六	未	夏至日
鹿角解	〇初	三四〇〇		三三五七	一五五〇	四九四七	四四九八	一八〇七	六六七九	〇初	鹿角解

表三　十二月中氣日，逐時太陽上邊視高度，太陽平景方位偏度及景長。〇此篇專爲造日晷而設，故立五分高之表以取景，其景長僅當前表百分之一。

中氣	時初正	太陽上邊視高	太陽方位	太陽平景偏度	平景方位	立表平景	中氣
		十度十分十秒		十度十分十秒		寸分釐毫	
十一	辰申正	〇五四六五一	正東西偏南	三七〇三四三	正西東偏北	四九三九	十一
月冬	己未正	二〇五八二三	正南偏東西	二九二一二四	正北偏西東	一三〇五	月冬
至日	午正	二六五二一四	正南		正北	〇九八七	至日

十二	辰申正	○八一三五一	正東西偏南	三四五○三一	正西東偏北	三四五七	十月
月大	己未正	二三五八一九	正南偏東西	三○四九五三	正北偏西東	一一二五	小雪
寒日	午正	三○○九五八	正南		正北	○八六○	日
正月	辰申正	一四三七三一	正東西偏南	二八二八四八	正西東偏北	一九一六	九月
雨水	己未正	三一四八二四	正南偏東南	三五一三四三	正北偏西東	○八○六	霜降
日	午正	三八五一三七	正南		正北	○六二一	日
二月	辰申正	二二四九○二	正東西偏南	二○一九四一	正西東偏北	一一八八	八月
春分	己未正	四一五三二四	正南偏東西	四一五八四六	正北偏西東	○五五八	秋分
日	午正	五○二一○三	正南		正北	○四一四	日
三月	卯酉正	○七三六三九	正東西偏北	○八五一四三	正西東偏南	三七四一	七月
穀雨	辰申正	三○三○一五	正東西偏南	一○四六五○	正西東偏北	○八四九	處暑

日	己未正	五一二四四〇	正東西偏南	三八三八三八	正西東偏北	〇三九九	日
	午正	六一五〇三〇	正南		正北	〇二六八	
四月	卯酉正	一三〇三二一	正東西偏北	一五四四五七	正西東偏南	二一五六	六月
小滿	辰申正	三五四八三五	正東西偏北	〇二三四〇四	正西東偏南	〇六九三	大暑
日	己未正	五七五五一三	正東西偏南	二八四一四六	正西東偏北	〇三一三	日
	午正	七〇三二〇七	正南		正北	〇一七七	
五月	卯酉正	一五〇四三八	正東西偏北	一八二五四三	正西東偏南	一八五六	五月
夏至	辰申正	三七三九五五	正東西偏北	〇〇四一三〇	正西東偏南	〇六四八	夏至
日	己未正	六〇〇八〇三	正東西偏南	二三五九一五	正西東偏北	〇二八七	日
	午正	七三四九四七	正南		正北	〇一四五	

表四 七十二候日，日出、日入時刻，晝夜刻，朦影刻。

節候	日出	日入	晝	夜	朦影	節候
	時初正刻十分	時初正刻十分	十刻十分	十刻十分	刻十分	
冬至上候	辰初一一〇	申正二〇五	三六一〇	五九〇五	六一二	冬至上候
冬至中候	辰初一一〇	申正二〇五	三六一〇	五九〇五	六一二	大雪下候
冬至下候	辰初一〇九	申正二〇六	三六一二	五九〇三	六一二	大雪中候
小寒上候	辰初一〇七	申正二〇八	三七〇一	五八一四	六一二	大雪上候
小寒中候	辰初一〇四	申正二一一	三七〇七	五八〇八	六一一	小雪下候
小寒下候	辰初一〇一	申正二一四	三七一三	五八〇二	六一一	小雪中候
大寒上候	辰初初一二	申正三〇三	三八〇六	五七〇九	六一〇	小雪上候
大寒中候	辰初初〇七	申正三〇八	三九〇一	五六一四	六〇九	立冬下候

大寒下候	辰初初〇二	申正三一三	三九一一	五六〇四	六〇八	立冬中候
立春上候	卯正三一二	酉初初〇三	四〇〇六	五五〇九	六〇七	立冬上候
立春中候	卯正三〇六	酉初初〇九	四一〇三	五四一二	六〇六	霜降下候
立春下候	卯正三〇〇	酉初一〇〇	四二〇〇	五四〇〇	六〇六	霜降中候
雨水上候	卯正二〇九	酉初一〇六	四二一二	五三〇三	六〇五	霜降上候
雨水中候	卯正二〇三	酉初一一二	四三〇九	五二〇六	六〇五	寒露下候
雨水下候	卯正一一一	酉初二〇四	四四〇八	五一〇七	六〇四	寒露中候
驚蟄上候	卯正一〇五	酉初二一〇	四五〇五	五〇一〇	六〇四	寒露上候
驚蟄中候	卯正初一三	酉初三〇二	四六〇四	四九一一	六〇四	秋分下候
驚蟄下候	卯正初〇七	酉初三〇八	四七〇一	四八一四	六〇五	秋分中候
春分上候	卯正初〇〇	酉正初〇〇	四八〇〇	四八〇〇	六〇五	秋分上候

春分中候	卯初三〇八	酉正初〇七	四八一四	四七〇一	六〇六	白露下候
春分下候	卯初三〇二	酉正初一三	四九一一	四六〇四	六〇七	白露中候
清明上候	卯初二一〇	酉正一〇五	五〇一〇	四五〇五	六〇八	白露上候
清明中候	卯初二〇四	酉正一一一	五一〇七	四四〇八	六一〇	處暑下候
清明下候	卯初一一二	酉正二〇三	五二〇六	四三〇九	六一二	處暑中候
穀雨上候	卯初一〇六	酉正二〇九	五三〇三	四二一二	六一三	處暑上候
穀雨中候	卯初一〇〇	酉正三〇〇	五四〇〇	四二〇〇	七〇〇	立秋下候
穀雨下候	卯初初〇九	酉正三〇六	五四一二	四一〇三	七〇二	立秋中候
立夏上候	卯初初〇三	酉正三一二	五五〇九	四〇〇六	七〇五	立秋上候
立夏中候	寅正三一三	戌初初〇二	五六〇四	三九一一	七〇七	大暑下候
立夏下候	寅正三〇八	戌初初〇七	五六一四	三九〇一	七一〇	大暑中候

表五　七十二候日，昏旦更點時刻。

節	候	
日躔赤道	十宮十度	十分十秒
昏旦	更點	
時刻初正刻十分		
節	候	
日躔赤道	十宮十度	十分十秒
昏旦	更點	
時刻初正刻十分		

小滿上候	寅正三〇三	戌初初一二	五七〇九	三八〇六	七一三	大暑上候
小滿中候	寅正二一四	戌初一〇一	五八〇二	三七一三	八〇〇	小暑下候
小滿下候	寅正二一一	戌初一〇四	五八〇八	三七〇七	八〇三	小暑中候
芒種上候	寅正二〇八	戌初一〇七	五八一四	三七〇一	八〇五	小暑上候
芒種中候	寅正二〇六	戌初一〇九	五九〇三	三六一二	八〇六	夏至下候
芒種下候	寅正二〇五	戌初一一〇	五九〇五	三六一〇	八〇七	夏至中候
夏至上候	寅正二〇五	戌初一一〇	五九〇五	三六一〇	八〇九	夏至上候

冬	○○○○	初昏	酉正一○二
至	○○○○	起更	酉正二○五
上		二更	戌正二二二
候		三更	亥正三○四
		四更	子正三一一
		五更	寅初○○三
		攢點	卯初○一○
		平旦	卯初二二三
冬	○○○五	初昏	酉正一○二
至	二六五六	起更	酉正二○五
中		二更	戌正二二二
夏	○六○○	初昏	亥初二○四
至	○○○○	起更	亥初一一○
上		二更	亥正一○九
候		三更	子初一○八
		四更	子正一○七
		五更	丑初一○六
		攢點	丑正一○五
		平旦	丑正一一一
夏	○六○五	初昏	亥初二○二
至	二六五六	起更	亥初一一○
中		二更	亥正一○九

候		三更	亥正三〇四
		四更	子正三一一
		五更	寅初〇〇三
		攢點	卯初〇一〇
		平旦	卯初二一三
冬	〇〇一〇	初昏	酉正一〇三
至	五二五六	起更	酉正二〇六
下		二更	戌正二一三
候		三更	亥正三〇四
		四更	子正三一一
		五更	寅初〇〇二

候		三更	子初一〇八
		四更	子正一〇七
		五更	丑初一〇六
		攢點	丑正一〇五
		平旦	丑正一一三
夏	〇六一〇	初昏	亥初二〇〇
至	五二五六	起更	亥初一〇九
下		二更	亥正一〇八
候		三更	子初一〇八
		四更	子正一〇七
		五更	丑初一〇七

		攢點	卯初〇〇九
		平旦	卯初二一二
小	一〇六〇	初昏	酉正一〇五
寒	〇一八七	起更	酉正二〇八
上		二更	戌正二一四
候		三更	亥正三〇五
		四更	子正三一〇
		五更	寅初〇〇一
		攢點	卯初〇〇七
		平旦	卯初二一〇
小	二〇一〇	初昏	酉正一〇七

		攢點	丑正一〇六
		平旦	丑正三〇〇
小	一〇六六	初昏	亥初一一三
暑	〇一八七	起更	亥初一〇七
上		二更	亥正一〇七
候		三更	子初一〇七
		四更	子正一〇八
		五更	丑初一〇八
		攢點	丑正一〇八
		平旦	丑正二〇三
小	二〇一六	初昏	亥初一〇七

寒	三八四二	起更	酉正二一一
中		二更	戌正三〇一
候		三更	亥正三〇五
		四更	子正三一〇
		五更	丑正三一四
		攢點	卯初〇〇四
		平旦	卯初二〇八
小	〇〇二六	初昏	酉正一一〇
寒	五六五八	起更	酉正二一四
下		二更	戌正三〇一
候		三更	亥正三〇六

暑	三八四二	起更	亥初一〇四
中		二更	亥正一〇五
候		三更	子初一〇七
		四更	子正一〇八
		五更	丑初一一〇
		攢點	丑正一一一
		平旦	丑正三〇八
小	〇六二六	初昏	亥初一〇一
暑	五六五八	起更	亥初一〇一
下		二更	亥正一〇四
候		三更	子初一〇六

		四更	子正三〇九	
		五更	丑正三一三	
		攢點	卯初〇〇一	
		平旦	卯初二〇五	
大	〇一〇二	初昏	酉正一一三	
寒	一一二四	起更	酉正三〇三	
上		二更	戌正三〇五	
候		三更	亥正三〇七	
		四更	子正三〇八	
		五更	丑正三一〇	
		攢點	寅正三一二	

		四更	子正一〇九
		五更	丑初一一一
		攢點	丑正一一四
		平旦	丑正二一四
大	〇七〇二	初昏	亥初〇一〇
暑	一一二四	起更	亥初〇一二
上		二更	亥正一〇一
候		三更	子初一〇五
		四更	子正一一〇
		五更	丑初一一四
		攢點	丑正二〇三

		平旦	卯初二〇二
大	〇一〇七	初昏	酉正二〇二
寒	二一三四	起更	酉正三〇八
中		二更	戌正三〇八
候		三更	亥正三〇八
		四更	子正三〇七
		五更	丑正三〇七
		攢點	寅正三〇七
		平旦	卯初一一三
大	〇一一二	初昏	酉正二〇六
寒	二七一六	起更	酉正三一三

		平旦	丑正三〇五
大	〇七〇七	初昏	亥初〇〇二
暑	二一三四	起更	亥初〇〇七
中		二更	亥正〇一三
候		三更	子初一〇四
		四更	子正一一一
		五更	丑初二〇二
		攢點	丑正二〇八
		平旦	丑正三一三
大	〇七一二	初昏	戌正三〇九
暑	二七一六	起更	亥初〇〇二

下		二更	戌正三一一
候		三更	亥正三〇九
		四更	子正三〇六
		五更	丑正三〇四
		攢點	寅正三〇二
		平旦	卯初一〇九
立	一〇 七一	初昏	酉正二一〇
春	二二 五八	起更	戌初〇〇三
上		二更	戌正三一四
候		三更	亥正三一〇
		四更	子正三〇五

下		二更	亥正〇一〇
候		三更	子初一〇三
		四更	子正一一二
		五更	丑初二〇五
		攢點	丑正二一三
		平旦	寅初〇〇六
立	一〇 七七	初昏	戌正三〇二
秋	二二 五八	起更	戌正三一二
上		二更	亥正〇〇七
候		三更	子初一〇二
		四更	子正一一三

		五更	丑正三〇一
		攢點	寅正二一二
		平旦	卯初一〇五
立	〇一二二	初昏	酉正三〇〇
春	二五〇五	起更	戌初〇〇九
中		二更	亥初〇〇二
候		三更	亥正三一一
		四更	子正三〇四
		五更	丑正二一三
		攢點	寅正二〇六
		平旦	卯初一〇〇

		五更	丑初二〇八
		攢點	丑正三〇三
		平旦	寅初一〇三
立	〇七二二	初昏	戌正二〇八
秋	二五〇五	起更	戌正三〇六
中		二更	亥正〇〇四
候		三更	子初一〇一
		四更	子正一一四
		五更	丑初二一一
		攢點	丑正三〇九
		平旦	寅初一〇七

立	〇一二七	初昏	酉正三〇六
春	一七二七	起更	戌初一〇〇
下		二更	亥初〇〇六
候		三更	亥正三一二
		四更	子正三〇三
		五更	丑正二〇九
		攢點	寅正二〇〇
		平旦	卯初〇〇九
雨	〇二〇二	初昏	酉正三一一
水	〇五五〇	起更	戌初一〇六
上		二更	亥初〇一〇

立	〇七二七	初昏	戌正二〇〇
秋	一七二七	起更	戌正三〇〇
下		二更	亥正〇〇〇
候		三更	子初一〇〇
		四更	子正二〇〇
		五更	丑初三〇〇
		攢點	寅初〇〇〇
		平旦	寅初二〇〇
處	〇八〇二	初昏	戌正一〇七
暑	〇五五〇	起更	戌正二〇九
上		二更	亥初三一一

候		三更	亥正三一三
		四更	子正三〇二
		五更	丑正二〇五
		攢點	寅正一〇九
		平旦	卯初〇〇四
雨	〇二〇六	初昏	戌初〇〇二
水	五〇三九	起更	戌初一一二
中		二更	亥初〇一三
候		三更	亥正三一四
		四更	子正三〇一
		五更	丑正二〇二

候		三更	子初〇一四
		四更	子正二〇一
		五更	丑初三〇四
		攢點	寅初〇〇六
		平旦	寅初二〇八
處	〇八〇六	初昏	戌正一〇〇
暑	五〇三九	起更	戌正二〇三
中		二更	亥初三〇八
候		三更	子初〇一三
		四更	子正二〇二
		五更	丑初三〇七

		攢點	寅正一〇三
		平旦	寅正三一三
雨	〇二 一一	初昏	戌初〇〇八
水	三二 二三	起更	戌初二〇四
下		二更	亥初一〇二
候		三更	子初〇〇一
		四更	子正二一四
		五更	丑正一一三
		攢點	寅正〇一一
		平旦	寅正三〇七
驚	〇二 一六	初昏	戌初〇一四

		攢點	寅初〇一二
		平旦	寅初三〇〇
處	〇八 一一	初昏	戌正〇〇六
暑	三二 二三	起更	戌正一一一
下		二更	亥初三〇四
候		三更	子初〇一一
		四更	子正二〇四
		五更	丑初三一一
		攢點	寅初一〇四
		平旦	寅初三〇九
白	〇八 一六	初昏	戌初三一三

蟄	一一三四	起更	戌初二一〇
上		二更	亥初一〇六
候		三更	子初〇〇二
		四更	子正二一三
		五更	丑正一〇九
		攢點	寅正〇〇五
		平旦	寅正三〇一
驚	〇二二〇	初昏	戌初一〇六
蟄	四八四九	起更	戌初三〇二
中		二更	亥初一一〇
候		三更	子初〇〇三

露	一一三四	起更	戌正一〇五
上		二更	亥初三〇〇
候		三更	子初〇一〇
		四更	子正二〇五
		五更	丑正〇〇〇
		攢點	寅初一一〇
		平旦	寅正〇〇二
白	〇八二〇	初昏	戌初三〇五
露	四八四九	起更	戌正〇一三
中		二更	亥初二一一
候		三更	子初〇〇九

		四更	子正二一二
		五更	丑正一〇五
		攢點	寅初三一三
		平旦	寅正二〇九
驚	〇二二五	初昏	戌初一一三
蟄	二四四四	起更	戌初三〇八
下		二更	亥初一一四
候		三更	子初〇〇五
		四更	子正二一〇
		五更	丑正一〇一
		攢點	寅初三〇七

		四更	子正二〇六
		五更	丑正〇〇四
		攢點	寅初二〇二
		平旦	寅正〇一〇
白	〇八二五	初昏	戌初二一三
露	二四四四	起更	戌正〇〇七
下		二更	亥初二〇七
候		三更	子初〇〇七
		四更	子正二〇八
		五更	丑正〇〇八
		攢點	寅初二〇八

		平旦	寅正二〇二
春	〇三〇〇	初昏	戌初二〇五
分	〇〇〇〇	起更	戌正〇〇〇
上		二更	亥初二〇三
候		三更	子初〇〇六
		四更	子正二〇九
		五更	丑正〇一二
		攢點	寅初三〇〇
		平旦	寅正二一〇
春	〇三〇四	初昏	戌初二一三
分	三五一六	起更	戌正〇〇七

		平旦	寅正一〇二
秋	〇九〇〇	初昏	戌初二〇五
分	〇〇〇〇	起更	戌正〇〇〇
上		二更	亥初二〇三
候		三更	子初〇〇六
		四更	子正二〇九
		五更	丑正〇一二
		攢點	寅初三〇〇
		平旦	寅正二一〇
秋	〇九〇四	初昏	戌初一一三
分	三五一六	起更	戌初三〇八

中		二更	亥初二〇七
候		三更	子初〇〇七
		四更	子正二〇八
		五更	丑正〇〇八
		攢點	寅初二〇八
		平旦	寅正一〇二
春	〇三〇九	初昏	戌初三〇五
分	一一一一	起更	戌正〇一三
下		二更	亥初二一一
候		三更	子初〇〇九
		四更	子正二〇六

中		二更	亥初一一四
候		三更	子初〇〇五
		四更	子正二一〇
		五更	丑正一〇一
		攢點	寅初三〇七
		平旦	寅正二〇二
秋	〇九〇九	初昏	戌初一〇六
分	一一一一	起更	戌初三〇二
下		二更	亥初一一〇
候		三更	子初〇〇三
		四更	子正二一二

		五更	丑正〇〇四
		攢點	寅初二〇二
		平旦	寅正〇一〇
清	一〇 三三	初昏	戌初三一三
明	二四 六八	起更	戌正一〇五
上		二更	亥初三〇〇
候		三更	子初〇一〇
		四更	子正二〇五
		五更	丑正〇〇〇
		攢點	寅初一一〇
		平旦	寅正〇〇二

		五更	丑正一〇五
		攢點	寅初三一三
		平旦	寅正二〇九
寒	一〇 三九	初昏	戌初〇一四
露	二四 六八	起更	戌初二一〇
上		二更	亥初一〇六
候		三更	子初〇〇二
		四更	子正二一三
		五更	丑正一〇九
		攢點	寅正〇〇五
		平旦	寅正三〇一

清	一〇八三	初昏	戌正〇〇六
明	三二七七	起更	戌正一一一
中		二更	亥初一〇四
候		三更	子初〇一一
		四更	子正二〇四
		五更	丑初三一一
		攢點	寅初一〇四
		平旦	寅初三〇九
清	二〇三三	初昏	戌正一〇〇
明	二〇一九	起更	戌正二〇三
下		二更	亥初三〇八

寒	一〇八九	初昏	戌初〇〇八
露	三二七七	起更	戌初二〇四
中		二更	亥初一〇二
候		三更	子初〇〇一
		四更	子正二一四
		五更	丑正一一三
		攢點	寅正〇一一
		平旦	寅正三〇七
寒	二〇三九	初昏	戌初〇〇二
露	二〇一九	起更	戌初一一二
下		二更	亥初〇一三

候		三更	子初〇一三
		四更	子正二〇二
		五更	丑初三〇七
		攢點	寅初〇一二
		平旦	寅初三〇〇
穀	二〇七三	初昏	戌正一〇七
雨	一五〇四	起更	戌正二〇九
上		二更	亥初三一一
候		三更	子初〇一四
		四更	子正二〇一
		五更	丑初三〇四

候		三更	亥正三一四
		四更	子正三〇一
		五更	丑正二〇二
		攢點	寅正一〇三
		平旦	寅正三一三
霜	二〇七九	初昏	酉正三一一
降	一五〇四	起更	戌初一〇六
上		二更	亥初〇一〇
候		三更	亥正三一三
		四更	子正三〇二
		五更	丑正二〇五

		攢點	寅初〇〇六
		平旦	寅初二〇八
穀	〇四〇二	初昏	戌正二〇〇
雨	四二三三	起更	戌正三〇〇
中		二更	亥正〇〇〇
候		三更	子初一〇〇
		四更	子正二〇〇
		五更	丑初三〇〇
		攢點	寅初〇〇〇
		平旦	寅初二〇〇
穀	〇四〇七	初昏	戌正二〇八

		攢點	寅正一〇九
		平旦	卯初〇〇四
霜	一〇〇二	初昏	酉正三〇六
降	四二三三	起更	戌初一〇〇
中		二更	亥初〇〇六
候		三更	亥正三一二
		四更	子正三〇三
		五更	丑正二〇九
		攢點	寅正二〇〇
		平旦	卯初〇〇九
霜	一〇〇七	初昏	酉正三〇〇

雨	三四 五五	起更	戌正三○六	
下		二更	亥正○○四	
候		三更	子初一○一	
		四更	子正一一四	
		五更	丑初二一一	
		攢點	丑正三○九	
		平旦	寅初一○七	
立	○四 一二	初昏	戌正三○二	
夏	三一 三五	起更	戌正三一二	
上		二更	亥正○○七	
候		三更	子初一○二	

降	三四 五五	起更	戌初○○九	
下		二更	亥初○○二	
候		三更	亥正三一一	
		四更	子正三○四	
		五更	丑正二一三	
		攢點	寅正二○六	
		平旦	卯初一○○	
立	一○ 一二	初昏	酉正二一○	
冬	三一 三五	起更	戌初○○三	
上		二更	戌正三一四	
候		三更	亥正三一○	

		四更	子正一一三
		五更	丑初二〇八
		攢點	丑正三〇三
		平旦	寅初〇一三
立	〇四一七	初昏	戌正三〇九
夏	三二四四	起更	亥初〇〇二
中		二更	亥正〇一〇
候		三更	子初一〇三
		四更	子正一一二
		五更	丑初二〇五
		攢點	丑正二一三

		四更	子正三〇五
		五更	丑正三〇一
		攢點	寅正二一二
		平旦	卯初一〇五
立	一〇一七	初昏	酉正二〇六
冬	三二四四	起更	酉正三一三
中		二更	戌正三一一
候		三更	亥正三〇八
		四更	子正三〇六
		五更	丑正三〇四
		攢點	寅正三〇二

		平旦	寅初〇〇六
立	二〇二四	初昏	亥初〇〇二
夏	二三六八	起更	亥初〇〇七
下		二更	亥正〇一三
候		三更	子初一〇四
		四更	子正一一一
		五更	丑初二〇二
		攢點	丑正二〇八
		平旦	丑正三一三
小	二〇七四	初昏	亥初〇一〇
滿	三四六八	起更	亥初〇一二

		平旦	卯初一〇九
立	二一二〇	初昏	酉正二〇二
冬	二三六八	起更	酉正三〇八
下		二更	戌正三〇八
候		三更	亥正三〇八
		四更	子正三〇七
		五更	丑正三〇七
		攢點	寅正三〇七
		平旦	卯初一一三
小	二一七〇	初昏	酉正一一三
雪	三四六八	起更	酉正三〇三

上		二更	亥正一〇一
候		三更	子初一〇五
		四更	子正一一〇
		五更	丑初一一四
		攢點	丑正二〇三
		平旦	丑正三〇五
小	〇五〇三	初昏	亥初一〇一
滿	〇三〇二	起更	亥初一〇一
中		二更	亥正一〇四
候		三更	子初一〇六
		四更	子正一〇九

上		二更	戌正三〇五
候		三更	亥正三〇七
		四更	子正三〇八
		五更	丑正三一〇
		攢點	寅正三一二
		平旦	卯初二〇二
小	一一〇三	初昏	酉正一一〇
雪	〇三〇二	起更	酉正二一四
中		二更	戌正三〇二
候		三更	亥正三〇六
		四更	子正三〇九

		五更	丑初一一一
		攢點	丑正一一四
		平旦	丑正二二四
小	○五○八	初昏	亥初一○七
滿	二一一八	起更	亥初一○四
下		二更	亥正一○五
候		三更	子初一○七
		四更	子正一○八
		五更	丑初一一○
		攢點	丑正一一一
		平旦	丑正二○八
		五更	丑正三一二
		攢點	卯初○○一
		平旦	卯初二○五
小	一一○八	初昏	酉正一○七
雪	二一一八	起更	酉正二一一
下		二更	戌正三○一
候		三更	亥正三○五
		四更	子正三一○
		五更	丑正三一四
		攢點	卯初○○四
		平旦	卯初二○八

芒	〇五一三	初昏	亥初一一二
種	四二五二	起更	亥初一〇七
上		二更	亥正一〇七
候		三更	子初一〇七
		四更	子正一〇八
		五更	丑初一〇八
		攢點	丑正一〇八
		平旦	丑正二〇三
芒	〇五一九	初昏	亥初二〇〇
種	〇七〇四	起更	亥初一〇九
中		二更	亥正一〇八

大	一一一三	初昏	酉正一〇五
雪	四二五二	起更	酉正二〇八
上		二更	戌正二一四
候		三更	亥正三〇五
		四更	子正三一〇
		五更	寅初〇〇一
		攢點	卯初〇〇七
		平旦	卯初二一〇
大	一一一九	初昏	酉正一〇三
雪	〇七〇四	起更	酉正二〇六
中		二更	戌正二一三

候		三更	子初一〇八
		四更	子正一〇七
		五更	丑初一〇七
		攢點	丑正一〇六
		平旦	丑正二〇〇
芒	〇五二四	初昏	亥初二〇二
種	三三〇四	起更	亥初一一〇
下		二更	亥正一〇九
候		三更	子初一〇八
		四更	子正一〇七
		五更	丑初一〇六

候		三更	亥正三〇四
		四更	子正三一一
		五更	寅初〇〇二
		攢點	卯初〇〇九
		平旦	卯初二一一
大	一一二四	初昏	酉正一〇二
雪	三三〇四	起更	酉正二〇五
下		二更	戌正二一二
候		三更	亥正三〇四
		四更	子正三一一
		五更	寅初〇〇三

攢點	丑正一〇五		攢點	卯初〇一〇
平旦	丑正一一三		平旦	卯初二一二

分野

順天府，禹貢冀州之域。漢劉向言：燕地，箕、尾之分野也。自尾四度至斗六度，謂之析木之次，燕之分也。

後漢書帝王世紀曰：黄帝受命，推分星次，以定律度。自尾十度，至斗七度，百三十五分而終，曰析木之次，於辰在寅，謂之攝提格，於律爲應鍾，斗建在亥，今燕分野。漢書地理志曰：尾箕爲燕，自漁洋、右北平及渤海之安次皆屬焉。尾四度至斗六度，謂之析木之次，燕分也。新唐書天文志曰：尾箕，析木之次也。其分野自渤海河之北，盡河間、涿郡、廣陽國及上谷、漁洋、右北平、遼東、樂浪、玄菟，古之北燕、孤竹、無終及東方九夷之國，皆析木之分也。宋史天文志曰：北斗七星，第八星曰弼星，在第七星右，不見漢志，主幽州。又曰：天市垣二十二星在房、氐、心、尾、箕、斗内宫之内，東籓十一星，南三曰燕，又曰十二國。十六星在牛、女，南近九坎，各分土居列國之象。九坎之東一星曰齊，齊北二星曰趙，趙北一星曰鄭，鄭北一星曰越，越東二星曰周，周東南北列二星曰秦，秦南二星曰代，代西一星曰晉，晉北一星曰韓，韓北一星曰魏，魏西一星曰楚，楚南一星曰燕。遼史地理志曰：燕分野，旅寅爲析木之津，故名析津縣。金史歷志曰：燕分析木之次，辰在寅。按：周禮保章氏，以星土辨九州之地。漢書天文志等書，皆詳言之。而考成前後編，專測北極高度，以推晝夜永短、節氣遲早，至分野占候，略而不講。且舊説紛如，無憑測驗，僅撮大略，並附采諸書以備考。

如皋戴應泰校

天文表校勘記

小數相差在五毫秒以下者仍之，餘悉更正如左。

首頁日入後八刻起更，日出前九刻攢點二語，應移置平旦句下

第二表雨水後五日卧表影四〇六五六，應作四二一二六。

清明日卧表影七三三九七，應作七三三九〇。又後五日卧表影七八九四〇，應作七八九三二。

穀雨後五日卧表影九八二六〇，應作九八二四九。又後十日卧表影一〇八〇三一，應作一〇五五七二。

第三表正月雨水日，辰申正太陽平景偏度二八二八四八，應作二八五〇〇三。又巳未正太陽方位正南偏南，應作正南偏東。又平景偏度三五一三四三，應作三五〇五三〇。

三月穀雨日，辰申正太陽上邊視高三〇三〇一五，應作三〇三〇二五。又巳未正平景偏度三八三八三八，應作三八三八四三。

五月夏至日，辰申正太陽平景偏度〇〇四一三〇，應作〇〇四九一五。

第五表立秋上候平旦寅初一〇三，應作寅初〇一三。

清明中候二更亥初一〇四，應作亥初三〇四。
立冬中候三更亥正三〇八，應作亥正三〇九。
小雪中候五更丑正三一二，應作丑正三一三。
大雪中候平旦卯初二一一，應作卯初二一二。又下候平旦卯初二一二，應作卯初二一三。

按：以表景測太陽，除地半徑視半徑二差外，又有蒙氣映卑爲高，能變表景，似亦測景者不可不知也。

昆明林紹清校算

地理志十七

順天府沿革表

江陰繆荃孫纂　武進屠寄覆輯

幽冀之域，實惟神皋，自唐、虞以前，方圻析合，弗可詳矣。秦始并燕，列在郡縣，終始五德，沿革棼焉。定職方者，不稽沿革，由夜行之無燭也。今甄摎先典，搜討佚棄，則壤咸在，代有正名，並各坿考于左，以待後人之採擇，其所未達，蓋闕如也。作沿革表。

朝代	統部	國州郡	領縣
虞 書	幽州		
夏 禹貢	冀州		
殷 爾雅	幽州		

周職方	幽州	燕國	
春秋		燕國	
戰國		燕國	
秦始皇二十一年		上谷郡地	
秦楚之際		燕國都薊	
漢高帝五年		燕國都薊	
武帝元朔二年		燕郡	
元狩六年		燕國都薊	薊，方城，廣陽，陰鄉，良鄉，安次，文安。按：漢志，縣四。考燕刺王傳：坐藏匿亡命，削良鄉、安次、文安三縣。今據補。

元封五年	幽州刺史	燕國	薊，方城，廣陽，陰鄉。
昭帝元鳳元年	幽州刺史	廣陽郡 治薊	
宣帝本始元年	幽州刺史	廣陽國 都薊	
成帝綏和元年	幽州牧		
哀帝建平二年	幽州刺史		
元壽二年	幽州牧	廣陽國 莽曰廣有	
後漢光武建武二年	幽州牧	廣陽國	
十三年	幽州牧 治薊	上谷郡 省廣陽入上谷	
十八年	幽州刺史		
和帝永元八年 和帝紀	幽州刺史	廣陽郡 復置	薊，廣陽，昌平，軍都，安次。按：前志，領薊、方

			城、廣陽、陰鄉。後漢改方城屬涿，省陰鄉入薊，昌平、軍都由上谷改屬，安次由渤海改屬。
靈帝中平五年	幽州牧	廣陽郡	
獻帝建安十八年	冀州牧尋復	廣陽郡尋省漁陽來入	
三國魏文帝黃初中	幽州刺史	燕郡	
明帝太和六年	幽州刺史治涿	燕國	薊，安次，昌平，軍都，廣陽，潞，安樂，泉州，雍奴，狐奴。按：三國畺域志，薊以下五縣，仍漢舊。潞以下五縣，魏武省漁陽改屬。
晉	幽州刺史治涿，後移治薊。	燕國治薊	薊，安次，昌平，軍都，廣陽，潞，安樂，泉州，雍奴，

	趙石勒元年	燕
	幽州刺史	幽州刺史
	燕郡	燕國元璽元年都薊，光壽元年徙鄴。
狐奴。按：晉地理志，晉略畺域表同。	薊，安次，昌平，軍都，廣陽。按：趙復立漁陽，分潞、安樂、泉州、雍奴、狐奴屬之。	薊，安次，昌平，軍都，廣陽。按：十六國畺域志，領縣十五，薊以下五縣，仍趙舊。潞以下趙，畺域志已屬漁陽，此志仍列燕國，似誤。下漁陽郡云：漁陽，魏武省。慕容前燕時復立，屬縣無可考。檢石趙二十四郡，有漁陽，又有漁陽太守馬鮑。是郡立於石趙之前，燕亦仍趙舊耳。然則，潞

			以下五縣，似宜仍屬漁陽爲當。今止列五縣，又有興集、甯集、興平、育黎、吴五縣，志據晉書，永和三年，皝以渤海等流人立悉隸燕國。考皝永和時未得燕地，志誤會，今刪。
秦	幽州刺史	燕郡	薊，安次，昌平，軍都，廣陽。說見上。
後燕	幽州刺史	燕郡	薊，安次，昌平，軍都，廣陽。說見上。
魏	幽州刺史	燕郡	薊，廣陽，良鄉，軍都，安城。按：薊、廣陽、軍都、安城即安次四縣，皆燕舊。良鄉由范陽改屬，省昌平入軍都，省狐奴入薊，改雍奴、潞屬漁

			陽郡，又省泉州入雍奴，安樂入潞。
北齊	東北道行臺	燕郡	薊，良鄉，安次，歸德。按：齊燕郡領縣可考者，惟薊、良鄉、安次、歸德四縣。廣陽寰宇記：天保七年，省入薊，軍都，天平中置屬平昌郡，非燕郡屬也。
周	幽州總管府	燕郡	薊，良鄉，安次。省歸德入薊。
隋文帝開皇三年	幽州總管府	幽州	薊，良鄉，安次，涿，雍奴，昌平，潞。按：薊、良鄉、安次仍周舊。開皇初，廢漁陽郡，以潞、雍奴來屬。廢范陽郡，以涿來屬。廢平昌郡，以昌平來屬。

六年	幽州總管府	幽州	薊，良鄉，安次，涿，雍奴，昌平，潞，固安。按：移固安於故萇鄉縣，改固爲故。
煬帝大業三年		涿郡	薊，良鄉，安次，涿，雍奴，昌平，潞，固安，懷戎。燕州廢。
唐高祖武德元年	幽州總管府	幽州	薊，良鄉，安次，涿，固安，雍奴，昌平，懷戎，潞，漁陽。舊唐志云：隋爲漁陽縣。武德元年屬幽州，而隋志無之。輿地廣記云：隋末置。

二年	幽州總管府	幽州	薊，良鄉，安次，涿，固安，雍奴，昌平，懷戎。潞、漁陽改屬元州。
四年	幽州總管府	幽州	薊，良鄉，安次，涿，雍奴，昌平，懷戎。固安改屬北義州。
六年	幽州大總管府	幽州	
七年	幽州大都督府	幽州	薊，良鄉，安次，范陽，涿改名。雍奴，昌平。懷戎改屬北燕州。
九年	幽州都督府	幽州	
太宗貞觀元年	幽州都督府	幽州	薊，良鄉，安次，范陽，雍奴，昌平，

			漁陽，潞，元州廢。固安。北義州廢。
八年	幽州都督府	幽州	薊，良鄉，安次，范陽，雍奴，昌平，漁陽，潞，固安，歸義。復置。
高宗乾封二年	幽州都督府	幽州	薊，良鄉，安次，范陽，雍奴，昌平，漁陽，潞，固安，歸義，無終。析漁陽置。
武后如意元年	幽州都督府	幽州	薊，良鄉，安次，范陽，雍奴，昌平，漁陽，潞，固安，歸義，無終，武

			隆。析安次置。
萬歲通天二年	幽州都督府	幽州	薊，良鄉，安次，范陽，雍奴，昌平，漁陽，潞，固安，歸義，玉田，無終改。武隆。
聖曆元年	幽州都督府	幽州	薊，固節，良鄉改。安次，范陽，雍奴，昌平，漁陽，潞，固安，歸義，玉田，武隆。
中宗神龍元年	幽州都督府	幽州	薊，良鄉，復故名。安次，范陽，雍奴，昌平，漁陽，潞，固

			安，歸義，武隆。改玉田，隸營州。
景龍三年	幽州都督府	幽州	薊，良鄉，安次，范陽，雍奴，昌平，漁陽，潞，固安，歸義，武隆。
睿宗景雲元年	幽州都督府	幽州	薊，良鄉，安次，范陽，雍奴，昌平，漁陽，潞，固安，歸義，會昌。武隆改。
元宗開元元年	幽州防禦大使	幽州	
二年	幽州節度使	幽州	薊，良鄉，安次，范陽，雍奴，昌平，漁陽，潞，固安，

			歸義，會昌，玉田。營州改屬。
四年	幽州節度使		薊，良鄉，安次，范陽，雍奴，昌平，漁陽，潞，固安，歸義，會昌，玉田，三河。析潞縣置。
十三年	幽州節度使昇大都督府。按：開元二年建節度使，後大都督府即以節度使領之。		
十八年	幽州節度使	幽州	薊，良鄉，安次，范陽，雍奴，昌平，潞，固安，歸義，會昌。分漁陽置。薊州以玉田、三河隸之。

天寶元年	范陽節度使	范陽郡	薊，良鄉，安次，范陽，武清，雍奴改。昌平，潞，固安，歸義，永清，會昌改。武甯，析薊置。廣平。同上。
三載	范陽節度使	范陽郡	薊，良鄉，安次，范陽，武清，昌平，潞，固安，歸義，永清。省武甯，廣平入薊。
肅宗乾元元年	范陽節度使	幽州	
寶應元年	幽州節度使	幽州	薊，良鄉，安次，范陽，武清，昌平，潞，固安，歸義，永清，廣平。按：新書地理

			志云，至德後復置。姑繫於此。
代宗大曆四年	幽州節度使	幽州	薊，良鄉，安次，武清，昌平，潞，永清，廣平。范陽置，涿州，以歸義、固安隸之。
德宗建中二年	幽州節度使	幽州	薊，幽都，析薊置。良鄉，安次，武清，昌平，潞，永清，廣平。
梁	幽州節度使	幽州	薊，幽都，良鄉，安次，武清，昌平，潞，永清，玉河，劉仁恭析幽都置。廣平。方輿紀要：廣平後省入薊縣。按：地理韻編，廣平今直隸順天府

			宛平縣西，據地當入幽都，非薊也。省置亦無年月，而新、舊唐書均載，遼志無之，疑五代時省。若宋志之廣平，乃宛平之譌耳。
唐莊宗同光二年	幽州節度使	幽州	薊，幽都，良鄉，安次，武清，燕平。按：清類天文分野之書，同光二年，改昌平曰燕平。
遼太宗會同元年	南京道	幽都府盧龍軍	薊北，薊改。幽都，昌平，按：清類天文分野之書云，石晉復昌平舊名，割地賂遼。良鄉，潞，安次，永清，武清，玉河，香河。析武清置。順州，領縣均表於本州，此不載，下同。檀州，涿州，薊州，

			甯州，莫州，瀛州。按：莫、瀛二州在十六州之內，甯州遼以乾甯軍置，遼地理志無之，蓋地已入周，故不載。
九年	南京道	幽都府盧龍軍	薊北，幽都，昌平，良鄉，潞，安次，永清，武清，玉河，香河。順州，檀州，涿州，薊州，甯州，莫州，瀛州，易州。孫方簡以州來歸。
穆宗應曆九年	南京道	幽都府盧龍軍	薊北，幽都，昌平，良鄉，潞，安次，武清，玉河，香

			河。順州，檀州，涿州，薊州。甯、莫、瀛、易四州並永清，均入於周。
統和七年	南京道	幽都府盧龍軍	薊北，幽都，昌平，良鄉，潞，安次，武清，玉河，香河。順州，檀州，涿州，薊州，易州。復取，來屬。
聖宗開泰元年	燕京	析津府	析津，薊北改。宛平，幽都改。昌平，良鄉，潞，安次，武清，香河，玉河。

			順州，檀州，涿州，易州，薊州。
太平中	燕京	析津府	析津，宛平，昌平，良鄉，潞，安次，武清，香河，玉河，漷陰。析潞縣置。順州，檀州，涿州，易州，薊州。
興宗重熙元年	燕京	析津府	析津，宛平，昌平，良鄉，潞，安次，武清，香河，玉河，漷陰。順州，檀州，涿州，易州，薊州，景州。以薊州、遵化置。宋志無玉河，似遼末省。

宋徽宗宣和五年	金太宗天會三年
燕山府	燕京
廣陽郡永清軍	析津府
析津，宛平，宋志誤作廣平。都市，賜名廣甯。按：都市惟見宋史，北盟彙編同，似置於遼時，而析置之年月，並析於何縣，省入何縣，均無所考。昌平，良鄉，潞，武清，安次，三河，香河，賜名清化。漷陰。	析津，宛平，昌平，安次，潞，漷陰，永清，復置。香河，武清，良鄉，三河。薊州，降遼景州爲遵化縣。易州，順州，涿州，灤州，新屬。信安

			軍。新屬。省檀州入密雲。
七年	河北東路	析津府	
海陵天德三年	河北東路	析津府	析津，宛平，昌平，安次，永清，香河，武清，良鄉，漷陰。通州，新置，以潞、三河隸之。薊州，易州，涿州，順州，灤州，信安軍。
貞元元年	中都初名聖都。	大興府	大興，析津改。宛平，安次，漷陰，永清，香河，昌平，武清，良鄉。通州，薊州，易州，

			涿州，順州，平州，新屬。灤州，信安軍。
貞元二年	中都	大興府	大興，宛平，安次，漷陰，永清，香河，昌平，武清，良鄉。通州，薊州，易州，涿州，順州，平州，灤州，雄州，新屬。霸州，新屬。信安軍。
世宗大定七年	中都	大興府	太興，宛平，安次，漷陰，永清，香河，昌平，武清，良鄉。

			通州，薊州，易州，涿州，平州，灤州，雄州，霸州。降信安爲縣，屬霸。
十二年	中都	大興府	大興，宛平，安次，漷陰，永清，寶坻，析香河置。香河，昌平，武清，良鄉。通州，薊州，易州，涿州，順州，平州，灤州，雄州，霸州。
章宗承安三年	中都	大興府	大興，宛平，安次，漷陰，永清，昌

	元太祖十年
	燕京路總管
	大興府
平，良鄉，寶坻，升盈州，未幾復。香河，改屬盈州，未幾復。武清。改屬盈州，未幾復。通州，薊州，易州，涿州，順州，平州，灤州，雄州，霸州。元光元年升信安爲鎮安府，時中都已陷。	大興，宛平，良鄉，安次，永清，寶坻，昌平，漷陰，香河，武清。涿州，霸州，通州，薊州，順州，檀

			州。密雲改置。憲宗改固安，屬大興府，未幾仍屬涿州。
世祖中統四年	燕京路總管	大興府	大興，宛平，良鄉，永清，寶坻，昌平，漷陰，香河，武清。涿州，太宗六年，升涿州路，今復。霸州，通州，薊州，檀州，東安州，安次升。固安州。固安升。
至元元年	中都	大興府	
九年	大都	大興府	
十三年	大都	大興府	大興，宛平，良鄉，

			永清，寶坻，昌平。涿州，霸州，通州，薊州，漷州，漷陰縣升改，武清，香河屬之。順州，檀州，東安州，固安州。
二十一年	直隸中書省	大都路總管府	大興，宛平，良鄉，永清，寶坻，昌平。涿州，霸州，通州，薊州，漷州，順州，檀州，東安州，固安州，龍慶州。奉聖州縉山縣升。

明太祖洪武元年	山東行省	北平府	大興，宛平，良鄉，固安，州降。永清，寶坻，東安，州降。昌平，順義，順州降。懷柔，十一月省入檀州，十二月復置。密雲。十一月省入檀州，十二月復置。通州，霸州，漷州，涿州，薊州。改龍慶，屬永平府。
二年	北平行省	北平府	
九年	北平承宣布政使司	北平府	
十年	北平承宣布政使司	北平府	大興，宛平，良鄉，固安，永清，寶坻，

			東安，昌平，順義，懷柔，密雲，香河。由漷州改屬。通州，霸州，漷州，涿州，薊州。寶坻改，屬通州。
十三年	北平承宣布政使司	北平府	大興，宛平，良鄉，固安，永清，東安，昌平，順義，懷柔，密雲。通州，霸州，涿州，薊州。降漷州爲縣，屬通州。
成祖永樂元年	北京行在	順天府	
十九年	京師	順天府	
仁宗洪熙元年	北京行在	順天府	

英宗正統六年	京師	順天府	
武宗正德八年	京師	順天府	大興，宛平，良鄉，固安，永清，東安，香河。通州，霸州，涿州，昌平州，元年縣升，旋罷，復升改。順義、懷柔、密雲屬昌平州。薊州。
國朝順治元年	京師順天府		大興，宛平，良鄉，固安，永清，東安，香河。通州，霸州，涿州，昌平州，薊州。
康熙十五年	京師順天府		大興，宛平，良鄉，固安，永清，東安，

			香河。通州，霸州，涿州，昌平州，薊州，遵化州。縣升。
二十七年	京師順天府	四路同知	
雍正六年	京師順天府	四路同知	大興，宛平，良鄉，固安，永清，東安，香河。遵化州，通州，昌平州，涿州，霸州。五州均罷領縣。薊州，三河，武清，寶坻，順義，懷柔，密雲，房山，大城，文安，保定。均直隸順天府。

乾隆八年	京師順天府	四路同知	大興，宛平，良鄉，固安，永清，東安，香河，通州，三河，武清，寶坻，甯河，昌平州，順義，密雲，懷柔，涿州，房
九年	京師順天府	四路同知	大興，宛平，良鄉，固安，永清，東安，香河，通州，昌平州，涿州，霸州，薊州，三河，武清，寶坻，順義，懷柔，密雲，房山，大城，文安，保定，遵化州，甯河。析寶坻置。

山，霸州，文安，大城，保定，薊州，平谷。改直隸順天府。遵化改直隸布政使司。

禹貢冀州之域，大清一統志：禹貢冀州之域。其在顓頊時曰幽陵，杜佑通典：顓頊都於帝邱，其地北至幽陵。按：史記，流共工於幽陵。尚書作幽洲。孟子作幽州。史記正義引括地志云：故龔城在檀州燕樂縣界，故老傳云，舜流共工於幽州，居此城。燕樂，今密雲縣東北七十里。帝堯時曰幽都，遼史地理志：陶唐曰幽都。淮南墬形訓：西北方曰不周之山，曰幽都之門。注：幽，闇也。都，聚也。元冥將始，用事順陰，故曰幽都之門。帝舜時分冀爲幽州，太平御覽引晉地道記：舜以冀州南北廣大，分燕地北地爲幽州。史記集解引鄭元尚書注：舜以青州越海而分齊爲營州，冀州南北太遠，分衞爲并州，燕以北爲幽州。新置三州，并舊爲十二州也。夏商時皆爲冀州地，邵晉涵爾雅正義：禹貢無幽、并二州，則幽、并之地并入於冀。殷復曰幽州，易祓周禮總義：殷人南都河南之亳，復舜幽州之名。爾雅：燕曰幽州。注：自易水至北狄。邵正義職方：并州，其浸淶、易。殷制合并於幽，故易水在幽州境內。周因殷之舊，亦曰幽州。易祓周禮總義：周人又以幽州兼殷之營州。周禮：東北曰幽州，其山鎮曰醫無閭，其澤藪曰貕養，其川河泲，其浸菑時。按：周禮：幽州多入禹貢之青州。醫無閭，郡國志：遼東屬國下，無慮有醫無閭山。無慮乃夫犂之訛。貕養，地理志瑯邪郡長廣下云：奚養澤乃在西幽州。藪菑，地理志泰山郡萊蕪下云：原山菑水所出。幽州浸時，地理志千乘郡博昌下云：時水東北至鉅定，入馬車瀆，幽州浸，皆禹貢青州地。武王封黄帝之後於薊，陸德明禮記釋文：薊音計，今涿郡薊縣是也。水經漯水注：薊城西北隅有薊邱，故以名之。又封召公於北燕。史記集解：居北燕，宋忠曰，有南燕，故有北燕。按：薊之與燕，先儒本無定說，有謂燕卽薊者。漢書曰：薊，故燕國，召公所封，小司馬曰北燕，卽今幽州薊縣是也。范逸齋主其說。詩補傳云：薊之改名燕，猶唐之改晉，荆之名楚，然小戴記謂武王封黄帝之後於薊，史記周本紀及水經注，又謂封帝堯之後於薊。薊之於燕，截然兩國，何得混同？有謂召公卽堯後者，陸德明謂黄帝姬姓，君奭其後。朱竹垞主其說。日下舊聞云：禮記所指卽召公，史記之稱堯後者，因堯亦黄帝裔之故。然穀梁傳云：燕、周之分子。帝王世紀直以召公爲文王子，固誤，而要與周同族無疑。堯後之言，豈爲確據！有謂薊絶更封者。胡邦衡云：武王所封之薊，不久滅絶，成王因以召公紹封。其說本之釋文。王西莊主其說。十七史商榷云：成王崩後，召公尚在朝，未就封，則武王下車所封，必非召公。以德明後説爲是。然帝堯之後，隨卽滅絶，殊無明據。且周公封魯，亦輔王室，執此例彼，未可爲召公晚封之證。惟張守節以堯後封薊，因薊邱得名，卽今府治，召公封燕，因燕山得名，在今薊州。薊微，燕盛，并薊居之，薊名遂絶。其説較長。陳奂毛詩傳疏云：召公封燕，以山爲名，其後并薊，當在成王之世。武庚之叛，東夷八國并興，成王既誅武庚及八國，以奄益魯，以亳姑益齊，以薊益燕，三國爲三公，故皆得就上公之位，開方五百里，燕之并薊，正在此時。雖全謝山據漢志無終注，無終子國，謂燕與無終不能同時立國，因疑守節之説。然左傳襄四年，無終子使孟樂如晉，因孟莊子納虎豹之皮以請和諸戎。昭公元年，晉中行穆子敗無終及羣狄於太原，則去薊千有餘里，豈無終之國先在雲中代郡之境，而後遷於右北平與？此顧氏日知録之説，惟以無終爲玉田。不知玉田乃唐初析置之無終，非漢志之無終也。世本桓侯徙臨易，宋忠曰：今河間易縣。水經注：文公徙易。寰宇記：卽今淶水縣。是由燕徙易，由易徙薊，或徙國之後，故地遂入於山戎。春秋之初，病燕屢矣，乞援霸國，始保危都，亦以壤錯犬牙，實逼處此與？燕盛，并薊，遂遷焉。錢坫新斠注地理志：周武王封帝堯之後於薊，封召公於燕。燕盛，并薊，故薊卽稱燕。鄭樵通志都邑略：北燕都薊幽州治。其後浸大，漢志：東有漁陽，右北平、遼西、遼東；西有上谷、代郡、雁門；南得涿郡之易、容城、范陽；北燕策注多有字新城、固安、涿縣、良鄉、新昌及渤海之安次，皆燕分也。樂浪、元菟亦宜屬焉。張琦釋地：燕地自今直隸保定、霸州以及宣化以東至朝鮮，北有塞外，故開平、大甯等地。代、雁門屬趙，非燕地也。三十六世與六國俱稱王。燕世家索隱：自惠侯以下，八世至莊公，始稱公，自莊公以下，十九世至易王，始稱王。秦始皇二十一年，取燕薊城，史記秦始皇本紀：二十一年，王賁攻薊，乃益發卒詣王翦軍，遂破燕太子軍，取燕薊城。滅燕，以燕之西陲爲上谷郡。水經漯水注引王隱地道記：郡在谷之頭，故以上谷名焉。全祖望地理志稽疑：燕之五郡皆燕所舊置，以防邊也。漁陽四郡在東，上谷在西，而其國都不與焉。自薊至涿三十餘城，始皇無不置郡之理，亦無反并内地於邊郡之理。且始皇之并六王也，其國都如趙之邯鄲，魏之碭，楚之江陵，陳之九江，齊之臨淄，無不置郡者，何以燕獨無之？水經注：始皇二十三年，置廣陽郡，高帝改爲燕，又分置涿郡。酈道元之言，當必有據，則前志以爲昭帝始改廣陽者，殆考之未詳與？近人顧炎武主漢志以駁水經，余則謂漢志明失黔中楚郡矣，安保其不失廣陽？而廣陽之爲秦郡，又以例推之而可信者。按：以廣陽爲秦郡，與諸家異，而其説甚辨，録此備考。然先生所據，僅水經漯水注一語，單文孤證，終恐未安耳。楚漢之際，爲燕國。史記月表：二世元年九月，韓廣爲趙略地至薊，自立爲燕王。史索隱：項羽分燕爲二，臧荼爲燕王，廣爲遼東王。史記盧綰傳：漢五年七月，從擊燕王臧荼，臧荼降，八月乃立盧綰爲燕王。史記高祖紀：十二年，子建爲燕王。史記呂后紀：七年九月，燕靈王建薨，無後，國除。八年九月，立呂肅王子呂通爲燕王。史記文紀：元年十月，徙立故瑯邪王澤爲燕王。高帝五年，屬漢，仍爲燕國。又分置涿郡，寰宇記：六年，分燕置涿郡，領縣二十九，理此。按：寰宇記云：呂后誅建子，尋又分燕國之地置涿郡及廣陽國。考涿郡建自高帝六年，廣陽，宣帝本始元年由郡改國，均非置自呂后時，寰宇記誤。武帝元朔二年爲燕郡。漢地理志稽疑：高帝六年屬漢，仍爲燕國。武帝元朔二年，爲燕郡。按：地理志無燕郡，而徐樂傳言燕郡無終人。考燕王定國，以元朔二年秋，自殺，國除。至元狩六年四月，始立皇子旦爲燕王，蓋其間爲燕郡者二十年，而志軼之。史記荊燕世家明言國除爲郡，可證。元狩六年，更爲國，史記三王世家：元狩六年，立子旦爲燕王。後置十三州，改爲幽州，漢書百官表：元封五年，置刺史，員十三人。漢地理志：武帝攘胡却越，開地斥境，南置交阯，北置朔方之州，兼徐、梁、幽、并，夏周之制，改雍曰涼，改梁曰益，凡十三部，置刺史。領十郡一國，理於此，尋開拓東邊，又置元菟、樂浪二郡。寰宇記：武帝置十三州，改爲幽州，置郡國十，理於此。按：漢志：勃海、上谷、漁陽、右北平、遼西、遼東、元菟、樂浪、涿、代、燕十郡一國，均屬幽州。寰宇記言郡國十，疑落一字。漢地理志稽疑：沈約宋書州郡志曰：前漢刺史未有所治。劉昭注續志亦云：傳車周流，靡有定止。則其但行部，而無公府明矣。然而師古引漢官舊儀曰：刺史有常治，以秋分行部。則疑沈劉之説未必然也。夫以秋分行部，則未及秋分以前，豈皆屬京師乎？是必有定止矣。志於太守之治，則首縣是也，於都尉之治，則亦書，而獨刺史之治不書，何歟？曰：前漢之刺史，僅六百石，官卑，故不書耳。交廣春秋：刺史治羸陵，元封五年，移治蒼梧之廣信。是前漢刺史之可考者矣。按：漢書朱博傳，使者行部，還詣治所。師古注：治所，刺史所止理事處。與師古武紀注引漢舊儀合，此寰宇記云，幽州理燕，亦治所之可考者。元鳳元年，改燕國爲廣陽郡。宣帝本始元年，又改爲國，續漢書郡國志：廣陽郡，高帝置，爲燕國，昭帝更名爲郡。漢諸侯王表：本始元年，廣陽頃王建以刺王子紹封，王莽時絶。領薊、方城、廣陽、陰鄉四縣，都薊。按：漢地理志：縣四，薊、方城、廣陽、陰鄉。王鳴盛十七史商榷：武五子燕刺王旦傳，武帝末年坐罪，削良鄉、安次、文安三縣，其後昭帝時，又益封萬三千户。其下文卽云，發民大獵文安縣。則昭帝時益封，已還其所削縣矣。其後謀反，發覺自殺，國除。今地志大字無燕國，而安次、文安則屬勃海郡，良鄉則屬涿郡，可見燕國除後，其縣入此二郡。而二郡注皆云高帝置，不知幾經分割後，尚是高帝之舊乎？必不同矣。且燕地必更有入漁陽、右北平等郡者，不止二郡，今皆不可考。又旦傳，宣帝又封旦太子建爲廣陽王，傳至莽不絶。志有廣陽國，注云：高帝燕國，昭帝元鳳元年爲廣陽郡，宣帝本始元年，更爲國，屬縣只四縣。首縣薊下注云：故燕國召公所封。旦令羣臣，亦曰燕雖小，召公建國，則薊必是旦所都。元鳳之廣陽郡，卽燕國除爲之。及更爲國嫌太大，故又割入勃海等郡，僅存四縣也。莽曰廣有。水經漯水注：莽曰廣公。光武建武二年，仍爲廣陽國。十三年，省入上谷郡。後漢趙孝王良傳：建武二年，封良爲廣陽王。五年，徙爲趙王。寰宇記：省廣陽爲上谷。和帝永元八年，復置廣陽郡，後漢和帝紀：八年九月，復置廣陽郡。注：和帝時燕國也。昭帝元鳳元年，爲廣陽郡。宣帝本始元年，更爲國也。按：郡國志劉昭志補，作永平八年，蓋訛元爲平也。魏書地形志作永元六年。寰宇記作永元元年。均係字誤。方輿紀要、乾隆府廳州縣圖志，均作永平八年，誤從志，今以和紀爲據。省陰鄉入薊，改方城屬涿，以上谷之昌平、軍都，渤海之安次來屬，續漢郡國志：昌平、軍都故屬上谷，安次故屬渤海。幽州刺史與郡同理。通典：後漢置幽州，並因前代，理於薊縣。建安十八年，改屬冀州，魏志武帝紀：十八年，詔書並十四州復爲九州。魏志注引獻帝春秋：時省幽、并州，以其郡國爲冀州。又復立幽州，按：畿輔唐志，建安十八年，改屬冀州；三國魏爲燕國；晉太康改屬幽州。據景初二年，有幽州刺史毋邱儉，可見魏亦有幽州，不得云太康改屬也。幽州之復，史無明文，惟寰宇記云：獻帝又廢郡，復立幽州。而曹仁傳：拜廣陽太守。是郡未嘗廢，復立幽州，又分冀爲幽州也。大抵建安改冀，未幾復故。欒史雖誤會，而復立幽州四字，卽可爲獻帝中復立幽州之確證。省漁陽郡，以所領潞、安樂、泉州、雍奴、狐奴五縣來屬。紀要州域形勢考：燕郡卽漢廣陽也，建安中，魏武省漁陽入焉。魏黄初中，改廣陽爲燕郡，屬幽州，領縣十，與後漢同。方輿紀要：黄初中，復故名爲燕郡。按：魏之幽州治涿，得漢郡九：涿、廣陽、北平、上谷、代、遼西、遼東、樂浪、元菟。新郡二：昌黎、帶方。初分遼東、昌黎、元菟、帶方、樂浪爲平州，後還合爲幽州。太和六年，改作國。魏志明紀：太和六年，詔曰：其改諸侯王，皆以郡爲國。武文王公傳：封叔父宇爲燕王。按：燕國統縣十：薊、安次、昌平、軍都、廣陽、潞、安樂、泉州、雍奴、狐奴。晉，幽州初治涿，後治燕國之薊。晉書宣五王傳：清惠亭侯京，以文帝子爲嗣，泰始元年封燕王。咸甯初，以漁陽郡益其國，無子，齊王冏表以子幾嗣，冏敗，國除。按：漁陽，建安中省入燕國。顧氏祖禹、洪氏亮吉皆從之。而晉書又云：咸甯初，以漁陽益燕國。豈晉始并入與？抑建安省入復置與？史無明文，殊難詳考。周濟晉畺域表：幽州領郡國七：燕、范陽、代郡、上谷、廣甯、北平、遼西。燕國領縣十：薊、安次、昌平、軍都、廣陽、潞、安樂、泉州、雍奴、狐奴。晉永嘉後，陷於石勒。勒僭，號襄國，於薊置幽州，於州置燕郡，晉書載記：劉聰以石勒爲幽州牧，聰又以勒領幽、冀二州牧。建興二年，勒破王浚，以晉尚書劉翰行幽州刺史事，戍薊，置守宰而還。趙王元年，孔萇討平幽州諸郡。按：後趙幽州領舊郡四：范陽、燕、上谷、代。置郡漁陽。燕郡領縣五：薊、安次、昌平、軍都、廣陽。復分置漁陽郡，按：晉載記，趙國二十四郡，內有漁陽。又建武四年，段遼、漁陽太守馬鮑降虎，虎徙遼西、漁陽、北平萬餘户於兖、豫、雍、洛四州之地，是後趙有漁陽郡也。割潞、安樂、泉州、雍奴、狐奴五縣隸之。按：潞以下五縣，本屬漁陽，建安省郡來入，今復故。慕容儁嘗都此。按：晉書，元璽元年，儁自和龍徒龍城。御覽引前燕録：儁光壽元年十一月，自薊遷鄴，都薊，凡六年。通典注：燕國都碣石宮。漢爲薊縣，舊置燕都，有桑乾水。慕容儁都於此也。前燕畺域志：燕國領縣十五：薊、安次、昌平、軍都、廣陽、潞、安樂、泉州、雍奴、狐奴、興集、甯集、興平、育黎、吴。按：潞以下五縣，應屬漁陽，説見表。興集五縣志：據慕容皝載記，悉隸燕國句，屬燕國下，不知皝立國在和龍，今永平府境，至其子儁元璽元年，始克薊城，徙都之。皝在位未得今燕地也。則所云燕國，悉謂和龍，列之燕屬，殊誤。其後符堅、慕容垂代有其地，晉符堅載記：以郭慶爲持節都督幽州諸軍事揚武將軍幽州刺史，鎮薊。晉慕容載記：以慕容盛鎮薊，垂置行臺於薊，加盛録行臺尚書事。州郡之名無改。秦畺域志：燕國領縣十：薊、安次、昌平、軍都、廣陽、潞、安樂、泉州、雍奴、狐奴。志無漁陽。按：秦承燕之舊，似亦有漁陽。潞以下五縣仍非燕屬。後燕畺域志：燕郡領縣十：薊、安次、昌平、軍都、廣陽、潞、原脱，增入。安樂、泉州、雍奴。志又列漁陽郡，云縣無考。按：潞以上五縣宜改屬。後魏道武破慕容寶，復於薊立燕郡，又於郡理置幽州，魏地形志：領郡三：燕、漁陽、范陽。省昌平入軍都，以范陽之良鄉來屬，又改安次爲安城。魏地形志：良鄉二，漢屬涿，晉屬范陽郡，後屬。東魏天平中，復置昌平縣爲昌平郡，屬東燕州。北齊置東北道行臺，天保七年，省廣陽、良鄉入薊，武平六年，復置良鄉縣。寰宇記：北齊於州置東北道行臺。按：北齊幽州領燕上谷、范陽，與魏同。燕郡領縣可考者薊、廣陽、良鄉、安次、歸德五縣。後省廣陽入薊，燕郡僅領四縣耳。後周置總管府。周書武帝紀：建德六年二月，於河陽、幽、青南、兗、豫、徐北、朔定置總管府。按：寰宇記云，後周改置燕、范陽二郡，而燕郡建自後趙，范陽置自元魏，均至開皇間始廢。後周有此二郡，非改置也。周幽州領燕、范陽、上谷三郡，仍齊舊。又置平昌郡，燕郡，領薊、良鄉、安次三縣，省歸德入薊。隋開皇初，廢漁陽郡，以潞、雍奴來屬，廢平昌郡，以昌平來屬，二年，廢范陽郡，以涿縣來屬，三年，燕郡廢，以所領縣屬州，總管如故，寰宇記：隋開皇三年，廢郡，所領五縣屬州，五縣今可考者薊、良鄉、安次，本幽州屬縣。涿縣自二年改屬，共四縣。餘一縣，或潞、或昌平，均開皇初改屬，未知孰是。畿輔唐志：按文獻通考：開皇三年廢郡，以州治民，大業三年，改州爲郡，蓋後周以前之州，猶今之布政司，隋以後乃統縣之州，與今之各府同。六年，移故安於故萇鄉縣來屬，改曰固安。隋志舊曰故安。開皇六年改焉。煬帝初，廢總管，大業三年，廢幽州，改置涿郡，廢燕州，以懷戎來屬，隋志煬帝紀：三年，改郡爲州。地理志：涿郡統縣九：薊、良鄉、安次、涿、固安、雍奴、昌平、懷戎、潞。按：薊、良鄉、安次三縣仍周舊，涿本屬范陽郡，潞、雍奴本屬漁陽郡，昌平本屬平昌郡，懷戎本屬燕州，固安開皇六年徙故安於萇鄉縣，改固安。胡三省通鑑辨誤：自漢高帝置涿郡而治涿縣，曹魏改涿郡曰范陽郡，隋開皇初廢范陽郡，大業初併燕，范陽置涿郡，治薊，而涿縣屬焉。此郡名廢置徙治離合之辨也。寰宇記：煬帝三年罷州，以其地併入涿郡。按：隋開皇廢燕郡，以領縣屬幽州，大業三年，罷州，改置涿郡，前涿縣有范陽郡，亦廢，開皇初，無涿郡也。今涿郡卽幽州舊治新置，并非併入。又割漁陽郡之漁陽來屬。按：漁陽，隋志無此縣，舊唐地理志云：隋爲漁陽，武德元年屬幽州。輿地廣記云隋末置。唐初復爲幽州，仍置總管府。新書地理志：高祖改郡爲州，太守爲刺史。寰宇記：唐武德元年改爲幽州總管府，管幽、易、平、檀、燕、北燕、寰宇記脱北燕，據舊唐書補。營、遼等八州。幽州領良鄉、薊、潞、涿、固安、雍奴、安次、昌平八縣。按：隋九縣，唐改懷戎縣，置北義州，在武德七年，此時尚屬幽州。二年又置元州，潞、漁陽隸之，仍隸總管府。一統志按：隋大業中，羅藝自稱幽州總管，至武德二年歸唐。舊書志、寰宇記皆元年，仍羅氏之舊也。四年，改固安隸北義州。六年，改大總管府。七年，改大都督府，改涿曰范陽，改懷戎隸北燕州。新書百官志：武德初，邊要之地置總管以統軍。七年，改總管曰都督，總十州者曰大都督。九年，改大都督爲都督，幽、易、景、瀛、東、鹽、滄、潞、蒲、蠡、北義、燕、營、遼、平、檀、元、北燕等十七州。貞觀元年，廢元州，以潞、漁陽二縣來屬，新書地理志：潞，武德二年自無終徙漁陽於此，置元州，領潞、漁陽，並置臨朐縣。貞觀元年州廢，省臨朐、無終，以潞、漁陽來屬。又廢北義州，以固安來屬，舊書地理志：固安，武德四年屬北義州，移治章信城。貞觀元年，省義州，以縣屬幽州，乃移今治。屬河北道。唐六典，十道四曰河北。新書地理志：河北道幽爲析木津分。八年，復置，歸義來屬。高宗乾封二年，析漁陽，置無終縣。武后如意元年，析安次，置武隆縣，萬歲通天二年，改無終曰玉田，寰宇記：乾封二年，於廢無終縣置無終縣。萬歲通天二年改爲玉田縣。聖曆元年，改良鄉曰固節。中宗神龍元年，改玉田隸營州，復改固節爲良鄉。睿宗景雲元年，改武隆曰會昌。元宗開元元年，置幽州防禦大使。開元二年，置幽州節度使，新書方鎮表：開元元年，置幽州防禦大使。二年，置幽州節度使，領幽、易、平、檀、嬀、燕六州，治幽州。以營州之玉田來屬。四年，析潞置三河縣。按：三河，新書地理志、遼志、寰宇記均云開元四年置。舊唐志幽州總序獨云景龍三年，三河下又云開元四年，自相抵牾，疑總序誤。十三年，昇爲大都督府。十八年，分漁陽、玉田、三河，置薊州。天寶元年，改爲范陽郡，新書地理志：幽州范陽郡大都督府，本涿郡，天寶元年更名。舊書地理志：天寶元年，改范陽郡屬范陽、上谷、嬀川、密雲、歸德、漁陽、順義、歸化八郡。校勘記：天寶九年，寰宇記，九作元，改下有爲字，今據補。更幽州節度使爲范陽節度使，新書方鎮表：更幽州節度使爲范陽節度使，增領歸德、歸順二郡。按：舊志作歸化郡。本歸化州，天寶改名也。表作歸順，誤。通鑑：范陽節度臨制奚契丹，統經略、威武、清夷、靜塞、恒陽、北平、高陽、唐興、横海九軍，屯幽、薊、嬀、檀、易、恒、定、莫、滄九州之境，治幽兵九萬一千四百人。改雍奴曰武清，會昌曰永清，析薊置武甯、廣平二縣，三載，復省武甯、廣平入薊。新書地理志：天寶元年，析置廣甯縣。三載省。乾元元年，復改郡曰幽州。舊書地理志：舊領縣十：薊、潞、雍奴、漁陽、良鄉、固安、昌平、范陽、歸義也。校勘記：張宗泰曰：所列止九縣，當是脱安次也。寶應元年，復爲幽州節度，又兼盧龍節度使，安禄山事蹟：天寶十五載，僞即帝位國曰大燕，以范陽爲大都，署其城東私第爲潛龍宮。新書史思明傳：二年正月，史思明僭稱大聖周王。四月，更國號大燕，自稱應天皇帝，改范陽爲燕京。舊書李懷仙傳：寶應元年，授幽州大都督府長史檢校侍中幽州盧龍等軍節度使。復置廣平縣。新書地理志：廣平，元年析薊置。三載，省。至德後復置。代宗大曆四年，置涿州，分歸義、固安隸之。德宗建中二年，析薊，置幽都縣。乾甯中，爲劉仁恭所據，仁恭析薊，置玉河縣。通鑑地理通釋：梁初別爲十一國，北有燕，劉仁恭。五代史記雜傳：仁恭子守光，開平元年自外將兵入，自稱盧龍節度使。乾化元年，自號大燕皇帝，改元曰應天。後唐仍置幽州節度使，按：盧龍一道領幽、薊、涿、順、平、營、瀛、莫、灤、檀、嬀州。同光二年，改昌平曰燕平，晉天復中，復燕平曰昌平，說見表。割入於遼。遼史太宗紀：晉獻幽、薊、瀛、莫、涿、檀、順、嬀、儒、新、武、雲、應、朔、寰、蔚十六州。全祖望燕雲失地考：宋宣和時，與女真夾攻遼，因求晉賂契丹故土，初謂可盡山前後地，而不思平、營、灤三州非晉賂，乃劉仁恭獻契丹以求援者，既而王黼悔，欲并得之，遣趙良嗣往，請再三，女真終以非晉賂，不與，是宋史所記也。考劉仁恭帥盧龍，未嘗與契丹通，惟資治通鑑載守光末年衰困，曾遣韓延徽乞師，然亦無割地事。梁乾化三年四月，晉劉光濬拔燕平州，執刺史張在吉，五月攻營州，刺史楊靖降，則平營未割之明證也。其失平營，肇於周德威爲帥時。通鑑謂幽州七百里有渝關，舊置八防禦軍，募土人守之，以禦契丹。德威恃勇，不修邊備，遂失渝關之險。契丹每芻牧於營、平之間。

而遼史太祖天贊二年春正月丙申，大元帥克骨克平州，獲刺史趙思温、裨將張崇。二月，如平州。甲子，以平州爲盧龍軍，置節度使。則平、營遂入契丹矣。至灤州，則古無之。劉守光據燕暴虐，民多亡入契丹。阿保機乃築此城，本金國行程。既陷平、營，遂改平州爲遼興府，而以營、灤二州隸之，號平州路。至石晉初，德光又得十六州地，乃建燕山爲燕京，轄山前六郡地，號燕京路。乃海上議割地時意，以燕山路盡統關内之地，實不知燕山平州之同在關内而異路也。故馴致有張瑴之事。而幹離不卒由平州入寇，本金國節要。然平、營在天贊後又嘗入唐，則諸家皆失考。考歐史明宗天成元年十月庚子，幽州奏契丹盧龍節度使盧文進來奔。初，文進爲契丹守平州，帝卽位，遣間使説之，以易代之，後無復怨嫌。文進所部皆華人思歸，乃殺契丹守平州者，率其衆十餘萬，車帳八千乘來奔。迨三年正月，契丹復陷平州，始不復歸中國耳。但當時石晉所賂地，實不止十六州。通鑑：齊王開運元年三月辛卯，馬全節攻契丹泰州，拔之。以五代會要考之，泰州後唐之奉化軍，今清苑縣，則泰州亦所賂地也。是年六月，以府州刺史折從阮爲府州防禦使。初，高帝割北邊之地以賂契丹，由是府州亦北屬，從阮拒之，故有是命。則府州亦所賂地也。二年，振武節度使折從阮擊契丹，圍勝州，遂攻朔州。胡三省注：勝州不係天福中所割數内，蓋契丹乘勝并取之。是勝州亦所賂内也。載考金國節要：則易州、景州亦在賂地，是史所云十六州者，亦或未盡。至史所載十六州中，則蔚州舊爲契丹所有，明宗長與三年十一月，蔚州刺史張彦超本沙陀人，嘗爲帝養子，與石敬塘有隙，聞敬塘爲總管，舉城附於契丹，契丹以爲大同節度使。當時不過統舉言之，否則史誤書也。若周世宗克復關南，則營、莫、易、景已内附，又奪瓦橋關爲雄州，割容城、歸義二縣隸之，胡三省注：在涿州。奪益津關爲霸州，割文安、大城二縣隸之，益津關，宋白以爲幽州之會昌縣。胡三省以爲冀州之文安縣。然觀下文，割文安、大城隸之，則宋説是。而乾甯軍之甯州，契丹所自置者，亦已内附，是山前之地多收復，乃宣和時尚云山前山後一十七州，則以幽、卽燕尚遼京。薊、景、檀、順、涿、易爲山前地，以新、嬀、儒、武、雲、應、寰、朔、蔚爲山後地也。少一州，當考。

太宗會同元年，改南京幽都府，置南京道，遼地理志南京道：太宗升爲南京。按：遼百官志云，天顯元年，以幽州爲南京。與本紀地理志不合。惟天顯十三年十一月，改元會同，以幽州爲南京，是改元後事，百官志誤也。軍號盧龍，改薊曰薊北。九年，孫方簡以易州三縣來歸。穆宗應曆九年，周世宗取易州，復三關，以白溝河爲界。聖宗統和七年，復取易州，遼志：易州會同九年，孫方簡以其地來降。應曆九年爲周世宗所取，統和七年攻克之。開泰元年落軍額，改燕京曰析津府，改薊北曰析津，幽都曰宛平。太平中，析潞，置漷陰，析武清，置香河。遼聖宗紀：改元開泰，改幽都府爲析津府，薊北縣爲析津縣，幽都縣爲宛平縣。興宗重熙中，於遵化縣置景州，遼地理志：景州清安軍刺史，本薊州遵化縣，重熙中置領縣一，遵化。燕京統順、檀、涿、易、薊、景六州，析津、宛平、昌平、良鄉、潞、安次、永清、武清、香河、玉河、漷陰十一縣。宋宣和四年，地入於金，金史太祖紀：六年十二月伐燕京，戊子次居庸關，庚寅遼統軍都監高六等來送款。上至燕京，甲午命左企弓撫定燕京諸州縣。五年歸宋，改爲燕山府廣陽郡永清軍節度使，金史太祖紀：七年二月，詔平州官與宋史同分割所與燕京六州地。宋地理志：金人滅契丹，以燕及涿、易、檀、順、景、薊六州二十四縣來歸。宣和四年，改燕京爲燕山府，又改郡曰廣陽，節度曰永清軍，領析津、廣平、應作宛，廣字誤。都市、昌平、良鄉、潞、武清、安次、永清、三河、香河、漷陰。都市賜名廣甯，說見表。香河賜名清化，七年，復入金。金史交聘表：天會三年十二月，宗望敗宋兵於白河，遂取燕山州縣。太宗天會三年，仍名曰燕京析津府，所賜名均復故，復置永清縣，改屬析津府，七年，屬河北東路。金地理志：天會七年，析河北爲東、西路，時屬河北東路。海陵天德三年，置通州於潞，以薊州、三河隸之。貞元元年，改燕京爲聖都，尋改中都，改析津府曰大興府，金地理志：貞元元年，以燕乃列國之名，不當爲京師，號遂改爲中都大興府。元一統志：天德三年，海陵意欲徙都於燕，上書者咸言上京臨潢府，僻在一隅，官艱於轉漕，民難於赴愬，不如都燕，以應天地之中。言與意合，迺命左、右丞相張浩、張通，左丞蔡松年，調諸路民夫築燕京，制度如汴，詔曰：燕本列國之名，今立京師，不當稱燕京，改號中都，以析津府爲大興府。改析津曰大興，以平州轉運司并屬中都，自會甯遷都於此。煬王江上録：岐王亮弑主自立，改元天德。內史梁漢臣本宋內侍，進曰：燕京自古霸國，虎視中原，爲世之基，陛下立修燕京，時復巡幸。遂納其言，差漢臣充修燕京大內正使，孔彥舟爲副使，自天德四年起，至貞元元年畢工，以燕京爲中都，擇日遷燕山府。二年，以雄州、霸州屬中都。世宗大定七年，降信安軍爲縣，隸霸州。十二年，析香河，置寶坻縣。章宗承安二年，升寶坻爲盈州，分香河、武清隸之，未幾復故。元太祖十年，爲燕京路總管大興府如故。憲宗以涿州之固安來屬，太宗六年，升涿州爲涿州路。世祖中統四年，仍爲涿州，升東安、即安次。固安爲州，均隸燕京路。至元元年，建改中都。四年，徙都之。

元史世祖紀：至元元年八月乙卯詔：改燕京爲中都，其大興府仍舊。歷代紀事年表：至元元年，劉秉忠請定都於燕，主從之，詔營城池及宮室，仍號爲中都。九年，改曰大都。元史世祖紀：至元元年二月壬辰，改中都爲大都。十三年，升漷陰爲漷州，以武清、香河隸之。十九年，置留守司。二十一年，置大都路總管府，爲中書省治。元史崔彧傳：至元二十年十一月，崔彧上疏言：大都非如上都，止備巡幸，不應立留守司，宜置總管府。仁宗延祐三年，以奉聖州之縉山爲龍慶州，來屬大都路。元史地理志大都路：太祖十年克燕，初爲燕京路總管大興府，世祖至元元年，中書省臣言：燕京分立省部，乞正名。遂改中都。其大興府仍舊。四年，始於中都之東北置今城，而遷都焉。九年，改大都。十九年，置留守司。二十一年，置大都路總管府，領縣六，州十。州領十六縣，縣六：大興、宛平、良鄉、永清、寶坻、昌平，州十：涿州領范陽、房山，霸州領益津、文安、大城、保定，通州領潞縣、三河，薊州領漁陽、豐潤、玉田、遵化、平谷，漷州領香河、武清，順州、檀州、東安州、固安州、龍慶州領懷來。元史混一方輿勝覽：元領大興府一，通、薊、涿、霸、雄、易、保、遂、安肅、檀、順，州十一。辛丑年，割出雄、易、保、遂、安肅五州，立順天路。後又省安次縣爲東安州，固安縣爲固安州，漷陰縣爲郭州，以香河、武清二縣隸於漷，以雄、易二州并來屬，遂領涿、霸、通、薊、漷、雄、易、檀、順、東安、固安州十一。至元二十三年，割出雄、易二州屬保定。今領府一，州九。按：元史地理志，大都路所屬，尚有龍慶州，即今之縉山縣，本屬上都路，延祐三年，升縉山爲懷慶州，領懷來一縣，隸大都路。元混一方輿勝覽不載，當有脱誤。按：金史，中都所領，無保安、遂、肅，大約元初併入後，乃分保定路。明洪武元年，改爲北平府，隸山東行中書省，通志引明太祖實録：二年九月，大將軍徐達改故元都安貞門爲安定門，健德門爲德勝門，是月置大都督分府於北平，十月以北平府隸於山東。降固安、東安爲縣，順州爲順義縣，省檀州，置密雲縣，析密雲、昌平二縣地置懷柔縣，改龍慶州屬永平府。二年三月，置北平行省，以北平府隸焉。明地理志：元直隸中書省。洪武元年四月，分屬河南、山東兩行省。二年三月，置北平等處行中書省，治北平府，先隸山東、河南者，皆復其舊。九年，爲北平承宣布政使司治。孫承澤春明夢餘録：九年，革行省，設承宣布政使司。十年，復改漷州之香河來屬，分寶坻屬通州。十三年，降漷州爲漷縣，隸通州。永樂元年，升爲北京，改府爲順天府，日下舊聞引成祖實録：永樂元年正月，禮部尚書李正剛等言：自昔帝王，或起布衣平定天下，或由外藩入承大統，其於肇迹之地，皆有升崇，竊見北平布政司，實皇上承運興王之地，宜遵太祖高皇帝中都之制，立爲京都。制曰：可。其以北平爲北京，改北平府爲順天府。明史地理志：永樂元年正月，建北平爲順天府，稱爲行在。二月，罷北平布政使司，以所領直隸北平行部，罷北平都指揮使司，以所領直隸北京留守，行後軍都督府。

稱爲行在。二月，罷北京布政使司。十九年正月，改北京爲京師。日下舊聞考引成祖實錄：詔曰：開基創業，興王之本爲先，繼體守成，經國之宜尤重。昔朕皇考太祖高皇帝，受天明命，建都江左，以肇邦基。肆朕纘承大統，惟懷永圖，眷茲北京，實爲都會，地勢雄偉，山川鞏固，四方萬國，道里適均，惟天意之所屬，實卜筮之攸同。乃倣古制，循輿情，立兩京，置郊社宗廟，創建宮室，上以紹皇考太祖高皇帝之先志，下以開子孫萬世之宏規。且於巡狩駐守，實有便焉。爰自營建以來，天下軍民樂於趨事，天人協贊，景貺駢臻。今上已告成，選十九年正月朔旦，御奉天殿，朝百官，誕新治理，用致雍熙。於戲！天地清甯，衍宗社萬年之福；山河綏靖，隆古今全盛之基。乃命禮部正北京爲京師，不稱行在。

仁宗洪熙元年，仍稱行在。仁宗實錄：洪熙元年三月，命諸司在北京者，仍加行在二字。

英宗正統六年，定名京師。英宗實錄：正統六年八月，浙江甯波府知府鄭珞言：國家肇建兩京，合於古制，自太宗皇帝定鼎北京以來，四聖相承，正南面而朝萬方，四十年於茲矣，而諸司文移印章，尚仍行在之稱，名實未當，請正名京師，其南京諸司，宜改曰南京某府某部，於理爲得。是年十一月朔，上御奉天殿，大赦天下，改給兩京文武衙門印，北京諸衙門去行在二字，南京諸衙門增南京二字。全祖望與施東萊論明代以北京爲行在帖：明太祖之元年，詔以建康爲南京，大梁爲北京，又遣懿文太子之秦中，相度形勢，以漕運不便而止。尋詔建鳳陽爲中都，曰：吾鄉也。然則太祖之意，固未嘗終宅吴中也。成祖以藩邸發祥之地，定鼎燕山，始猶以巡幸爲辭，再返舊京，迨永樂十八年後，則定都，顧曆代猶託以暫駐之名，以示將返舊京之意，其命官勅命中，皆有行在二字，如部僚則曰行在某部尚書，府衛則曰行在某府都督。正統六年，復申定都之旨，然有尚稱行在者，以後始漸去。然則英廟以前官南京者，原未嘗有南京之目，後世妄加之耳。但古者天子所居，卽名行在。蔡中郎曰：天子以四海爲家，故謂所在爲行在所。史記衛將軍傳：大將軍同蘇建詣行在所。漢書趙充國傳：詔徵充國詣行在所。孔光傳：供養行內。注曰：行在所之内中，猶言禁中。然則後世所稱沿習失考，惟歸熙甫曾言其訛，故有因論有明官制及之。今按：行在二字，正統因鄭珞之言而去，改南京諸司爲南京某府某部，自有實録，無容作疑辭矣。

武宗正德元年，升昌平爲州，旋罷。八年，復升，分順義、懷柔、密雲隸之。明地理志：順天府領州五、縣二十二：大興、宛平、良鄉、固安、永清、東安、香河、通州、三河、武清、漷縣、寶坻、霸州、文安、大城、保定、涿州、房山、昌平州、順義、懷柔、密雲、薊州、玉田、豐潤、遵化、平谷。

本朝順治元年，定鼎京師，仍稱順天府，領州六，縣二十一。十五年，省漷縣入通州。康熙十五年，升遵化爲州。二十七年，從直隸總督于成龍之請，特設四路同知。雍正三年，改武清隸天津州。四年，復來屬，改薊州之玉田隸永平府。五年，改三河、武清、寶坻、順義、懷柔、密雲、房山、大城、文安、保定均直隸順天府。九年，析寶坻，置甯河縣。乾隆八年，升遵化爲直隸州，改平谷直隸順天府，今領州五，縣十九，以四路同知分轄焉。

西路廳屬沿革表

		大興	宛平	涿	良鄉	房山
周		薊國周初都此 燕國并薊都之		涿邑屬燕	中都屬燕	
秦		薊縣屬上谷郡				
漢	幽州	薊縣廣陽國治，莽曰伐戎。	陰鄉縣析薊縣置，屬廣陽國，莽曰陰順。	涿縣涿郡治 西鄉國屬涿郡，莽曰移風。	廣陽縣屬廣陽國	良鄉縣屬涿郡

後漢	幽州	薊縣廣陽郡治	省陰鄉縣，入薊縣西境。	涿縣涿郡治，省西鄉來入。	廣陽縣屬廣陽郡	良鄉縣屬涿郡
三國 魏	幽州	薊縣燕國治	薊縣西境	涿縣范陽郡治	廣陽縣屬燕國	良鄉縣屬范陽郡
晉	幽州	薊縣燕國治	薊縣西境	涿縣范陽國治	廣陽縣屬燕國	良鄉縣屬范陽國
後趙	幽州	薊縣燕郡治	薊縣西境	涿縣范陽郡治	廣陽縣屬燕郡	良鄉縣屬范陽郡
前燕	幽州	薊縣燕國治	薊縣西境	涿縣范陽郡治	廣陽縣屬燕國	良鄉縣屬范陽郡
前秦 後燕	幽州	薊縣燕郡治	薊縣西境	涿縣范陽郡治	廣陽縣屬燕郡	良鄉縣屬范陽郡
魏	幽州	薊縣燕郡治	薊縣西境	涿縣范陽郡治	廣陽縣屬燕郡	良鄉縣屬燕郡
北齊	東北道行臺	薊縣燕郡治	薊縣西境	涿縣范陽郡治	省廣陽縣，入薊縣西境。	良鄉縣屬燕郡

周	隋	唐
幽州總管府		河北道
薊縣燕郡治	薊縣涿郡治	薊縣幽州治 廣甯縣析薊縣置，屬幽州。 遼西縣僑縣，燕州治。 懷遠縣僑縣，屬燕州。 賓義縣僑縣，順州治。 海濱縣僑縣沃州。
薊縣西境	薊縣西境	廣平縣析薊縣置，屬幽州。 幽都縣析薊縣置，屬幽州。
涿縣范陽郡治	涿縣屬涿郡	范陽縣涿縣改名，涿州治。 靜蕃縣僑縣，元州治。 黃龍縣僑縣，信州治。 逢龍縣僑縣，慎州治。 新黎縣僑縣，黎州治。
薊縣西境	薊縣西境	良鄉縣東境 歸義縣僑縣，歸義州治。 來蘇縣僑縣，夷賓州治。 來逮縣僑縣，瑞州治。
良鄉縣屬燕郡	良鄉縣屬涿郡	良鄉縣屬幽州，聖曆初改爲固節縣，尋復故名。 陽師縣僑縣，師州治。 威化縣僑縣，威州治。

	五代梁	五代唐	遼
	河北道	河北道	南京道
	薊縣幽州治	薊縣幽州治	析津縣本薊縣，遼初改名薊北縣，尋改今名，析津府治。
	幽都縣屬幽州 廣平縣屬幽州 玉河縣劉仁恭析薊縣置，屬幽州。	幽都縣屬幽州 廣平縣屬幽州 玉河縣屬幽州	宛平縣省廣平縣入幽都縣，尋改今名，析津府治。 玉河縣屬析津府
青山州析元州僑置 濼州僑置	范陽縣涿州治	范陽縣涿州治	范陽縣涿州，永泰軍治。
	良鄉縣東境	良鄉縣移縣治今城	良鄉縣屬析津府
	良鄉縣屬幽州	良鄉縣西境，縣移治閻溝。	良鄉縣西境

宋	燕山府路	析津縣燕山府治	宛平縣燕山府治，省玉河來入。	范陽縣涿州治	良鄉縣屬燕山府	良鄉縣西境
金	中都路	大興縣析津縣改名，大興府治。	宛平縣大興府治	范陽縣涿州治	良鄉縣屬大興府	奉先縣初置萬寧縣，尋改名，屬涿州。
元	直隸中書省	大興縣大都路總管府治	宛平縣大都路總管府治	范陽縣涿州治	良鄉縣屬大都路	房山縣奉先縣改名，屬涿州。
明	京師順天府	大興縣順天府治	宛平縣順天府治	涿州屬順天府，省范陽縣入州。	良鄉縣屬順天府	房山縣屬順天府涿州
國朝	京師順天府	大興縣順天府治	宛平縣順天府治	涿州屬順天府	良鄉縣屬順天府	房山縣直隸順天府

大興縣：衝，繁，疲，難。郭下。新書地理志：薊望。歐陽忞輿地廣記：薊縣望。元地理志：大興赤。周初薊國，春秋時爲燕國都。史記正義：薊邱，燕所都。日知録：薊在漁陽西。唐地理志：幽州范陽郡治薊。開元十八年，析置漁陽，屬薊州。及遼，改薊爲析津縣，因此薊之名遂没於此，而存於彼。今人乃以漁陽爲薊，失其本矣。秦置

薊縣，屬上谷郡。漢初爲燕國都，又分置陰鄉縣。元鳳中，爲廣陽國治，漢地理志：薊，故燕國，召公所治。新斠注地理志：薊，今順天府治。幽州刺史理此，尋省陰鄉來入。莽曰伐戎。水經㶟水注，作伐成。後漢初屬燕國，建武十二年，改屬上谷郡治。說文：𨛫讀若薊。上谷有𨛫縣。段注曰：𨛫、薊古今字，𨛫縣當作薊縣。郡國志廣陽郡注：世祖省廣陽郡，并上谷。永平八年，復置。許云：上谷有薊縣，依光武省而并言也。今京師順天府附郭下大興縣治，即古燕都。永元八年，復置廣陽郡，爲郡治。續漢郡國志：薊本燕國刺史治。注漢官曰：雒陽東北二千里。三國魏爲燕國治，晉因之。後魏爲幽州燕郡治，齊因之，省廣陽入縣。寰宇記：廣陽故城在今縣東北三十七里，漢爲縣。高齊天保七年，省入薊縣。周亦爲幽州燕郡治。隋爲涿郡治。唐爲幽州治。舊書地理志：薊自晉至隋，幽州刺史皆以薊爲治所。武德六年，燕州寄治城中，舊書地理志：燕州，隋遼西郡，寄治於營州。武德元年，改爲燕州總管府，領遼西、瀘河、懷遠三縣。六年，自營州南遷，寄治於幽州城內。貞觀元年廢，都督府仍領懷遠縣。開元二十五年，移治所於幽州北桃谷山。天寶改爲歸德郡。乾元元年，復置燕州，領縣一，遼西。又徙順州來寄治。方輿紀要：唐貞觀初，置順州於營州南五柳戍，後寄治幽州。天寶初曰順義郡，乾元初，復曰順州，領賓義縣一，後廢。按：遼、元二史謂順州即燕州改名，在今順義縣治。然舊書志，燕、順二州同寄治幽州城內，道里均曰與幽州同，不云順州即燕州也。燕州於開元二十五年移治州北桃谷山。一統志引順義舊志，以爲唐建中二年燕州廢後始自幽州移順來治，似爲得之。蓋順州本治幽州城內，因燕州改置之幽都縣亦入幽州城，遂移順州於故燕州耳。開元二年，復置沃州，寄治南回城。新書地理志：沃州，載初中析昌平州置。萬歲通天二年，没於李盡忠。開元二年，復置，後僑治薊之南回城，領縣一，濱海。二十五年，燕州徙桃谷山。天寶元年，析置廣甯、廣平二縣。新書地理志：天寶元年，析置廣甯縣，三載省。三載，均省入薊。至德後，復置廣平。建中二年，移順州於故燕州，因廢燕州廨，析置幽都縣。遼會同元年，改爲南京幽都府治，旋改薊縣爲薊北縣。按：遼史無年月，乾隆府廳州縣圖志云，遼初改，故繫於此。開泰元年，又改薊北曰析津縣，爲燕京析津府治。遼地理志：析津縣以燕分野爲析木之津。保大末，入於金，尋割宋爲燕山府治。金貞元二年，始改曰大興，爲中都大興府治。元爲大都路治。明洪武初爲北平府治。永樂七年爲順天府治。明地理志：大興倚東。本朝定鼎京師，亦爲順天府治。

宛平縣：衝，繁，疲，難。郭下。新書地理志：幽都望。輿地廣記：幽都望。元地理志：宛平赤。漢陰鄉縣地，地理韻編：陰鄉，西漢縣，廣陽國，今直隸順天府宛平縣西南。莽曰陰順，後省入薊。寰宇記：陰鄉，漢縣名。舊地理志，并失所在。蓋薊縣南界，良鄉縣東界，固安縣北界，三縣交入之地。方輿紀要：陰鄉廢縣遺址，俗謂之籠火城。唐武德三年，竇建德遣將高七興，擊羅藝於幽州，不克退軍籠火城，藝襲擊，大敗之，未幾復敗建德於籠火城是也。唐天寶元年，析薊，置廣平縣。三載省。至德後復置。新書地理志：廣平，上天寶元年析置，三載省，至德後復置。地理韻編：今順天府宛平縣西。建中二年，因廢燕州廨，置幽都縣，與薊並爲幽州治。舊書地理志：幽都管郭下西界，與薊分理。建中二年，取羅城內廢燕州衙署置，在府北一里。寰宇記：幽都縣舊縣卽薊縣地，今邑理薊西界。按郡國縣道記云，建中二年，於羅城內廢燕州廨置，在府北一里，其燕州本國，因粟末靺鞨首領突地稽當隋開皇中領部落歸化，處之於營州界，煬帝八年，爲置遼西郡，以突地稽爲太守，理營州東二百里汝羅城，後遭邊寇侵掠，又寄理於營州城內。唐武德二年，改遼西郡爲燕州，仍置總管。六年，自營州原本訛幽，據唐書改正。徙居幽州城內，歷代襲爲燕州刺史。建中初爲朱滔所破滅，尋州廢，因立此縣於故城。劉仁恭又析置玉河縣，方輿紀要：玉河廢縣在縣西四十里，本薊縣地，五代時劉仁恭置。遼地理志：玉河縣本泉山地，劉仁恭於大安山創置宮觀，師煉丹羽化之術於方士王若訥，因割薊分置，以供給之。按地理韻編：玉河，今直隸順天府宛平縣西四十，仁恭分幽都置，非薊也。遼志今薊，似仍其舊名耳。省廣平入來。按：廣平新舊二志俱有，遼志無之。方輿紀要云：後又省入薊縣。不言何時。攷五代會要，省併州縣，無廣平，大約遼初所省。至輿地廣記仍有廣平。宋人紀遼畺，本諸新唐書志，不甚足憑也。遼開泰元年，改曰宛平，遼地理志：本晉幽都，開泰元年改今名。欽定續通典按方輿紀要：唐德宗建中元年，析薊縣，置幽都縣。遼志作晉幽都縣，蓋誤。又開泰元年，清類天文分野之書作統和二十二年，未知孰是。釋名：燕，宛也。北方沙漠平廣，此地在涿鹿山南，宛宛然以爲國都也。爲南京析津府治，尋割宋爲燕山府治，省玉河，入宛平。按：宋志無玉河，似宋宣和始省。金爲大興府治。元爲中都路治。明初爲北平府治，後爲順天府治。明地理志：宛平倚北。本朝因之。

涿州：衝，繁，難。新書地理志：涿州，上。遼地理志：涿州永泰軍，上。輿地廣記：涿州，上。金地理志：涿州，中。元地理志：涿州，下。戰國燕之涿邑，秦屬上谷郡。漢皇帝六年，置涿郡，治涿縣，新斠注地理志：涿，今順天府涿州。應劭曰：涿水出上谷涿鹿縣，以此氏也。考上谷、涿鹿，今宣化府保安州，地遠非是。水經注：桃水東逕涿縣故城下，與涿水合，水出涿縣故城西南奇溝東八里大坎下，東逕桃仁虛，又東北與樂堆泉合，水出堆東，東南流注于涿水。涿水又東北，逕涿縣故城，西注于桃。然則縣之得名，以此水也。州今無此水。閻氏若璩曰：涿郡治涿縣，以酷吏傳知之。領縣國二十九。漢地理志：涿縣、迺、穀邱、故安、南深澤、范陽、蠡吾、容城、易、廣望、鄚、高陽、州鄉、安平、樊輿、成、良鄉、利鄉、臨鄉、益昌、陽鄉、西鄉、饒陽、中水、武垣、阿陵、阿武、高郭、新昌。武帝元封五年屬幽州，今州爲涿縣及西鄉國地。新斠注地理志：西鄉在今涿州西北二十里。漢王子侯表：西鄉頃侯容，廣陽頃王子，初元五年六月封。水經聖水注：俠水出良鄉縣西甘泉原東谷，東逕西鄉縣故城北。王莽之移風也，世謂之都鄉城。按地理志，涿郡有西鄉，而無都鄉城，蓋世傳之非也。王莽改郡曰垣翰，西鄉，曰移風。後漢省西鄉入涿縣，領縣國七。續漢志：涿、迺侯國，故安、范陽侯國，良鄉、北新城、方城，故屬廣陽。魏文帝黃初七年，改范陽郡，取漢涿縣在范水之陽，以爲名，領縣八，三國疆域志：涿、良鄉、方城、長鄉、迺、故安、范陽、容城。後爲范陽國。魏志宗室傳：曹敏，黃初五年進封范陽王。晉亦爲范陽國，晉書宗室傳：司馬綏，武帝泰始元年封范陽王。又改范陽郡，水經注：晉泰始元年，改爲范陽郡。領縣同魏。石趙、燕、前秦如故。北魏亦曰范陽郡，領縣七，魏地形志：涿、固安、范陽、萇鄉、方城、容城、迺。齊領縣三，涿、迺、范陽。周領縣二。省迺縣。隋開皇廢郡，以縣屬幽州。大業初，屬涿郡。時涿郡改治薊。

唐武德七年，改涿縣爲范陽縣，隸幽州。貞觀二十年，徙玄州寄治。舊書地理志：玄州，隋開皇初置，處契丹李夫閭部落。萬歲通天二年，移於徐宋州安置。神龍元年復舊。今隸幽州，天寶領縣一，靜蕃。州治所范陽縣之魯泊村。萬歲通天二年，徙信州寄治。新書地理志：信州，萬歲通天元年，以乙失活部落置，僑治范陽境縣一，黃龍。神龍元年，徙慎州、黎州寄都鄉城治。舊書地理志：慎州，武德初置，領涑、靺鞨、烏素固部落。萬歲通天二年，移於淄青州安置。神龍初，復舊，隸幽州天寶，領縣一，逢龍。契丹陷營州後南遷，寄治良鄉縣之故都鄉城，爲逢龍縣，州所治也。黎州，載初二年析慎州置，處浮渝、靺鞨、烏素固部落，隸營州都督。萬歲通天元年，遷於宋州管治。

神龍初還改隸幽州都督。天寶領縣一，新黎：自宋州遷，寄治於良鄉縣之故都鄉城。景雲三年，析玄州，置青山州。新唐地理志：青山州，景雲元年析玄州，置僑治范陽之水門村，縣一，青山。天寶初，徙澟州寄治。舊書地理志：澟州，天寶初置於范陽縣界處降胡。大曆四年，置涿州，領縣三，治范陽。寰宇記：大曆四年，幽州節度使朱希彩奏請於范陽縣置涿州，仍割幽州之范陽、歸義、固安三縣以隸之，屬幽州都督府。新書地理志：領范陽、歸義、固安、新昌、新城。晉天福中入遼，置永泰軍，屬析津府，領縣四。遼地理志：范陽、固安、新城、歸義。宋宣和五年，賜郡名曰涿水，升威行軍節度使，領縣四。宋地理志：涿州，唐置，石晉以賂契丹。宣和四年，金將郭藥師以州降，賜郡名曰涿州，升威行軍節度，縣四：范陽、歸義、固安、新城。金天會七年，仍為涿州，領縣五。金地理志：范陽、固安、新城、定興、奉先。元太宗八年，為涿州路。中統四年，復為涿州，領縣二。元地理志：范陽、房山。明洪武初，省范陽入州，領縣一，明地理志：涿州，洪武初以州治范陽縣，省入。東北距府四十四里，領縣一，房山。屬北平府，後屬順天府。本朝因之。雍正七年，改房山直隸順天府。涿州志沿革表：涿州領縣一，房山。雍正七年以房山縣屬順天府，州遂無屬。

良鄉縣：衝，繁，難。元地理志：良鄉，下。春秋時，燕中都地。寰宇記：在燕為中都。遼地理志：燕為中都縣。漢置廣陽縣，按：方輿紀要：以漢陽鄉縣列良鄉下。據一統志表，陽鄉實今固安縣境，今改入固安。屬廣陽國。新斠注地理志：廣陽在今順天府良鄉縣東北。括地志：故城在良鄉縣東三十七里，漢置，以其屬廣陽國，亦謂之小廣陽。後漢初，耿弇追賊至小廣陽，即此。按：漢之良鄉，即今之房山。漢之廣陽，即今之良鄉。蓋北齊省廣陽入薊，唐長興後，復移良鄉治此。而良鄉故址，金大定置，萬甯改奉先，又改房山，有以今良鄉為漢縣者，誤。後漢因之。魏屬燕國。三國疆域志：廣陽，漢舊縣。晉因之。按：一統志、畿輔唐志、乾隆府廳州縣圖志，均云晉屬范陽國。按：晉地理志：范陽國有良鄉，無廣陽，廣陽仍屬燕國。周濟晉略疆域表同。魏地形志亦云二漢屬廣陽，晉屬燕，則云屬范陽國，似誤。後魏屬燕郡。北齊天保七年，省入薊縣。唐為良鄉縣地，總章中設歸義州，治此。舊書地理志：歸義州，總章中置，處海外新羅，隸幽州都督，舊領縣一，歸義，在良鄉縣之古廣陽城州所治也。神龍初，徙夷賓州、瑞州，同時寄治。舊書地理志：夷賓州，乾封中於營州界內置，處靺鞨愁思嶺部落，隸營州都督。萬歲通天二年，遷於徐州。神龍初，還隸幽州都督，領縣一，來蘇，自徐州還，寄治於良鄉縣之古廣陽城爲縣。瑞州，貞觀十年置於營州界，隸營州都督，處突厥烏突汗達於部落。咸亨中，改爲瑞州。萬歲通天二年，遷於宋州安置。神龍初，還隸幽州都督，舊領縣一，來遠，舊縣在營州界，陷契丹，移治於良鄉縣之故廣陽城。五代唐長興三年，始移良鄉縣來治，舊五代史趙德鈞傳：又於閻溝築壘，以戍兵守之，因名良鄉縣，以備鈔寇。方輿紀要：契丹數鈔盧龍諸州境，涿州運糧入幽州者，輒伏兵於閻溝掠取之。唐長興三年，趙德鈞鎮盧龍城閻溝而戍之，因移良鄉縣治焉。屬幽州。晉天福中，入於遼，屬燕京析津府。宋屬燕山府。金屬大興府。元屬大都路。明初屬北平府，尋屬順天府。明地理志：良鄉縣西南。本朝因之。

房山縣：繁，難。新書地理志：良鄉，望。輿地廣記：良鄉，望。元地理志：房山，下。漢置良鄉縣，屬燕國，改屬涿郡，說詳順天府下。後爲侯國。地理韻編今釋：良鄉，西漢侯國，今直隸順天府，房山縣東。按：漢表作梁鄉。水經注：縣有梁山，高梁水出焉。梁、良古字通用。漢王子侯表：梁鄉侯交，趙共王子，綏和二年六月丙寅封，十六年免。莽曰廣陽。後漢因之。魏屬范陽郡。三國疆域志：范陽郡，良鄉漢舊縣。晉先屬范陽國，後屬范陽郡。魏地形志：燕郡良鄉，二漢屬涿，晉屬范陽，後屬治良鄉城。後魏屬燕郡。北齊天保七年，省入薊縣，武平六年復置。寰宇記：北齊天保七年，省入薊縣。武平六年復置。遼地理志亦云，武平六年復置。隋屬涿郡。唐屬幽州，舊書地理志：良鄉，漢縣，屬涿郡，至隋不改。按：良鄉漢屬涿州，晉屬范陽，仍涿郡地，後改屬燕，魏因之，則漢之廣陽非涿郡矣，隋涿郡亦非漢屬郡地。唐志之誤。聖曆元年，改爲固節縣，神龍元年，復故名，按：名勝志，唐以不從安史之叛，改名固節，甚誤。安史叛在天寶十四年，縣以聖曆改固節，先安史之叛五十八年。徙師州治，縣境故東閭城，舊書地理志：師州，貞觀三年置，領契丹室韋部落，隸營州都督。萬歲通天元年，遷於青州安置。神龍初，改隸幽州都督。舊領縣一，陽師。初，貞觀置州於營州東北，廢陽師鎮，故號師州。神龍中，自青州還，寄治于良鄉縣之故東閭城，爲州治，縣在焉。又徙威州治，縣境石窟堡。舊書地理志：威州，武德二年置，遼州總管自燕支城徙，寄治營州城內。七年，廢總管府。貞觀元年，改爲威州，隸幽州大都督所領户契丹內稽部落，舊領縣一，威化。後契丹陷營州，乃爲南遷焉。寄治於良鄉縣之石窟堡，爲威化縣，幽州治也。後唐徙治閻溝。一統志：良鄉故城在房山縣東，五代唐改置，今良鄉故城遂廢爲良鄉、宛平、范陽三縣之地。金大定二十九年，置萬甯縣。一統志：金大定末，以山陵所在，改置萬甯縣。明昌二年，更名奉先，屬涿州。至元二十七年，又改曰房山，仍屬涿州。明屬順天府涿州。明地理志：房山州北少西。本朝屬順天府涿州，雍正六年，改直隸順天府。

南路廳屬沿革表

	周	秦	漢
		方城屬上谷郡	幽州
固安	韓國	方城東境	方城縣屬廣陽國 臨鄉縣屬涿郡 陽鄉縣
永清	方城東境		益昌縣屬涿郡，莽曰有秩。
東安			安次縣屬渤海郡
霸			益昌縣南境 安次縣西境
文安			文安縣屬渤海郡
大城			東平舒縣屬渤海郡
保定			易縣東境屬涿州

		屬涿郡						
後漢	幽州領涿郡、廣陽郡，冀州領河間郡。	方城縣 屬涿郡，省臨鄉、陽鄉二縣來入。	省益昌縣入方城縣東境，安次縣西境。	安次縣 屬廣陽郡	安次縣西南境	文安縣 屬河間郡	東平舒縣 屬河間郡	易縣東境屬河間郡
三國 魏	幽州領范陽郡燕國，冀州領章武郡，河間郡。	方城縣 屬范陽郡	方城縣東境，安次縣西境	安次縣 屬燕國	安次縣西南境	文安縣 屬章武郡	東平舒縣 章武郡治	易城縣東境屬河間國
晉	幽州領范陽國，燕國。冀州領章武國，河間國。	方城縣 屬范陽國 長鄉縣 卽漢陽鄉縣置，屬范陽國。	方城縣東境，安次縣西境	安次縣 屬燕國	安次縣西南境	文安縣 屬章武國	東平舒縣 章武國治	易城縣東境屬河間國

後趙	幽州領范陽郡，燕郡。冀州領章武郡，河間郡。	方城縣屬范陽郡 良鄉縣屬范陽郡	方城縣東境安次縣西境	安次縣屬燕郡	安次縣西南境	文安縣屬章武郡	東平舒縣章武郡治	易城縣東境屬河間郡
前燕	幽州領范陽郡燕國，冀州領章武郡，河間郡。	方城縣屬范陽郡 長鄉縣屬范陽郡	方城縣東境安次縣西境	安次縣屬燕國	安次縣西南境	文安縣屬章武郡	東平舒縣章武郡治	易城縣東境屬河間郡
前秦 後燕	幽州領范陽郡，燕郡。冀州領章武郡，河間郡。	方城縣屬范陽郡 長鄉縣屬范陽郡	方城縣東境安次縣西境	安次縣屬燕郡，	安次縣西南境	文安縣屬章武郡	東平舒縣章武郡治	易城縣東境屬河間郡

魏	幽州領范陽郡，燕郡。瀛州領章武郡。冀州領高陽郡。	**方城縣** 屬范陽郡 **萇鄉縣** 屬范陽郡	方城縣東境 安城縣西境	**安城縣** 安次縣改名，屬燕郡。	安城縣西南境	**文安縣** 屬章武郡	**平舒縣** 去東字，章武郡治。	易縣東境屬高陽郡
北齊	東北道行臺領范陽郡，燕郡。瀛州領河間郡，章武郡。冀州領高陽郡。	省方城、萇鄉二縣，入涿縣，東境屬范陽郡。	涿縣東南境 安次縣西境	**安次縣** 屬燕郡	安次縣西南境	**文安縣** 屬河間郡	**平舒縣** 章武郡治	省易縣入鄚縣，東境屬高陽郡。
周	幽州總管府領范陽郡，燕郡。瀛州領河間郡，章武郡。冀州領高陽郡。	涿縣東境屬范陽郡	涿縣東南境 安次縣西境	**安次縣** 屬燕郡	安次縣西南境	**文安縣** 屬河間郡	**平舒縣** 章武郡治	鄚縣東境屬高陽郡

隋	唐	五代 梁
	河北道	河北道
固安縣 屬涿州	固安縣 析置新昌縣，尋省，屬涿州。	固安縣 屬涿州
固安縣東境 安次縣西境 通澤縣 屬涿郡，尋廢。	永清縣 析安次縣，置武隆縣，改會昌縣，尋改今名，屬幽州。	永清縣 屬幽州
安次縣 屬涿郡	安次縣 屬幽州 龍山縣 僑縣昌州治	安次縣 屬幽州
固安縣南境 安次縣西南境	永清縣南境	永清縣南境
文安縣 屬河間郡 豐利縣 析文安、平舒二縣置，屬河間郡。	文安縣 屬瀛州，改屬莫州，省豐利縣來入。	文安縣 屬莫州
平舒縣 屬河間郡	平舒縣 屬瀛州	平舒縣 屬瀛州
鄚縣東境屬高陽郡	歸義縣東境屬涿州	歸義縣東境屬涿州

五代唐	河北道	固安縣 屬幽州	永清縣 屬幽州	安次縣 屬幽州	永清縣南境	文安縣 屬莫州	大城縣 平舒縣改名屬瀛州	歸義縣東境屬涿州
遼	南京道	固安縣 屬涿州	永清縣 屬析津府	安次縣 屬析津府	永清縣南境	文安縣 屬莫州		
五代周			永清縣 霸州治		永清縣南境	文安縣 屬霸州	大城縣 屬霸州	
宋	河北路領霸州。燕山府路領燕山府涿州。	固安縣 屬涿州	省永清縣入文安縣北境	安次縣 屬燕山府	文安縣南境	文安縣 霸州治	大城縣 屬霸州	歸信縣東境屬涿州，尋于其地置平戎軍，改保定軍，尋又廢爲縣。
金	中都路	固安縣 屬涿州	永清縣 屬大興府	安次縣 屬大興府	益津縣 霸州治	文安縣 屬霸州	大城縣 屬霸州	保定縣 屬雄州

元	直隸中書省	固安州 縣升屬大都路	永清縣 屬大都路	東安州 縣升屬大都路	益津縣 霸州治	文安縣 屬霸州	大城縣 屬霸州	保定縣 屬霸州
明	京師順天府	固安縣 州降屬順天府	永清縣 屬順天府	東安縣 州降屬順天府	霸州 省益津縣入州屬順天府	文安縣 屬霸州	大城縣 屬霸州	保定縣 屬霸州
國朝	京師順天府	固安縣 屬順天府	永清縣 屬順天府	東安縣 屬順天府	霸州 屬順天府	文安縣 直隸順天府	大城縣 直隸順天府	保定縣 直隸順天府

固安縣：衝，繁，難。新書地理志：固安，上。輿地廣記：固安，上。元地理志：固安州，下。周韓侯國，一統志：按舊説皆以韓國在同州韓城縣，顧炎武日知録辨之曰：水經注引王肅言，方城有韓侯城，今固安縣卽漢之方城。水經注又云：濕水經良鄉縣之北界，歷梁山南，高梁水出焉，是所謂奕奕梁山者矣。曹氏，武王子，初封於韓，其時召襄公封於北燕，實爲司空，王命燕衆城之同州，去韓二千里，卽命召公爲司空，掌邦土以當發民于近甸而已。豈有役二千里外之人，而爲築城者哉？況其追其貊乃東北之夷，而蹶父之靡國不到，亦似謂韓土在北郵之遠也。乃考王符潛夫論曰：昔周宣王時有韓侯，其國近燕，故詩云：溥彼韓城，燕師所完。漢時去古未遠，當有傳授，今以水經注爲定。燕爲方城邑。水經聖水注：聖水東逕方城縣故城，李牧伐燕取方城。是也。漢置縣，屬廣陽國，新斠注地理志：方城在今順天府固安縣西南。括地志：故城在固安縣南十七里。兼置臨鄉、新斠注地理志：臨鄉在今順天府固安縣縣南五十里。寰宇記：故城在固安縣南五十里。應邵曰：在方城南十里。水經聖水注：護淀水，上承護陂於臨鄉縣故城西，東南逕臨鄉城南，漢封廣陽頃王子雲爲侯國。地理風俗記曰：方城南十里有臨鄉城，故縣也。漢王子侯表：臨鄉頃侯雲，廣陽頃王子，六月封。元帝五年。陽鄉二國。新斠注地理志：陽鄉在今固安縣西北二十五里。後漢書注：故城在固安縣西北。應邵曰：以涿縣東五十陽亭里置。水經聖水注：聖水又東南逕陽鄉城西，縣故涿之陽亭也。地理風俗記曰：涿縣五十里有陽鄉亭，後分爲縣，卽長鄉

縣也。漢王子侯表：陽鄉思侯發，廣陽頃王子，六月封。元帝五年。莽改陽鄉曰章武，後漢屬涿郡，省臨鄉，陽鄉來入。續漢郡國志：方城故屬廣陽，有臨鄉。注：故縣，後省。魏爲侯國，屬范陽郡。魏志劉放傳：初封西鄉侯，景初元年進封方城侯。晉屬范陽國，又置長鄉縣。寰宇記：陽鄉故城在今縣西北二十七里，後漢省，晉復置，爲長鄉縣。魏地形志：萇鄉晉屬，有萇鄉城。後魏屬范陽郡，改長鄉爲萇鄉。齊天保七年，省入涿縣，并省萇鄉入涿。隋開皇六年，改置固安縣，屬幽州，寰宇記：隋開皇九年，自今易州淶水界移固安縣於此，屬幽州，取漢固安縣以爲名。大業初，屬涿郡。隋地理志：固安舊曰故安，隋開皇六年改焉。唐武德四年，移治章信城，屬北義州。貞觀元年，寰宇記：武德四年又移理歸義縣界章信堡。貞觀元年，又移於今理。省北義州，還屬幽州，又移今治。遼志作貞觀二年。如意元年，析縣西境，置武隆縣。大曆四年，改屬涿州，復析縣境，置新昌。按：在今保定府新城縣東三十里。遼屬涿州，隸析津府，宋屬涿州，金仍屬涿州。元地理志：固安州，唐爲固安縣，隸幽州。宋隸涿水郡，金隸涿州。廿二史考異按：宋制以州領縣，遼時固安隸涿州。宣和收復之後，固安仍隸涿州，金特因宋之舊耳。但宋時諸州，又有郡名，故宋志於涿州下又有賜郡名曰涿水之文，非改州名爲郡也。明初修史諸臣，昧於地理，妄疑升州爲郡，故有此失。元憲宗九年，改屬霸州，又改屬大興府。中統四年，升固安州。明洪武元年，改州爲縣，屬北平府。永樂元年，屬順天府。明地理志：固安府西南，元固安州。洪武元年十二月降爲縣。本朝因之。

永清縣：要。新書地理志：永清，緊。輿地廣記：永清，緊。元地理志：永清，下。戰國秦爲方城東境。漢爲益昌縣地。元帝永光三年，建益昌國。新斠注地理志：益昌，今順天府永清縣。寰宇記：故城在固安縣東五十里。應劭曰：在方城東八十里。漢王子侯表：益昌頃侯嬰，廣陽頃王子，永光三年三月封。莽曰有秩。後漢省入安次。晉以後爲安次、方城二縣地。隋開皇六年，移固安於故方城縣，後復爲固安縣地。大業五年置通澤縣，隋末廢。方輿紀要：通澤廢縣在縣西五里。唐如意元年，置武隆縣於今理，屬幽州。景雲五年，改曰會昌。天寶元年，又改曰永清。寰宇記：以邊境永清爲名。晉天福中，入於遼，屬幽都府，於縣治建益津關。周顯德六年，取縣地，置霸州於縣治。仁宗景祐二年，省入文安，移文安縣來治。皇祐元年，文安還舊治爲文安縣。北境，金太宗時，復置永清縣，改屬析津府。方輿紀要：石晉没於契丹，周世宗復取之。宋初爲霸州治，景祐二年并入文安。金復置。元屬大都路。明初屬北平府，後屬順天府。明地理志：永清府南。本朝因之。

章學誠永清縣志：永清沿革，自唐以前最爲糾紛難考。見於史志，惟漢嘗置益昌縣，後漢省之。由三國、六朝以訖於隋，始置通澤縣，尋廢。至唐武后如意中，始立武隆縣。景雲中，改會昌縣。元宗天寶元年，乃立永清縣名。以故舊志於唐以前，東漢而後，歷南北諸朝，一概削而不載。至漢以前，因史無明文，遂云周秦無考。而五代以後，又不載宋與遼、金南北得失始末，而并不知唐置永清，與今縣大小異形，宜其考沿革者竟如治絲而棼之也。按酈道元水經注：方城縣東八十里有益昌縣故城。方城爲今固安縣地。括地志：方城舊城在今縣東南十七里。方輿紀要所引。唐書地理志：如意元年，分安次縣置武清縣。是則後漢省縣以後，當以方城東境、安次西境爲今永清地，蓋縣廢而地境方隅固，可考四至而得也。至周秦之間，雖無明文可考，然方城故城既在今固安縣境內，而益昌故地又在方城縣東，自宜以永清爲古方城東境。而方城之名，見於國策，趙使李牧拔武遂、方城。徐廣曰：武遂屬河間，方城屬涿，正其地也。至西漢，既立益昌縣，則溯沿革，自宜于此始定專名。然漢縣畺域較今爲廣，後漢廢益昌爲安次縣地，唐又析安次爲永清縣地，周世宗顯德六年，取益津關置霸州，仍治永清，五代職方考。則東至安次，南至霸州，皆益昌故地，而舊志以益昌全縣竟以今永清縣當之，非其質矣。又酈道元爲元魏時人，元魏改安次爲安城，其時縣故未廢，而水經注稱益昌故城，不曰在安城境，而曰在方城縣東，則固安亦有益昌舊地可知，而舊志概未之及，殊不可解。至永清名縣，雖始於唐，而周世宗未置霸州以前，則永清兼有霸州之地，亦不得以今之永清而遂當唐縣也。隋置通澤縣，不見于地理志。太平寰宇記云：隋末廢。蓋大業七年所置，置不久而旋廢，故地志不録，而舊志乃云唐武后改通澤縣爲武隆縣，亦失記事之實。至石晉而後，入于契丹，周世宗置霸州，治永清縣。宋景祐中，以永清省入文安。金太宗復永清縣，隸析津府。史志歷有明文，而舊志竟以宋爲遣兵戍守，未建縣治，全削宋、金南北互有之文，則尤爲妄矣。蓋北宋自仁宗景祐前，以永清仍周之舊，太平寰宇記載，河北道幽州永清縣，最爲明顯。景祐以後，永清併入文安縣地。至徽宗宣和中，文安尚隸燕山府。徽、欽而後，乃入于金，而畿輔通志則直云析津府六州、十一縣。永清在內。遼天祚帝保大末年入金，天輔七年入宋，宣和五年屬燕山路，尋仍入金，轉似周末北宋時未嘗爲南朝所有者，則不知其何所據也。按：遼保大末，即宋宣和末年，徽、欽失守，而地入于金，前此未嘗非宋有也。金天輔七年，爲宋宣和三年，宋史徽宗本紀：宣和四年十月，改燕京爲燕山府。五年正月，命王安中爲燕山府路宣撫使知燕山府。四月，金遣楊璞以燕京涿、易等州來歸。此皆當遼保大之末。安得倒置年月，謂由遼入金，由金入宋，然後仍入於金乎？蓋通志惟據遼史地理志，見有析津府六州、十一縣之全文，以謂志既全載，疑遼始終有之，故附會保大末年入金之説耳。保大末爲遼亡。不知史志之文，皆據一朝最盛之形勢以括其餘。遼天顯中，石晉以河北十六州歸遼，于是置府建都，地志安得不載？而中間爲宋改縣，景初二年。爲周置州，顯德六年。俱在天顯之後，則未可以一律而斷也。蓋永清沿革之難考者三，西漢置縣，而東漢尋廢，自六朝訖隋，數百年未有專名，不能不兼考鄰境，以定縣界。其難一也。東涉東安，西涉固安，南兼霸州，始得古永清地，而又不能盡有其地，凡古書之涉方城、安次諸境者，又無東西界畫，與今存遺跡，明知不盡出于今日之永清，而不能不與兼收並蓄。其難二也。自五代訖宋、遼、金，載筆混淆，有無互見，難以折衷，强定南北。其難三也。今并以史志爲準，而參考于記載雜説，補舊志之荒陋，而辨前人之異同，畧次梗概如右，俟覽者詳焉。

東安縣：要。新書地理志：安次，上。輿地廣記：安次，上。元地理志：東安州，下。漢安次縣，新斠注地理志：安次在今順天府東安縣西。初屬燕國，後屬勃海郡。寰宇記：安次縣本漢舊縣，東枕永濟渠，漢武帝以屬燕王，旦有罪削，以屬渤海郡。方輿紀要：光武初追破尤來、大槍諸賊於安次，即在此地。後漢屬廣陽郡，省益昌來入。續漢郡國志：廣陽郡安次，故屬渤海。寰宇記引續漢志作屬漁陽郡，今本作廣陽郡。按：安次由渤海改屬廣陽，魏地形志可證，未屬漁陽也。作漁陽者，字誤。魏屬燕國，晉爲侯國，屬燕。魏改名安城，屬燕郡。魏地形志：前漢屬渤海郡，後漢屬廣陽郡，晉屬有安次城。隋復曰安次，屬涿郡。唐屬幽州，武德四年，移於城東南五十里石梁城。方輿紀要：石梁城在舊州城東南五十里。或云，南北朝時所置，戍守城也。貞觀八年，又自石梁城移理魏常道城。按：地形志，安次縣有故萇鄉城，萇即常字之轉。方輿紀要：常道城在舊州頭西五里。酈道元曰：故鄉亭也。三國魏燕王宇之子璜封常道鄉公。甘露五年，司馬昭迎立之。又晉司空劉琨嘗守此以據石勒。北魏主宏封宇文英爲常道鄉公，皆此地。武后如意元年，析縣東境與固安西境，置武隆縣。按：即今之永清。神龍初，徙昌州來寄治。舊書地理志：昌州，貞觀二年置，領契丹松漠部落，隸營州都督府。萬歲通天二年，遷於青州安置。神龍初，遷隸幽州，領縣一，龍山。新書地理志：昌平，貞觀二年以松漠府部落置，僑治營州之靜蕃戍。七年徙於三合鎮，後治安次之故常道城。開元二十三年，又自常道城移就耿橋市南。按縣志：舊治在渾河水次，居民輳集，名舊州頭，以元置東安州也。遼屬析津府，宋屬燕山府，金屬大興府，元太宗七年改屬霸州。中統四年，升爲東安州，隸大都路。明洪武元年，改爲東安縣，屬北平府。三年，又移治常伯鄉張李店，卽今縣治，後屬順天府。明地理志：東安府東南，元東安州治在西，洪武三年徙今治。一統志：明洪武初，降州爲縣。三年，避渾河水患，又移治常伯鄉張李店，卽今治也。縣志：漢安次故城在今縣西北四十里，其址尚存，俗呼古縣。又東安舊州在古縣西五里，俗名爲舊州頭，今皆有集。本朝因之。

霸州：衝，繁。輿地廣記：霸州，中。元豐九域志：霸州，中。宋地理志：霸州，中。元地理志：霸州，下。漢益昌、安次二縣地，後漢省益昌爲安次縣地。唐爲永清縣地。晉天福中，入於遼，建益津關於永清縣。通鑑注引宋白曰：益津關本幽州會昌縣，唐天寶中改永清縣。周世宗顯德六年，取益津關，置霸州。通鑑注引金人畺域志圖：霸州至燕京，三百五十里。仍以永清爲州治，以鄚州之文安，瀛州之大城來屬。宋亦曰霸州，治文安縣。景祐二年，廢永清縣，徙文安於故永清縣，爲州治。皇祐元年，文安復還舊縣，仍爲州治。太平興國六年，以淤口砦建破虜軍。景德二年，改爲信安軍。政和三年，賜郡名永清，屬河北東路。貞元二年，改屬中都路。大定七年，降信安軍爲縣，來屬。元地理志：霸州，宋升永清郡，金置信安軍。廿二史考異：宋承後周之舊，亦爲霸州。政和三年，賜郡名曰永清，蓋宋時諸州皆有郡名，以爲封爵之號，其郡名皆依唐舊，若五代及遼增置之州，向無郡名，故政和依例賜之，非升州爲郡，且郡名之有無，無關沿革，本不必書，若有書有不書，有難免里漏之譏矣。又考宋時以霸州建信安軍，金大定中降軍爲縣，隸霸州，然則信安軍非金所置，此志之誤也。大定二十九年，置益津縣，徙州治益津。方輿紀要：益津廢縣，今州治。金大定二十九年始置，徙州治於此。元光元年，升信安爲鎮安府。金地理志：信安，國初因宋爲信安軍。大定七年，降爲信安縣，隸霸州。元光元年四月，升爲鎮安府，所以重高陽公張甫也。元初廢，仍置霸州，屬燕京路。中統四年，省益津入州。至元二年復置。省保定來入。四年復，洪武初省益津入州，屬北平府，後屬順天府，領文安、大城、保定三縣。明地理志：霸州北距府二百里。本朝因之。雍正六年，改文安、大城、保定直隸順天府。

文安縣：繁，難。新書地理志：文安，上。輿地廣記：文安，上。元豐九域志：文安，上。宋地理志：文安，上。元地理志：文安，上。本漢文安縣地，新斠注地理志：在今順天府文安縣東北。通典、後漢書注，並云故城今在縣之東北。屬渤海郡。後漢屬河間國。按：寰宇記云，和帝二年置瀛州，縣屬焉。考瀛州，魏太和十一年置，東漢無瀛州也。魏武帝分河間、渤海，置章武國，文安屬焉。晉爲縣，屬章武國。石趙改國爲郡，復屬章武郡。魏地形志：晉屬章武郡，後改。按：勒以樊坦爲章武内史。永和六年，冉閔章武太守賈堅，是改國爲郡之證。魏太和十一年，置瀛州，以章武郡隸之。北齊省西章武來入。隋大業七年，於州口當三河會流之處，割文安、平舒二邑户，於河口置豐利縣，屬河間郡。唐貞觀元年，以二縣相逼，廢豐利，徙文安於豐利，即今城也，屬瀛州。景雲二年，改屬鄚州。周顯德六年，改屬霸州。宋景祐二年，移入州郭，省永清來入。皇祐復故，仍爲州治。金大定二十九年，州徙益津縣，仍爲州屬。元屬大都路霸州。明屬順天府霸州。本朝因之。雍正六年，改直隸順天府。

大城縣：繁，難。新書地理志：平舒，上。輿地廣記：大城，上。元豐九域志：大城，上。宋地理志：大城，上。元地理志：大城，下。漢置東平舒縣，屬渤海郡。新斠注地理志：今順天府大城縣。寰宇記：平舒者，以人性寬舒爲縣名。一統志：東平舒故城，今大城縣治，漢置。水經注：漳水枝瀆逕東平舒縣故城，南代郡有平舒城，故加東。魏土地記曰：章武郡治，世以爲章武故城，非也。括地志：平舒縣在瀛州東北一百三十五里，衡漳水在其界。寰宇記：大城縣西北，去霸州九十五里，本漢東平舒縣，周顯德六年，割隸霸州，今改名大城。九域志：縣在益津關東南一百五里，五代時所置也。縣志：故城址基在今縣北，土壟迴折，又名越州城，今城仍舊址築，止得其半。後漢屬河間國。魏於縣置章武郡。三國畺域志：章武郡，魏武分河間、渤海置，領縣四。杜畿傳：子恕，嘉平元年免官，徙章武郡。晉地理志：魏武置郡十二，其一章武。及章武國下云泰始元年置。蓋誤也。晉爲章武國治。晉宗室傳：司馬威，武帝咸甯三年改封章武王，又改封義陽王。司馬混，武帝咸甯三年，威改封義陽王，後封混章武王。魏地形志：章武，晉置章武國，後改。石趙因之。前燕改章武郡。按：晉書，趙王五年，勒以樊坦爲章武内史。又儁以慕容評爲章武太守。是改國爲郡，或是時也。魏曰平舒，爲章武郡治。正光中，分章武，置西章武縣，仍屬章武郡。魏地形志：西章武，正光中分滄州章武置。北齊省西章武入縣。一統志：西章武故城，在大城縣南。漢章武縣在今滄州界。後魏正光中，分置西章武縣，屬章武郡，北齊省。舊志：章武城在今縣南四十七里，以在章武之西，故加西也。按：隋地理志，平舒舊置章武郡，開皇初廢。寰宇記云：北齊廢郡爲平舒縣，誤。縣自漢爲東平舒，魏爲平舒，齊省西章武入平舒，因此而誤，郡實廢於開皇初也。隋開皇十六年，於長蘆縣置景州，平舒隸焉。大業初，州廢，縣屬河間郡。唐武德四年，復置景州，仍割平舒屬之。貞觀元年，州廢，還屬瀛州。按：通志云，隋開皇初，郡廢，屬河間郡。乾隆府廳州縣圖志同。第以隋志屬河間郡，遂若由章武卽改屬河間者，考之開皇初改郡爲州，大業初改州爲郡，改郡之時，河間尚爲瀛州，并無河間之名。寰宇記云：北齊改郡爲平舒縣，隋開皇十六年於長蘆縣置景州，平舒縣屬焉。大業末，劉黑闥兵亂河朔，侵吞郡縣，唐武德四年，賊平，縣屬景州。貞觀元年，州廢，歸瀛。方輿紀要從之，與唐書少異，而考證獨詳，今據改。後唐改曰大城。通志：周顯德六年，收復，改曰大城。按方輿紀要云：五代唐改爲大城縣。通鑑：置霸州，以莫州之文安，瀛州之大城來屬。是已名大城，非周改也。通志誤。晉天福中入遼。周顯德六年收復，改屬霸州。宋、金、元、明用之。本朝屬順天府霸州，雍正六年，改直隸順天府。

保定縣：簡。輿地廣記：保定軍同下州。元豐九域志：保定軍同下州。宋地理志：保定軍同下州。元地理志：保定，下。自漢至魏，爲易縣東境地。北齊省入鄚，爲鄚東境地。唐武德元年，置歸義縣，又爲歸義東境地。通鑑志、九域志：雄州治歸義、容城二縣，蓋皆置於郭下。宋初改歸信縣，又爲歸信東境地。太平興國六年，置平戎軍。寰宇記：平戎軍本莫州新鎮之地，皇朝太平興國六年，升爲平戎軍，以扼邊隘之喉。景德元年，改爲保定軍，隸莫州。景祐元年，析霸州之文安、大城二縣五百户隸軍。宣和七年，廢保定軍爲保定縣，隸莫州，知縣事仍兼軍使，三朝北盟彙編：河北、河東、陝西路宣撫使童貫奏，樞密院劄子，河北舊沿邊州軍，多係景德年就升城寨爲之，以張形勢，控制黠虜，今燕山已撫定，舊邊悉城內地，今相度安肅軍改爲安肅縣，知縣事兼安肅軍使，隸保定。永寧軍依舊爲博野縣，知縣事兼永寧軍使，隸祁州。保定軍改爲保定縣，知縣事兼保定軍使，隸莫州。舊來沿邊建置諸寨，除信安軍所管以東不可減省外，其餘亦合廢罷。奉御筆：依。尋復故。日下舊聞考：保定入金，卽宋徽宗宣和七年事也。是時其地已屬金之雄州。據宋史地理志所云，尋依舊者，蓋具文耳，實非宋有也。金復爲縣，屬雄州。元至元二年，省入益津。四年，復置，屬霸州。明洪武七年，省入霸州。十三年，復置，屬霸州，隸順天府。明地理志：保定州南少西。本朝因之。雍正六年，改直隸順天府。

東路廳屬沿革表

	通	三河	寶坻	薊	武清	香河	甯河
周			燕國周初都此，後徙薊。無終子國春秋時無終縣右北平郡治，秦楚之際遼東王都此。				

漢	幽州	路縣屬漁陽郡，莽曰通路亭。安樂縣屬漁陽郡	路縣地	泉州縣北境	無終縣屬右北平郡	雍奴縣屬漁陽郡　泉州縣屬漁陽郡	雍奴縣東北境	泉州縣北境
後漢	幽州	潞縣屬漁陽郡治　安樂縣屬漁陽郡	潞縣地	泉州縣北境	無終縣屬右北平郡	雍奴縣屬漁陽郡　泉州縣屬漁陽郡	雍奴縣東北境	泉州縣北境
三國	幽州	潞縣屬燕國　安樂縣屬燕國	潞縣地	泉州縣北境	無終縣屬北平郡	雍奴縣屬燕國　泉州縣屬燕國	雍奴縣東北境	泉州縣北境

晉	幽州	潞縣 屬燕國 安樂縣 屬燕國	潞縣地	泉州縣北境	無終縣 屬北平郡	雍奴縣 屬燕國 泉州縣 屬燕國		
後趙 前燕 前秦 後燕	幽州	潞縣 屬漁陽郡 安樂縣 屬漁陽郡	潞縣地	泉州縣北境	無終縣 屬北平郡	雍奴縣 屬漁陽郡 泉州縣 屬漁陽郡	雍奴縣東北境	泉州縣北境
魏	幽州	潞縣 屬漁陽郡，省安樂縣來入。	潞縣地	雍奴縣東北境	無終縣 屬漁陽郡	雍奴縣 漁陽郡治，省泉州縣來入。	雍奴縣東北境	雍奴縣東北境

北齊	東北道行臺	潞縣屬漁陽郡	潞縣地	雍奴縣東北境	無終縣屬漁陽郡	雍奴縣屬漁陽郡	雍奴縣東北境	雍奴縣東北境
周	幽州總管府	潞縣屬漁陽郡	潞縣地	雍奴縣東北境	無終縣屬漁陽郡	雍奴縣屬漁陽郡	雍奴縣東北境	雍奴縣東北境
隋		潞縣屬涿郡	潞縣地	雍奴縣東北境	漁陽縣無終縣改名，漁陽郡治。	雍奴縣屬涿郡	雍奴縣東北境	雍奴縣東北境
唐	河北道	潞縣屬幽州 昌黎縣僑縣，崇州治 賓從縣	臨泃縣析潞縣置，屬元州，尋與州俱省入潞。 三河縣	武清縣東北境	漁陽縣薊州治	武清縣雍奴縣改名，屬幽州。	武清縣東北境	武清縣東北境

	五代 梁	五代 唐	遼	宋
	河北道	河北道	南京道	燕山府路
僑縣鮮州	潞縣 屬幽州	潞縣 屬幽州	潞縣 屬析津府 漷陰縣 析潞縣、武清縣置，屬析津府。	潞縣 屬燕
析潞縣置屬薊州	省三河	三河縣 屬薊州	三河縣 屬薊州	三河縣
	武清縣東北境	武清縣東北境	香河縣東境	香河縣東境
	漁陽縣 薊州治	漁陽縣 薊州治	漁陽縣 薊州治	漁陽縣
	武清縣 屬幽州	武清縣 屬幽州	武清縣 屬析津府	武清縣
	武清縣東北境	武清縣東北境	香河縣 析武清縣置，并割三河縣、潞縣地益之，屬析津府。	香河縣
	武清縣東北境	武清縣東北境	香河縣東境	香河縣東境

	金	元
	中都路	直隸中書省
山府 漷陰縣屬燕山府	潞縣通州治	潞縣通州治 漷州漷陰縣升，屬大都路
屬薊州	三河縣屬通州	三河縣屬通州
	寶坻縣析香河縣置，屬大興府。承安三年，升置盈州，尋廢州。	寶坻縣屬大都路
賜名平盧縣，薊州治。	漁陽縣薊州治	漁陽縣薊州治
屬燕山府	武清縣屬大興府	武清縣屬漷州
賜名清化縣，屬燕山府。	香河縣屬大興府	香河縣屬漷州
	寶坻縣東北境	寶坻縣東南境

明	京師順天府	通州省潞縣入州屬順天府 漷縣州降屬通州	三河縣屬通州	寶坻縣屬通州	薊州省漁陽縣入州屬順天府	武清縣屬通州	香河縣屬順天府	寶坻縣東南境
國朝	京師順天府	通州省漷縣入州屬順天府	三河縣直隸順天府	寶坻縣直隸順天府	薊州屬順天府	武清縣直隸順天府	香河縣屬順天府	甯河縣析寶坻縣置，屬順天府。

通州：衝，繁，疲，難。新書地理志：潞，上。輿地廣記：潞縣，上。金地理志：通州，下。元地理志：通州，下。漢路縣，新斠注地理志：路在今順天府通州東南。後漢書注：今幽州縣，以水名縣。安樂縣，新斠注地理志：安樂在今通州。通典、後漢書皆云故城在潞縣北。屬漁陽郡。莽曰通路亭。後漢曰潞，日下舊聞考按：漢書地理志，漁陽郡下之路縣作路，與上黨郡之潞，故潞子國異文。後漢書郡國志，漁陽郡下始列潞縣，爲潞河之文承用始也。爲漁陽郡治。劉錫信潞縣故城考：通州潞河東八里許有古城，周圍四里，其遺址約高五六尺，東、西、北三面俱存，惟南面近官道，已成陸地。西北隅遺堞獨高峻，尚丈餘，疑當日之角樓、瞭敵臺之類，未可知也。考之州志，曰前代駐兵之所，或云古潞縣，疑不能明也。歲在壬午，土人於古城北得一石，爲唐景城主簿彭涚權殯誌銘。余於癸巳歲始購得之。誌云：建中二年，季弟長源，迎神葬於古漁陽城北采貴里之原。則又稱此城爲古漁陽城。予初益疑之。按水經注云：鮑邱水又南逕潞縣故城西，王莽之通潞亭也。漢光武遣吳漢、耿弇等破銅馬、五幡於潞東，謂是縣也。屈而東南流，逕潞城南，世祖拜彭寵爲漁陽太守，治此。寵叛，光武遣遊擊將軍鄧隆伐之，軍於是水之南。鮑邱水即今潞河。潞河過今城州東，即屈而東南流，古城在潞河東，

與水經注所謂南逕潞河故城西相合。余尋訪其地，登古城廢堞南望，河去城約三里，時當秋日，漕艘未盡南下，帆檣林立，蓋河至此折而東流，正經古城之南，與水經注所謂屈而東流，南逕潞城南，正合。則古城爲漢時潞縣城，無疑也。潞水皆南流，惟至此折而東流，隆是以得軍此水之南，非親至其地者不知也。又按續漢書五行志云：建武中，漁陽太守彭寵被徵，書至，明日潞縣火，災起城中，飛出城外，燔千餘家，殺人。時寵與幽州牧朱浮有隙，疑浮見浸譖，遂反，叛攻浮，卒誅滅。卽此徵之，亦可見潞縣爲太守治所。寵初被徵，而郡城災，爲破滅之兆。若潞仍如西漢時爲漁陽郡支縣，遠在數百里外，卽偶而遇災，何以遂見爲太守感應之兆？志雖無明文，可以互證也。但續漢書郡國志，漁陽郡所領縣仍以漁陽縣爲首，或司馬彪誤沿班志舊文，未及更正，或東漢中葉，漁陽郡仍歸治故地，俱未可知。然觀三國志所載，劉虞從事鮮于輔、閻柔等欲報公孫瓚，與瓚所置漁陽太守鄒丹戰于潞北，則又似終東漢之世，漁陽郡俱治潞縣者。然則果司馬彪編列失序也，脱非獲此唐刻，竟無從確考此城爲潞縣故城，卽東漢漁陽郡治，今由此石而證之以水經注、五行志，使二千年之古蹟，粲然可考，并可補後漢書及歷代地理諸家之闕，金石之裨益良多也。又州志分别通路亭别爲一條，而注云遺址莫考。不知通路亭卽潞縣故城也。水經注明言之矣。蓋通潞非亭館之亭，亦非漢志十里一亭，及後漢封爵亭侯之亭，按漢書王莽改縣以亭名者三百六十，以應符命文，則莽之所謂亭，卽縣也，特異其名，亦應符命耳。後人不察，似莽曾建亭館于潞，而著之爲古蹟之一，非其實矣。

建安中，魏武省漁陽，改屬燕國。晉因之，後置漁陽郡，縣還隸焉。

魏地形志：漁陽郡潞，二漢屬，晉屬，燕國後屬。按：漁陽之置，史無明文，然晉載記，趙國二十四郡有漁陽，核之魏志，知必晉時復置矣。

魏移漁陽治雍奴。太平真君七年，省平谷來入。十年，省安樂來入。

方輿紀要：安樂城在州西北，亦漢漁陽郡屬縣，更始初，吴漢爲安樂令，卽此。後漢仍屬漁陽郡。曹魏景元四年滅蜀，封後主禪爲安樂公。晉亦曰安樂縣，屬燕國。北魏太平真君七年廢入潞縣。日下舊聞考：安樂縣城遺址雖不存，然方輿紀要既云北魏廢入潞縣，則在今通州境内可知也。太子賢後漢書注云：安樂故城在今幽州潞縣西北。則唐人言之矣。樂史寰宇記：安樂故城今在潞縣西北。則宋人言之矣。又馬端臨文獻通考，亦載安樂故城于潞縣下。則元人言之矣。朱彝尊原書獨載此安樂故城五條於順義卷内，則因顧炎武昌平山水記，後魏安樂郡故城一條牽連，書之致誤耳。考安樂本非因縣爲郡，郡自在今順義縣境，縣自在今通州境，不得以名之相同而混郡縣爲一也。按：安樂廢入潞，方輿紀要蓋據地形志。

齊屬漁陽郡。

劉錫信潞郡辨：清類天文分野之書載：通州北魏時分置潞郡。按魏書地形志，無潞郡。而潞縣隸漁陽郡。方輿紀要云，北齊時分置潞郡，不知何據。參考隋志，齊於潞縣置郡，仍名漁陽，不名潞郡也。顧氏似沿清類天文分野之書，又知魏志無潞郡，遂稍變其時代耳。

周又為漁陽郡治。

劉錫信漁陽郡三治潞考：漁陽郡曾三治潞縣，而州志俱未載。其東漢及宇文周并方輿紀要諸書，亦未之載也。東漢治潞，見水經注，前段已詳言之矣。隋書地理志，涿郡潞縣下云：舊置漁陽郡，開皇初郡廢。隋承周後，則周之漁陽郡治潞，不待言矣。考周滅北齊僅四年，卽禪于隋，于齊之郡縣未必大有更置。隋志不曰周置，而曰舊置，或統承齊氏而言之也。唐書地理志，潞縣下云：武德二年，自無終徙漁陽郡於此，置元州。蓋隋漁陽郡治無終，至此徙治潞縣也。唐人州郡互稱，有時改州爲郡，有時改郡爲州。如幽州范陽郡，其元州則漁陽郡也。迨貞觀二年，罷元州，開元十八年，分置薊州，號漁陽郡。隋開皇初廢郡，以縣屬幽州。大業初隸涿郡，劉錫信潞縣治考：潞縣舊治，二漢時在今潞東河八里之故城，唐以後卽治今州城，此俱證之舊年所得唐石刻，可以爲據。惟中間二三百年，未審治河所。按：水經注引魏氏土地記云：潞縣城西三十里，潞河也。以此計之，元魏潞縣治所當在潞河東三十里，約畧在今通州、三河交界之地。今遺址絕無可考，古人里數較小，三十里在今僅二十餘里。蓋是時尚未析三河縣。元魏縣治在適中之地，里或近之，不知何時徙治潞河西，疑當在齊周設漁陽郡之時。今州城北十三級然燈佛塔，穹窿高峻，頗爲巨觀，建自周宇文氏，當日建塔必在郡邑城市之地，意潞縣必已徙治於此矣。潞縣既治河西，與縣治東境遼遠，此唐初所以析置臨泃縣，既省之後，而後開元初復析置三河縣，皆割潞之東境，此亦理勢所必然也。唐武德二年，於縣置元州，析置臨泃縣。舊書地理志：元州領潞、臨泃、漁陽、無終四縣。貞觀元年，廢元州，省臨泃入潞，舊書地理志：省臨泃、無終二縣，以潞、漁陽屬幽州。仍屬幽州。神龍初，徙崇州、鮮州來寄治。舊書地理志：崇州，武德五年分饒樂郡都督府置崇州、鮮州，處奚可汗部落，隸營州都督，舊領縣一，昌黎。貞觀二年，置北黎州，寄治營州東北，廢楊師鎮。八年，改爲崇州，置昌黎縣。契丹陷營州，徙治于潞縣之古潞城爲縣。鮮州，武德五年分饒樂郡都督府奚部落置，隸營州都督。萬歲通天元年，遷於青州安置。神龍初，改隸幽州。天寶領縣一，賓從。初置營州界，自青州還寄治潞縣之古潞城。開元四年，析置三河縣於故臨泃縣。後唐趙德鈞移城於潞水東，卽今治也。一統志、水經注引魏氏土地記：潞水在潞縣城西三十里。寰宇記亦據其說。是潞縣自唐以前雖嘗遷改，而水在城西則不異也。今潞水在州東，自遼、金至明，不聞有遷改事，惟通鑑載，五代時趙德鈞城潞縣，其去州道里，較寰宇記少十里，遷治蓋在是時也。遼屬析津府。金天德三年，升通州，按：金天德三年，改黎陽之通州爲潞州，以此縣升爲通州，屬大都路。元地理志：金改通州，取漕運通濟之義，有豐備、通濟太倉，以供京師。屬大興府，領潞、三河二縣。元因之，屬大都路。明洪武初，省潞縣入州。十年，寶坻由直隸北平府來屬。十二年，武清由漷州來屬。十四年，降漷州爲縣，來屬，一統志：漷縣故城在通州南四十五里，本遼所置漷陰縣也。遼地理志：析津府統漷陰縣，本漢泉州之霍村鎮，遼每季春，弋獵於延芳淀，居民成邑，就城故漷陰鎮，後改爲縣，在京東南九十里。金地理志：大興府漷陰縣，遼太平中以漷陰村置。元地理志：元初，漷陰縣爲大興府屬邑，至元十三年，升漷州屬大都路。舊志：縣舊治在城南隅，元升爲州，遷於河西務。至正間復移舊治。明洪武五年，降州爲漷縣，屬通州，仍舊治。正德初，始築土城，周二里，門四。萬曆四年，甃甎。本朝順治十年，以地狹人稀，入通州。屬北平府，後屬順天府。本朝順治十六年，省漷縣入州。雍正三年，改武清屬天津州。四年，還屬。六年，改三河、寶坻、武清三縣直隸順天府。通州志沿革：通州，國朝屬順天府，隸通州兵備道。順治七年，隸通密兵備道。十四年，隸通薊兵備道。俱仍領四縣。順治十六年，省漷縣入州，仍領三、武、寶三縣。康熙八年，屬通永道。雍正六年，屬東路廳。刑名由東路廳核轉，錢穀由通永道核轉，所領三縣，改隸廳屬。乾隆十九年，錢穀亦歸東路廳核轉，其三縣改隸之後，文移尚仍統屬舊制。乾隆二十五年，詳准改用平行。

三河縣：衝，繁，難。新書地理志：三河，中。輿地廣記：三河，中。元地理志：三河，下。自漢至隋，皆潞縣地。唐武德四年，因石趙臨泃城，置臨泃縣，方輿紀要：臨泃城在縣南，石趙所置，以臨泃水而名，亦曰臨渠城。晉永和六年，燕慕容霸伐趙，出徒河，收樂安北平兵糧，與其主儁會於臨泃，卽此城也。遼地理志：三河本漢臨朐縣地。廿二史考異：朐當作泃，字之譌也。兩漢志俱無臨泃縣。唐武德二年，析潞縣置臨泃。貞觀元年，省。開元四年，復析潞縣，置三河縣，蓋卽臨泃故城。臨泃唐縣，非漢縣，明矣。明一統志又承遼志之誤。屬元州。貞觀元年，省入潞。開元四年，復分潞，置三河縣，方輿紀要：以地近七渡、鮑邸、臨泃三水而名。屬幽州。十八年，改屬薊州。五代初廢。後唐長興三年，復置，屬幽州。通鑑：趙德鈞爲節度使，於幽州東北百餘里，城三河縣，以通薊州運路，邊人賴之。城邑考：舊城在今縣東三里泃河南，被水衝廢。今三河城，卽趙德鈞所改置。城方十里，濠闊三丈，深半之。遼仍屬薊州。宋亦屬薊州。金改屬通州。明亦屬通州。明地理志：三河，州東北。本朝因之。雍正六年，改直隸順天府。

寶坻縣：衝，疲，難。金地理志：寶坻，下。漢泉州地。魏省泉州入雍奴，爲雍奴地，復改武清，爲武清地。遼析武清，置香河，爲香河地。後唐於此置鹽倉。金初爲新倉鎮。大定十二年，置寶坻縣，屬大興府。金劉晞顏新建寶坻縣記畧：幽州，秦爲上谷郡，歷漢、魏至隋、唐，或爲燕國，或爲廣陽國，或爲涿郡，或爲范陽郡，廢置更易不常。唐末，劉仁恭率燕，其子守光僭稱燕王，置蘆臺軍於海口鎮，以備滄州。後唐莊宗命大將周德威破燕軍於平岡，復收蘆臺軍。同光中，以趙德鈞鎮其地，遂因蘆臺鹵地置鹽場，又舟行運鹽，東去京國一百八十里，相其地高阜平闊，因置榷鹽院，謂之新倉，以貯鹽。復開渠通鹽貿于瀛、莫間，上下資其利。清泰三年，晉祖以遼主有援立之勞，遂以山前後十六州遺遼，改爲燕京，因置新倉鎮。其後居民漸聚，成井肆，遂於武清北鄙孫村，度地之宜，分武清、潞縣、三河之民置香河縣，仍以新倉鎮隸之焉。國朝天德間，詔建都于燕京。于時畿内重地新倉鎮，頗爲稱首，以榷院自趙德鈞創始以來，歷遼室及國朝二百年，每歲所出利源不竭，以補國用故也。主上中興，撥亂反正，思補正隆殘弊，命有司改榷鹽院，置使司，陞爲五品，設副使之官，傔從俸秩，視諸刺部，以重其事。於時居人市易，井肆連絡，加之河渠運漕，通于海嶠，篙師舟子，鼓棹飛帆，懋遷有無，雖千里之遠，旬日而至，稻粱、黍稷、魚蟹不可勝食，而材木亦不可勝用也。大定十有一載辛卯，冬至郊天後，鑾輿東巡，幸于是邦，歷覽之餘，顧謂侍臣：此新倉鎮，人煙繁庶，可改爲縣。明年，有司承命，析香河縣東偏鄉閭萬五千家爲縣，謂鹽乃國之寶，取如坻，如京之類義，命之曰寶坻，別爲上縣，著爲版籍。是歲春，除令丞簿，以典其事，粤有縣令振威將軍王䄯來尹是邑，縣丞忠武校尉李顧，主簿儒林郎李拱昌，縣昭信校尉孫告中，參豫速判，以備其職，時坊郭居民千有餘家，自餘村閭著爲四隣，東曰海濱，西曰望都，南曰廣州，北曰渠陽，縣治草創，未有公廨，縣僚乃相地之宜，于渠水之南，大覺招提之西，卜爲縣廨，招提之東，縣丞、主簿公署次之。又于縣北郛郭之外，卜尉廳焉。方營建間，吏民鼓舞，莫不子來，不一二年，皆以卽敍，于是礱石以紀其寔。承安三年，升置盈州，爲大興府支郡，以香河、武清隸焉。泰和四年，廢州爲縣，復隸大興府。清類天文分野之書：泰和四年，州罷，仍爲寶坻縣。元屬大都路。明洪武十年，屬通州。明地理志：寶坻，州東南，元直隸大都路，洪武十年二月來屬。本朝因之。雍正六年，改直隸順天府。九年，析縣東境，置甯河縣。

薊州：衝，繁。新書地理志：薊州，漁陽郡，下。遼地理志：薊州，尚武軍，上。輿地廣記：薊州，下。金地理志：薊州，中。元地理志：薊州，下。周，燕國。春秋時，無終子國。詳説順天府下。秦置無終縣，爲右北平郡治。水經鮑邱水注：藍水逕無終縣故城東，秦滅燕，置右北平郡治此。魏氏地理記曰：右北平城西北一百三十里，有無終城。秦楚之際，遼東王都之。漢異姓諸侯王表：漢元年，項籍徙燕王韓廣爲遼東王，都無終。漢屬右北平郡。地理韻編：無終，西漢縣，右北平郡，卽今直隸順天府薊州治。大清一統志：無終故城，今薊州治。按：薊州，漢無終縣，屬右北平郡。寰宇記、方輿紀要均以爲漢縣，屬漁陽郡，以無終爲今之玉田，不知自漢至元魏，漁陽郡之漁陽，在今密雲縣西南。薊州之漁陽，隋末所置，不見于隋地理志，此據輿地廣記。非漢縣也。今玉田爲唐無終縣治，亦在漢縣境内，而漢無終治，卽今薊州，當屬右北平，非屬漁陽，今從一統志。魏屬北平郡。三國畺域志：本名右北平，魏去右字。晉因之。北魏太平真君七年，省北平，屬漁陽郡。周省徐無來入。隋開皇六年，徙元州於此，并立總管府。大業初，府廢，仍置漁陽郡，後又改縣曰漁陽。一統志：按舊唐志，無無終而有漁陽縣。云秦右北平郡治，隋爲漁陽，當是大業初移漁陽郡名於故無終，遂改縣亦曰漁陽，隋志未及改耳。舊志皆以今玉田縣爲古無終，今改玉田，乃唐初析置之無終，非漢縣也。唐武德元年，郡廢，屬幽州。二年，改屬元州，又析置無終縣。按：今遵化州，玉田縣治。貞觀元年，還屬幽州，省無終來入。乾封二年，復置。舊書地理志：萬歲通天二年，改爲玉田縣。神龍元年，又屬營州。開元四年，還屬幽州。十八年，於縣置薊州，復分三河、玉田二縣隸焉。寰宇記：開元十八年，析幽州之漁陽、三河、玉田三縣，置薊州，取古薊門以名。天寶元年，改爲漁陽郡。乾元元年，復爲薊州。遼因之，爲尚武軍刺史，州屬南京道，領縣三。遼志：漁陽、三河、玉田。宣和四年，賜名廣川郡，改團練州，漁陽賜名平盧，燕山府路。七年，於玉田縣建經州。金亦曰薊州。按：通志云，金置漁陽縣，爲薊州治。考漁陽置自隋末，唐於縣建薊州，至明初省入州，中間並無省置。金薊州置漁陽，亦因遼、宋之舊耳。通志誤。廢景州，以遵化來屬。廢經州，以玉田來屬，屬中都。元地理志：薊州，宋爲廣川郡，金爲中都。廿二史考異當云金屬中都，轉寫脱譌耳。廣川郡名不必書。天德三年，改三河隸通州。大定二十七年，以永濟務置永濟縣，大王鎮置平峪縣。大安初，改永濟曰豐潤，避東海郡侯諱也。金地理志：縣五：漁陽、豐潤、玉田、遵化、平谷。元屬大都路。至元二年，省平谷入漁陽，省豐潤入玉田。四年，復置豐潤縣。三年，復置平谷縣。元地理志：領五縣：漁陽、豐潤、玉田、遵化、平谷。明洪武初，省漁陽入州。十二年，平谷入三河。十三年，復置平谷縣，仍來屬，隸北平府，後屬順天。明地理志：薊州西距府二百里，領縣四：玉田、豐潤、遵化、平谷。本朝因之，領縣四如故。康熙十五年，升遵化爲州，直隸順天府。改豐潤屬遵化州。雍正四年，改玉田屬永平府。乾隆八年，改平谷直隸順天府。

武清縣：衝，繁，難。新書地理志：武清，上。元地理志：武清，下。輿地廣記：漢雍奴、泉州二縣，屬漁陽郡。新斠注地理志：雍奴，今順天府武清縣；泉州，今武清縣東南四十里。莽改泉州曰泉調。後漢初，以雍奴爲侯國，水經注：雍奴，藪澤之名，四面有水曰雍，不流曰奴。漢光武二年，封潁川太守寇恂爲雍奴侯。魏遣張郃、樂進圍雍奴，即此城也。錢大昭後漢書補表：雍奴威侯寇恂，建武二年封，十二年薨。侯損嗣，三十年徙封扶柳。後復爲縣，與泉州仍屬漁陽。魏改屬燕國。晉初屬燕國，後屬漁陽郡。魏地形志：漁陽郡雍奴，二漢所屬，晉屬，燕國後屬。魏太平真君七年，省泉州入雍奴，爲漁陽郡治。齊因之。周移漁陽於潞縣屬焉。隋改屬涿郡。唐屬幽州。天寶元年，改名武清，仍屬幽州。御覽引圖經：武清縣本漢之雍奴縣也。新書地理志：武清本雍奴，天寶元年更名。遼屬析津府，析置香河縣。太平中，析置漷陰縣。宋屬燕山府。金屬大興府。承安三年，改屬盈州。泰和四年，仍屬大興府。元至元十三年，屬漷州。明洪武初，因水患，遷縣於西八里元衛帥府鎮撫衙。日下舊聞考：舊城在邱家莊之南，距縣東十二里，今其地名舊縣，有城隍廟。蓋今之縣城，自明洪武初始遷。明以前，縣治即邱家莊南之故基也。十三年，改屬北平府通州。明地理志：武清州南。屬順天府通州。國朝因之。雍正三年正月，改屬天津州。四年八月，仍歸順天府通州。六年，改直隸順天府。八年，割縣東西一百四十餘村歸天津縣。

香河縣：簡。元地理志：香河，下。漢雍奴縣地，唐改雍奴爲武清，復爲武清縣地。遼分置香河縣，遼地理志：香河縣東武清孫村，遼於新倉置榷鹽院，居民聚業，因分武清、香河、潞三縣置。按：香河爲三河之誤。今縣乃武清分置，西北稍分潞境，東北又稍分三河境耳。以縣東香河爲名，日下舊聞考引圖經：于孫村置縣，縣東南濱水，多栽芰荷，夏秋之間，其香馥郁，因名香河。屬析津府。宋宣和五年，賜名清化，屬燕山府。金仍曰香河，屬大興府。大定十二年，割新倉，置寶坻縣。承安十年，升寶坻爲盈州，以縣屬焉，尋復故。元至元十三年，分屬漷州。明洪武十年，省入漷州。按：一統志、通志、乾隆圖志，均作省入漷縣。考漷州，洪武十四年二月降爲縣，而十三年已復置香河縣矣。當作州，縣字誤。十三年復置，屬北平府，復屬順天府。明地理志：香河，府東南，元屬漷州，洪武十年二月省入州，十三年二月復置。本朝因之。

甯河縣：疲，難。自漢至遼，與寶坻同屬。金置寶坻，爲寶坻縣地。明永樂初置梁城千户所。方輿紀要：寶坻縣東南有梁城。志云：唐末劉仁恭所築。劉守光爲燕王，曾屯兵其地，即今梁城所也。梁城守禦千户所，在寶坻縣東南百十五里，建文二年，燕王于故梁城置。本朝雍正九年，分置甯河縣，屬順天府。大清一統志：本朝初設千總駐守，今改爲縣。

北路廳屬沿革表

		昌平	順義	密雲	懷柔	平谷
周				漁陽燕屬		
秦				漁陽		

漢	幽州	軍都縣屬上谷郡 昌平縣屬上谷郡	狐奴縣屬漁陽郡，莽曰舉符。	漁陽縣漁陽郡治 厗奚縣屬漁陽郡，莽曰郭德。 獷平縣屬漁陽郡，莽曰平獷。 要陽縣屬漁陽郡，莽曰要術。 白檀縣屬漁陽郡	漁陽縣西境	平谷縣屬漁陽郡 滑鹽縣屬漁陽郡
後漢	幽州	軍都縣屬廣陽郡 昌平縣屬廣陽郡	狐奴縣屬漁陽郡	漁陽縣屬漁陽郡	漁陽縣西境	平谷縣屬漁陽郡，省滑鹽縣來入。
三國魏	幽州	軍都縣屬燕國 昌平縣屬燕國	狐奴縣屬燕國	省漁陽、傂奚、獷平三縣入狐奴縣。	狐奴縣北境	平谷縣不詳所屬

晉	幽州	軍都縣屬燕國 昌平縣屬燕國	狐奴縣屬燕國	狐奴縣北境	狐奴縣北境	平谷縣屬漁陽郡
後趙	幽州	軍都縣屬燕郡 昌平縣屬燕郡	狐奴縣屬漁陽郡	漁陽縣漁陽郡治	漁陽縣西境	平谷縣屬漁陽郡
前燕	幽州	軍都縣屬燕國 昌平縣屬燕國	狐奴縣屬漁陽郡	漁陽縣漁陽郡治 方城縣屬范陽郡	漁陽縣西境	平谷縣屬漁陽郡
前秦 後燕	幽州	軍都縣屬燕郡 昌平縣屬燕郡	狐奴縣屬漁陽郡	漁陽縣漁陽郡治 方城縣屬范陽郡	漁陽縣西境	平谷縣屬漁陽治
魏	幽州領燕郡，漁陽郡。東燕州領平昌	軍都縣屬燕郡，尋省入昌平縣。 昌平縣平昌郡治 萬年縣析軍都縣	省狐奴縣，入薊縣北境，燕郡治。	漁陽縣屬漁陽郡 白檀縣密雲郡治 密雲縣屬密雲郡 要陽縣屬密雲郡	密雲縣北境 昌平縣東境	省平谷縣入潞縣，北境屬漁陽郡。

	北齊
郡，偏城郡。安州領密雲郡，廣陽郡，安樂郡。	東北道行臺領燕郡，漁陽郡。東燕州領平昌郡。安州領安樂郡。
置，屬平昌郡。 廣武縣僑縣屬偏城郡 沃野縣僑縣屬偏城郡	昌平縣平昌郡治 萬年縣屬平昌郡，省偏城僑郡，並廣武、沃野二僑縣。
	歸德縣屬燕郡
燕樂縣廣陽郡治 廣興縣屬廣陽郡 方城縣屬廣陽郡 安市縣安樂郡治 土垠縣屬安樂郡	漁陽縣屬漁陽郡 燕樂縣屬安樂郡，省廣興、方城二縣來入。 密雲縣省密雲郡，屬安樂郡，省白檀、要陽二縣來入。 安市縣安樂郡治，省土垠縣來入。
	昌平縣東境
	潞縣北境屬漁陽郡

周	幽州總管府領燕郡，漁陽郡，平昌郡。元州領安樂郡。	昌平縣平昌郡治 萬年縣屬平昌郡	省歸德縣入薊縣北境，燕郡治。	漁陽縣屬漁陽郡 燕樂縣屬安樂郡 密雲縣安樂郡治，省安市縣來入。	昌平縣東境	潞縣北境屬漁陽郡
隋		昌平縣廢平昌郡，屬涿州，省萬年縣來入。	薊縣北境涿郡治	燕樂縣安樂郡治 密雲縣屬安樂郡	昌平縣東境	漁陽縣西境漁陽郡治
唐	河北道	昌平縣屬幽州	懷柔縣析薊縣僑置，歸順州治。	密雲縣檀州治 燕樂縣屬檀州	昌平縣東境	漁陽縣西境薊州治
五代　梁	河北道	昌平縣屬幽州	懷柔縣順州治	密雲縣檀州治 燕樂縣屬檀州	昌平縣東境	漁陽縣西境薊州治

五代唐	河北道	燕平縣昌平縣改名屬幽州	懷柔縣順州治	密雲縣檀州治 燕樂縣屬檀州	燕平縣東境	漁陽縣西薊州治
遼	南京道	昌平縣復故名屬析津	懷柔縣順州治	密雲縣檀州治，省燕樂縣來入。 行唐縣析置屬檀州	昌平縣東境	漁陽縣西境薊州治
宋	燕山府路	昌平縣屬燕山府	懷柔縣順州治	密雲縣檀州治 行唐縣賜名威塞縣，屬檀州。	昌平縣東境	漁陽縣西境薊州治
金	中都路	昌平縣屬大興府	温陽縣懷柔縣改名順州治	密雲縣省行唐縣來入，屬順州，尋省入檀州。	昌平縣東境	平峪縣析漁陽縣置，屬薊州。
元	直隸中書省	昌平縣屬大都路	順州省温陽縣入州，屬大都路。	檀州屬大都路	昌平縣東境	平谷縣改峪爲谷屬薊州

明	京師	昌平州縣升屬順天府	順義縣廢順州改置，屬昌平州。	密雲縣省檀州復置，屬昌平州。	懷柔縣析昌平縣，并分密雲縣西境置，屬昌平州。	平谷縣屬薊州
國朝	京師順天府	昌平州屬順天府	順義縣直隸順天府	密雲縣直隸順天府	懷柔縣直隸順天府	平谷縣直隸順天府

昌平州：衝，繁，難。新書地理志：昌平，望。輿地廣記：昌平，望。金地理志：昌平，下。漢昌平、軍都二縣地，新斠注地理志：昌平在今昌平州東南，軍都在今昌平州東南四十五里。史記周勃世家作渾都。屬上谷郡。後漢改屬廣陽郡。魏屬燕國。晉亦屬燕國。晉畺域表：軍都縣，郡西北九分。今昌平州西七里，昌平縣，郡北少西，乃今州治東南。石趙屬燕郡。後魏亦屬燕郡。太和中，分恆州東部置燕州，治昌平。方輿紀要：太和中，分恆州東部置燕州於此，治昌平。後省昌平入軍都。天平中，置東燕州平昌郡，復置昌平，爲州郡治，并置萬年縣，寰宇記：後魏移軍都縣於今縣東北二十里置，故城在其南，更於今縣郭城置東燕州平昌郡平昌縣。省軍都入昌平。一統志：軍都故城在昌平縣西，漢縣，後魏置東燕州及昌平縣於此。魏書地形志：東燕州，天平中置，寄治幽州軍都城。寰宇記：昌平縣在幽州西北九十里，本漢軍都縣，後魏置軍都於今縣東北二十里，更於故縣置東燕州及昌平縣，後州郡廢，而縣隸幽州。方輿紀要：今州東四十里有軍都村，亦曰縣址。按：今州在舊縣東八里，以寰宇記道里計之，唐時昌平縣尚在舊縣之西，即軍都城也。今州東之軍都城，即順義縣志所謂軍都城，在縣西北三十餘里，乃魏、齊時所僑置，非故縣也。武定中，又置偏城郡，領廣武、沃野二縣。一統志：廣武廢縣在昌平州西，後魏武定元年僑置偏城郡，領廣武、沃野二，燕屬東燕州，北齊廢。地理韻編：廣武，北魏縣，東燕州偏城郡，今直隸順天府昌平縣西。沃野，北魏縣，東燕州偏城郡，亦今直隸順天府昌平州地。齊因之，廢偏城僑郡。周州郡俱廢，後又置平昌郡。開皇初，廢郡，并省萬年來入。方輿紀要：萬年城在州西南。東魏天平中置萬年縣，屬平昌郡。隋開皇初，廢，入昌平。大業初，屬涿郡。

唐屬幽州。後唐同光二年，改曰燕平縣，清類天文分野之書：唐同光二年，改燕平縣。徙治曹村，又徙於白浮圖城。
方輿紀要：五代唐改曰燕平縣，徙治曹村，又徙于白浮圖城，在今州西八里。晉天福初，復名昌平。清類天文分野之書：石晉改昌平舊名，割地以賂遼。遼屬析津府。
宋屬燕山府。金屬大興府。元屬大都路。明初屬北平府。永樂元年，屬順天府。景泰元
年，築永安城於東，三年遷縣治焉。昌平山水記：明景泰元年，於昌平縣東八里築城，徙長、獻、景三陵衛於內，名曰永安城。三年，并昌平縣徙焉。正德元
年，升昌平州，旋罷。八年，復升爲州，領順義、懷柔、密雲三縣。明地理志：昌平州，元昌平縣，直隸大都路。
本朝屬順天府。雍正六年，改順義、懷柔、密雲三縣直隸順天府。

順義縣：衝，繁，難。舊書地理志：順州，下。遼地理志：順州，歸化軍，中。金地理志：順州，下。元地理志：順州，下。漢狐奴縣，屬漁陽郡。新斠注地理志：在今順天府順義縣東北二十里，路水于縣合沽。莽曰舉符。後漢亦曰狐奴。景初二年廢，後復置。與晉皆屬燕國。
石趙屬漁陽郡。燕秦屬燕國。魏屬狐奴。北齊置歸德縣，屬燕郡。周省入薊縣。隋因
之。唐開元四年，置歸順州，懷柔州，爲契丹松漠府彈汗州部落，治懷柔。寰宇記：歸順州，今理懷柔縣。其地乃燕之北境。燕太子丹使荆軻獻地圖蓋此理，即元順州之北境。唐開元四年置，爲契丹松漠府彈汗州部落，領懷柔一縣。天寶元年，改爲歸化郡。乾元元年，復爲歸順州。自安禄山之亂，此地因陷入胡。天寶元年，
改歸化郡。乾元元年，復爲歸順州。唐末曰順州。日下舊聞、明一統志云：順州之名，始自隋，然考之隋書，粟末靺鞨渠長度地稽内附，止云居之柳城而已。寰宇記云：大業四年，爲置遼西郡以統之。亦未有隋置順州之文也。唐貞觀四年，平突厥，乃以其部落置順、祐、化、長四州，都督府於幽靈之境。其時順州僑治營州南五柳城，後又僑治幽州城中。寰宇記：順州四至八到，與范陽同，東北至幽州一百二十里。則順州乃在幽州之南，與今之順義初不相蒙矣。至於開元中，徙燕州於桃谷山，雖今縣地，然仍曰燕州。繼爲朱滔所滅，因廢爲幽都縣。終唐之世，亦未嘗以順州稱也。直至梁乾化三年，晉周德威拔燕順州地，以順州名見此，而五代史職方考後唐一百二十三州，順州始在其列。此紀地志者所當考也。日下舊聞考、太平寰宇記：煬帝初，廢營州爲柳城。唐仍營州。貞觀六年，置順州，寄治營州南五柳城。遼史誤以

唐置爲隋置。明志因沿其誤耳。至順州，非卽今順義地。按：通典，順州在范陽郡城內，天寶初置。尋改爲順義、歸化兩郡。今考寰宇記，順州順義郡領縣一，賓義，四至八到，與范陽同。范陽爲故幽州，卽今順天府境，歸順州歸化郡，領縣一，懷柔，另有四至八到，西南至幽州七十五里。今順義縣境正在府東北六十里，地界相符。彝尊以縣爲唐之歸順州歸化郡，非順州順義郡是矣。至寰宇記所云，順州四至八到，與范陽同，乃指范陽郡言。通與謂在范陽郡城內，可證彝尊乃以涿州之范陽縣當之，云東北至幽州一百二十里，則歸順州又在幽州東北七十五里，兩地相距幾至二百里，中隔幽州一城，界址不屬，與寰宇記所云歸順州卽元順州之北境，其説相牾，則是誤以范陽郡爲范陽縣，又彝尊之失考也。晉天福中，入遼，仍曰順州，置歸甯軍，又改歸化軍，統懷柔一縣，屬南京道。宋宣和五年，賜名順興郡團練軍。金亦曰順州。明昌六年，改懷柔名温陽，又以密雲縣來屬，旋省。元省温陽入州。明洪武元年，廢州，改置順義縣，屬北平府，後屬順天府。正德八年，屬順天府昌平州。明地理志：順義州東少南，元順州。洪武元年十二月，改爲順義縣，屬府。正德元年七月來屬。本朝亦屬順天府昌平州。雍正六年，改直隸順天府。

密雲縣：衝，繁，難。新書地理志：密雲，中。遼地理志：檀州武威軍，下。輿地廣記：檀州，下。元地理志：檀州，下。燕漁陽郡。秦因之。漢爲漁陽。新斠注地理志：漁陽在今順天府密雲縣西南三十里。應劭曰：縣在漁水之陽也。厗奚，新斠注地理志：厗奚在今密雲縣西。太平寰宇記：檀州縣也。孟康：厗音題，字亦作題。郡國志作傂奚。太平御覽作虒奚。王氏念孫曰：漢志本作虒奚，御覽引尚不誤。段氏玉裁曰：水經作注傂奚。孟康曰：字或作蹄，蹄當是蹏之譌。水經注之傂，亦蹏之譌也。廣韻、集韻皆無傂，而集韻曰：傂奚，縣名，音田黎切。然則傂者譌字。獷平，新斠注地理志：獷平在今密雲縣西南。水經注：鮑邱水南逕厗奚縣，東又逕獷平縣東。服虔讀獷爲鞏。要陽，新斠注地理志：要陽在今密雲縣東南六十里，在要水之陽也。水在縣東北。崔迺翬要陽縣考：一統志原本以漢要陽縣地在熱河，引水經注大要水逕要陽縣故城東爲證。按：前漢之要陽縣屬漁陽郡，後漢省。北魏復置要陽縣，屬密雲郡。魏書地形志：密雲郡要陽縣。注：前漢屬漁陽郡，後漢、晉罷後復屬，蓋言復置其縣，而改屬于密雲郡，以別于前漢之屬漁陽，實卽漢故縣也。魏書郡縣沿革多不詳，而獨于要陽指爲漢縣，自無可疑。又魏之要陽有桃花山，而遼史以桃花山屬之檀州，可知要陽故地卽在檀州境內矣。按：要陽以要水得名，水北曰陽，則要陽在要水之陽。方輿紀要：要水在密雲縣東北，亦曰清水，源出古北口外，自大小黄崖口流入境，又東入于潮河。漢要陽縣以此名。昌平山水記亦謂要水源出塞外，至密雲縣東入潮河，俗謂之清水河。按：熱河志，清水河出灤平縣南境邊城外，西南流至牆子峪，北入邊，下流會乾塔河入潮河。今密雲縣東北境内牆子峪之西南，司馬台至令公莊，莊窠並在乾塔河北，當爲清水河之所經，下流會乾塔河至石匣鎮，東達于潮河，要陽自當在司馬台西至石匣鎮數十里之間。清水河北與邊外無涉。又水經注，要水出塞外，三川並導，謂之大要水。東南流逕要陽縣故城東，又東南流逕白檀縣入于濡。今之要水，但西南流入潮河，不入灤河，乃知水經注要水一條，本應入鮑邱水下，其誤入濡水者，道元之舛也，不足據也。

白檀，新斠注地理志：白檀在今密雲縣南二十里。崔迺暈漢白檀縣考：一統志原本以熱河爲漢白檀縣，引水經注濡水逕白檀縣故城，及三國志魏武北征烏桓，出盧龍塞經白檀之文爲證。謂漢時白檀等縣，皆處邊外。又漢白檀、要陽、滑鹽三縣屬漁陽郡，見于漢書地理志，而後漢書郡國志無之，説者遂疑其本在邊外，棄入鮮卑，然光武併邑縣甚多，應劭謂中興時人民稀少，司馬彪謂世祖以官多役繁，乃命併省，非因在邊外而棄入鮮卑也。且考漢白檀縣明明在今之密雲縣境，何以知之？前漢有白檀縣及厗奚縣，而無密雲縣，後漢省白檀而存厗奚，至北魏時，置密雲郡，始于漢厗奚縣改置白檀縣，以爲郡治，而於白檀故地別置密雲縣。北齊以後，皆仍北魏密雲縣之名，實卽漢白檀之故界。故隋唐之檀州，卽今密雲縣，皆取義于白檀。遼史地理志則爲檀州武威軍下，謂爲燕漁陽郡地。漢爲白檀縣，并引魏書曹公歷白檀，及續漢書白檀在右北平之文以爲證。曾公亮武經總要，于檀州武威軍下，亦引漢書將軍李廣弭節白檀之文以爲證。顧祖禹方輿紀要又稱白檀廢縣在密雲縣南，漢置，以縣有白檀山名。而顧炎武昌平山水記則謂密雲縣南二十里有白檀山，漢所以名縣。是前漢之白檀故城，當在今之密雲縣南二十里白檀山下，是爲白河之南，與濡水無涉，此蓋水經注之鮑邱水篇而誤作濡水者也。若後魏之白檀，自在今之密雲縣東北。謹按魏書地形志，密雲郡治提攜城，而于白檀縣下復注曰：郡治。故知後魏之白檀故城，卽在此提攜城也。又考漢書厗夷縣注曰：郡治。孟康曰：厗音題，字或作蹏。後漢書作傂奚。水經注作傂奚。魏書作提攜。紀要謂提攜城卽厗奚之譌，是漢厗奚故縣，爲後魏之提攜城無疑。北齊以後，又于提攜城置燕樂縣治，故舊書地理志曰：燕樂縣舊治白檀故城，此指魏之白檀，非漢之白檀也。續通典亦曰燕樂，漢厗奚縣地，亦以別於漢白檀。據舊唐書地理志：燕樂縣在檀州東北百八十五里。太平寰宇記：燕樂在檀州東北八十五。故知漢厗奚之在今密雲縣東北，亦爲漢白檀縣城東北，至若金史興州興化縣下有白檀鎮，泰和三年升爲宜興縣，其地在今古北口外，舊説據之以爲此鎮，漢之白狼爲興州，河至此與古濡水合流也。然古來近邊之地，其軍戍之名，與古郡縣相同者頗多，如魏之密雲戍，見于水經注，而不可以謂之密雲縣；唐之柳城軍，見于唐書，而不可以謂之柳城縣。況金史于白檀鎮下無沿革可考，又在長城以外，惡得因鎮名之偶同，而卽據爲漢縣哉？然則魏武征烏桓，何以出盧龍塞越白檀？曰：三國志之所謂經白檀，特經其境，不必至其城。當日魏武上徐無山，田疇爲鄉導，路逕最熟，其獻計曰：從盧龍塞越白檀之險路，近而便。蓋言欲出盧龍塞者，必先越過白檀之險也。密雲東北連山，至濡口均係白檀之險，徐無山在遵化州西，當在白檀險塞之中。是三國志經白檀一語，正指徐無山言，其書之於盧龍塞後者，當日田疇定計改出盧龍塞，故三國志魏武紀先書出盧龍塞于前，定當日行軍大勢，又追書其未出盧龍塞時所經白檀山境内徐無山之險，明係倒書文法，若從舊説，漢白檀爲灤平縣地，是魏武出盧龍塞後不東趨柳城，反折西至古北口外，幾於南轅而北轍，此固勢所以必無，且田疇之所謂路近而便者，義又安在？故知其不足據也。洪頤煊讀書叢録：乃召拜廣爲右北平太守。又云：將軍其率師東轅，弭節白檀。孟康曰：白檀，縣名也，屬右北平。頤煊按地理志，白檀屬漁陽郡，當是後所改屬。諸縣地以漁陽爲郡治，後漢治徙潞，按：水經注，鮑邱水又南逕潞縣故城西。王莽之通潞亭也。漢光武遣吳漢、耿弇等破銅馬、五幡於潞東，謂是縣也。屈而東南流，逕潞城南，世祖拜彭寵爲漁陽太守，治此。魏志：劉虞從事鮮于輔、閻柔等欲報公孫瓚，與瓚所置漁陽太守鄒丹戰潞北，則東漢郡始終治潞。司馬續志，仍沿班固爲治漁陽者，誤。省要陽、白檀，按：寰宇記，本漢厗奚縣地。通志云：漢置漁陽縣，爲郡治。方輿紀要云：漢白檀縣地。并載要陽、獷平故城，是今縣得漢之五縣地。有以漢縣地大言者，疑沿邊較腹地爲密，迨及世祖，以官多役煩，併省縣邑甚多，要陽、白檀均入漁陽，亦以縣邑太多與？廢漁陽郡，兼省漁陽、厗奚、獷平於邊外。石趙、魏復置，立漁陽郡，治漁陽縣。十六國疆域志：漁陽郡治漁陽。燕置方城縣。方輿紀要：方城廢縣，在縣東北，魏主燾廢方城入密雲，蓋慕容燕所置。魏移郡治雍奴。皇始二年，置密雲郡，白檀縣治提攜城，按：魏白檀治提攜城，即漢厗奚故城也。地理韻編：密雲，北魏郡安州，今直隸順天府密雲縣東北七十里。白檀，魏縣。安州密雲郡，今直隸順天府密雲縣東北七十里。領密雲、地理韻編：密雲，魏縣，安州密雲郡，今直隸順天府密雲縣治。要陽。地理韻編：要陽，北魏縣，安州密雲郡，今直隸順天府密雲縣東南六十。延和元年，置益州於燕樂縣，地理韻編：燕樂，魏安州廣陽郡，今順天府密雲縣東北七十。置交州於安市縣，地理韻編：安市縣，魏安州安樂郡，今順天府密雲縣東北。方輿紀要：安市，遼東屬縣，北魏僑置于此。太平真君二年，改益州爲廣陽郡，領廣興。地理韻編：廣興，北魏安州廣陽郡。按：當在順天府密雲縣東北。改交州爲安樂郡。九年，省方城入密雲，省恆山入廣興，省永樂入燕樂，省常平入安市，置土垠縣，屬安樂郡。地理韻編：土垠，北魏安州安樂郡，今順天府密雲縣東北一百八十。皇興二年，置安州，寰宇記：取懷安之義也。領密雲、廣陽、安樂三郡，治故方城。普泰元年，復置方城縣，屬廣陽郡。天平中陷，元象中寄治幽州北界，又移廣陽郡燕樂縣於白檀縣治。北齊廢密雲郡及要陽、白檀二縣入密雲，按：一統志云，齊廢白檀爲燕樂縣。考魏元象中移燕樂與白檀同治，至是始省白檀也。廢廣陽郡，以廣興、按：隋志避煬帝諱，改大興。方城入燕樂，廢土垠入安市，而安樂郡如故。周改安州爲元州，廢安市入密雲縣。隋開皇初，廢安樂郡入元州。十六年，州徙治無終，以密雲、燕樂隸幽州。十八年，置檀州。大業初，廢州，復置安樂郡，領燕樂、密雲二縣。唐武德元年復置檀州。長壽二年，移燕樂於新興城。天寶元年，改曰密雲郡，治密雲，屬河北道。乾元元年，復置檀州，後省燕樂來入。按：紀要，五代廢爲燕樂莊。輿地廣記、寰宇記均有燕樂，至遼史無之，疑遼初省。晉天福中入遼，加武威軍號，置行唐縣。方輿紀要：行唐廢縣在縣東。遼志：行唐縣本定州行唐縣，太祖掠定州，破行唐，盡驅其民北至檀州，擇曠土居之，凡置十寨，仍名行唐縣，隸彰愍宮。宣和五年，金人歸宋，賜郡名曰橫山，升鎮遠軍節度，行唐賜名威塞。七年，復入金，廢行唐，以密雲屬順州，後置檀州省密雲縣。元因之。元地理志：金仍爲檀州，元因之。明洪武元年，改州爲密雲縣，屬北平府。按：一統志作順天府。是時府曰北平，未有順天府也。正德中，改屬昌平州。本朝雍正六年，改屬順天府。

懷柔縣：衝，繁。漢漁陽縣西境，魏省漁陽入狐奴，爲狐奴縣北境。晉因之。按：狐奴，景元二年省狐奴。而晉地理志，燕國有狐奴，不言新置，是仍魏之省也。意景元省縣，未幾復置與？魏省狐奴，按：狐奴之省，未知何時。考十六國疆域志，石趙、前燕均有狐奴，魏地形志無之，疑魏時廢。皇始中，置密雲，爲密雲西境。天平中，置昌平，又爲昌平東境。唐、遼、金、元皆爲昌平東境。明洪武元年，析昌平境，復置懷柔縣，並分密雲西境隸之，屬北平府。日下舊聞考、太平寰宇記：順州理賓義縣，唐貞觀六年置，寄治營州南五柳城。天寶元年，改爲順義郡。乾元元年，復爲順州，四至八到與范陽同，此順州也。通典所謂順義郡，置范陽郡城內者是矣。歸順州理，懷柔縣即元順州之北境。開元四年，置爲松漠府彈汗州。天寶元年，改爲歸化郡。乾元元年，復爲歸順州。是歸化郡乃松漠府彈汗州所改，其地南至幽州即范陽郡。八十五里，西南至幽州七十五里，爲今順義縣地。朱彝尊所云今之順義，本歸順州歸化郡，非順州順義郡是也。

至今懷柔乃明初析昌平、密雲地所立，雖取古名，實非舊地。考遼史，順州歸化軍領縣一，懷柔，有温餘河。金史，領縣二，温陽、密雲。温陽，温餘水之陽也，卽懷柔所改。今温餘水入順義北界，不經懷柔界，是可證昔之懷柔爲今順義，而今非懷柔矣。遼史此條，混歸順州於順州，固多舛錯，彝尊既以歸順州爲順義，復以此條并下條載入懷柔，是又混懷柔於順義矣。按：唐之懷柔，自五柳城徙幽州，卽今順義。今之懷柔，係明洪武析昌平置，被以古懷柔之名，實非古懷柔之地矣。順義、懷柔二縣，日下舊聞考最洽，今從其説，他書皆不免舛誤。**正德八年，改屬昌平州。**明地理志：懷柔州東北，洪武元年十一月，省入檀州，十二月復分密雲、昌平二縣地置。按：懷柔，唐縣。金明昌改温陽。元太祖十年，省温陽。元史並無懷柔。此云洪武元年省入檀州，可疑。**本朝因之，雍正六年，改直隸順天府。**

平谷縣：簡。元地理志：平谷，下。**漢平谷、**地理韻編：漢平谷，西漢漁陽郡，今直隸順天府平谷縣東北十二。**滑鹽二縣地，**新斠注地理志：滑鹽今平谷縣。**屬漁陽郡。後漢省滑鹽入平谷。**方輿紀要：滑鹽廢縣在縣西北，漢縣，屬漁陽郡。後漢縣廢。明帝時謂之鹽田，世謂之斛鹽戍。崔迺翬漢滑鹽縣考：一統志原本以漢滑鹽縣地在熱河，引水經注，大榆水河經滑鹽縣南爲證。按：前漢之滑鹽縣屬漁陽郡，後漢省。水經注曰：大榆河逕安州，舊漁陽郡之滑鹽縣南，又南逕傂奚縣故城東，是滑鹽與傂奚相接。又滑鹽城一名斛鹽城，北魏時置斛鹽戍，縣廣長塹。酈道元謂：魏太和中掘此以防北狄。則其地之近邊可知。唐書地理志：薊州東北九十里，有洪水守捉，又東北三十里，有鹽城守捉，唐之薊州兼有今平谷縣地，其北境之鹽城，亦當屬滑鹽縣境。方輿紀要：滑鹽廢縣在平谷縣西北，漢縣，屬漁陽郡。今平谷北近邊地，多屬密雲，是又兼得密雲東境也。總之，滑鹽縣在傂奚城北，又在大榆河北，其地又近邊。大榆河卽古鮑邱水，爲今之潮河。今潮河自古北口來，入密雲縣東北境，屈曲西南流，逕潮河營，又屈曲東南，至新開溝之南村東湯河注之，又屈曲西南至石匣東，清水河自西來會。石匣在密雲縣東北六十里，古北口在石匣東北又六十里，且近邊，潮河繞其西，又屈曲環抱其南，當與前漢滑鹽縣相近，自此而南一百二十里，爲今之密雲縣城，卽前漢之白檀縣境，而石匣城當其中，又在潮河之西，疑卽前漢時傂奚故城。水經注之所謂傂奚，魏書地形志之所謂提攜爲密雲郡白檀縣治者，正在滑鹽縣南六十里，扼大榆河要害，以形勢度之，當不遠也。又按方輿紀要引邊防考曰：古北口潮河寬處可一二里，狹處僅二三丈，昔人每以木石縱横布列，以限戎馬，川之兩防，築垣五臺，東臺下有鐵門關，爲出入常道，扃鑰不開，西臺上有樓，總督大臣每以撫賞諸夷時蒞此。關外爲夾牆，下有小城，曰北關營。川口東南又有小城，曰潮河川堡，設潮河川守禦千户所。又引志曰：潮河川直衝境外，横闊百七十餘丈，夏秋水漲，則成巨浸，水退爲垣，塗可通萬騎，地皆流沙，不能築城鑿渠。宏治中，撫臣洪鍾議：以古北口東三里許，二岩、三岩間，其山外高内低，約餘二丈，鑿爲兩渠，以殺水勢；復於口内砌石堰，使水由川中行，仍於堰内築外關一座，以防寇衝。詔從之。議者謂，於柏查山築牆，則川在牆内，鑿之無益。既而功久不成，議者又言：潮河川古道門外有蜂窩嶺，增墩，濬川，設橋其間，可防衝突。許論謂潮河川係殘元上都故道，尤爲寇衝，設橋則浮沙難立，爲塹則漲水易淤，若多建石墩列川中，錯綜宛轉，令不礙水路，亦備禦一法也。嘉靖中，邊民哈丹兒者，常導俺答自潮河川入京，東逼古北口。萬曆中，議者欲於潮河川西山野猪嶺，北至豬嘴寨河口墩，又迤北至石崖，創修横城一道，以爲險固。北魏滑鹽境，内廣長塹當不出此，古北口外數十里之間。至水經注稱滑鹽縣西北去禦夷鎮二百里，舊説據之以證滑鹽縣之在邊外。然考水經注云，鮑邱水出禦夷鎮北塞中，則禦夷鎮在其南可知。又沽水出禦夷鎮西北九十里，則禦夷鎮在其東南可知。今潮河即古鮑邱水，自豐甯鎮境發源，白河即沽水，自獨石口外發源，是今豐甯縣之西南境，灤平縣之西境，與獨石廳相接處，即當時禦夷鎮地。其去邊城本不甚遠，況自獨石口沽水源起，至東南之禦夷鎮城，不過九十里，今按古尺計之，大率三分損一，實止六十里。又禦夷鎮故城起，至東南之滑鹽城，不過二百里，按今古尺計之，大率三分損一，實止一百三十三里，統計一百九十三里。今自獨石口起，至獨石廳東南境之黑河汛，爲黑河之東南岸，與豐甯縣西南境相接，約計六十餘里，當距後魏禦夷鎮不遠。又自黑河汛起，遞迤東南，歷豐甯縣西南境，灤平縣西境，至古北口，入密雲縣東北境，約計一百三十餘里，其自獨石口至古北口，則一百九十餘里，正與古尺二百里數合，其爲前漢滑鹽縣無疑。至若五代史四夷附録稱：契丹以所得漢人自爲一部，治漢城，城在炭山東南灤河上，有鹽鐵之利，乃後魏滑鹽縣地。宋白續通典稱：漢城在檀州西北五百五十里，城北有龍門山，山北有炭山，其地在灤河源西，有鹽泊之利，即後魏滑鹽縣。此二説者，又以滑鹽縣爲古濡源之地。然水經注但稱鮑邱水逕滑鹽縣，而不言爲濡水所經，今潮河自豐甯縣發源，南流入邊，其水道至今不易，實與濡源絶遠，豈得混之爲一！且滑鹽本前漢縣名，後漢已廢，若北魏則本無此縣，是兩書之所謂後魏滑鹽縣，其誤又不待辨而明矣。魏因之。晉省，後復置。魏太平真君七年，省入潞。按：三國畺域志、晉地理志，均無平谷，而乾隆圖志云：魏因晉省後復置。太平真君七年，省入潞。所據僅魏地形志潞縣下，真君七年并平谷屬焉一語耳，今從之。唐爲漁陽西境地。金大定二十七年，以漁陽縣大王鎮置平峪縣。日下舊聞考：按金史地理志，作平峪。問奇集云：峪讀如裕，平峪，縣名。元至元二年，省入漁陽。按：清類分野之書作至元三年，與元史異。十三年，復置平谷縣。明洪武十年，省入三河縣。十三年，復置，屬順天府薊州。本朝乾隆八年，改直隸順天府。